The LOST SYMBOL

Dan Brown

ロスト・シンボル

上

ダン・ブラウン　越前敏弥訳

角川書店

合衆国連邦議会議事堂の天井画「ワシントンの神格化」コンスタンティノ・ブルミディ、1865年
(LDV/Uniphoto Press)

ワシントンDCに建造された象徴群。（ALM/Uniphoto Press）
上右：ワシントン記念塔。エジプトのオベリスクを模している。　上左：ジェファーソン記念館。アメリカのパンテオンと呼ばれる。
下：リンカーン記念館。古代ギリシャのパルテノン神殿を彷彿とさせる。

ロスト・シンボル　上

THE LOST SYMBOL
by
Dan Brown

Japanese translation rights arranged with Dan Brown
c/o Sanford J. Greenburger Associates, Inc., New York
through Tuttle-Mori Agency, Inc., Tokyo

Translated by Toshiya Echizen
Published in Japan by
Kadokawa Shoten Publishing Co., Ltd.

ブライズに

世界の意味に気づかずにこの世界に生きるのは、書物にふれずに大きな図書館を歩きまわるようなものだ。

――『象徴哲学大系』

事実

一九九一年、ある文書がＣＩＡ長官の金庫に保管された。文書は現在でもそこにある。暗号で記されたその文書には、古の門や、地下の知られざる場所についての記述がある。また、「あのどこかにそれは埋められている」という一節も含まれている。

この小説に登場するフリーメイソン、見えざる大学、ＣＩＡ保安局、スミソニアン博物館支援センター（ＳＭＳＣ）、純粋知性科学研究所などの組織は、すべて実在する。

作中に描かれた儀式、科学、芸術、記念建造物は、どれも現実のものである。

〈主な登場人物〉

ロバート・ラングドン	ハーヴァード大学教授　宗教象徴学専門
ピーター・ソロモン	スミソニアン協会会長　歴史学者
キャサリン・ソロモン	ピーターの妹　純粋知性科学者
ウォーレン・ベラミー	連邦議会議事堂建築監
トリッシュ・ダン	キャサリンの助手
アンダーソン	連邦議会議事堂警察警備部長
ヌニェス	連邦議会議事堂警察警備官
ノーラ・ケイ	CIA（中央情報局）上級分析官
シムキンズ	CIA捜査官
サトウ	CIA保安局局長
マラーク	全身刺青（いれずみ）の男

プロローグ

テンプル会堂　午後八時三十三分

秘密はいかにして死ぬかだ。

時のはじまりから、秘密はつねに、いかにして死ぬかであった。

その三十四歳の秘儀参入者は、両手でかかえた人間の髑髏(どくろ)を見おろした。髑髏は碗(わん)のように中空で、血の赤のワインが満たされている。

飲め、と自分に言った。恐れることは何もない。

ここに至る長い道程がはじまったときには、伝統どおり、絞首台へ導かれる中世の異端者の扮装(ふんそう)をしていた。ゆるいシャツの前をはだけて青白い胸をさらし、左の裾(すそ)を膝(ひざ)までたくしあげ、右の袖(そで)を肘(ひじ)までまくるといういでたちだ。首には、〝引き綱〟と呼ばれる重い輪縄が掛けられる。だが今夜は、立ち会いの会員たちと同じく、長(マスター)の装いだった。

その男を囲む会員たちは、全員が子羊革の前垂れと、飾り帯と、白い手袋という正装で身を飾っていた。首には、薄明かりを浴びて幽霊の目のごとく光る儀式用の宝石を掛けている。多くは世間で高い地位に就いているが、この壁のなかでは俗界の地位などなんの意味も持たないことを参入者は知っていた。ここではだれもが平等であり、神秘の絆(きずな)で結ばれた盟友となる。

物々しい一団を見渡した参入者は、この面々がひとところに集まるさまを外界のだれが信じるかと思った……ましてや、こんな場所に。その空間はさながら古代世界の聖所だった。

だが、もっと奇異な事実がある。

ここはホワイトハウスからさほど離れていない。

ワシントンDC北西地区十六番ストリート一七三三に位置するこの壮大な建物は、紀元前の聖堂――霊廟(マウソレウム)の語源となったマウソロス王の墓所――を復元したものだ。正面入口の前では、十七トンのスフィンクス二体が青銅の扉を守護している。内部は、儀式の間や広間や封印された保管庫や図書室がいくつも並ぶ豪華な迷宮になっていて、ふたりの人間の遺体をおさめた壁龕(へきがん)まである。参入者はこの建物の全室に秘密があると教えられていたが、いま自分が両手に髑髏をかかえてひざまずく巨大な空間こそが最も深遠な秘密を持つにちがいなかった。

〈テンプルの間〉。

部屋は完璧(かんぺき)な正方形で、異様に広い。緑色の花崗岩(かこう)でできた一枚岩の円柱群がそれを支え、天井の最頂部は驚くべきことに百フィートもの高みにある。ロシア産のか黒(ぐろ)いクルミ材に豚の革を手作業で張った椅子が、列をなして部屋を囲んでいる。一方の壁には高さ三十三フィートの玉座がそびえ、その向かいの壁にはパイプオルガンが組みこんである。壁にちりばめられているのはとりどりの古代の象徴だ……エジプト、ヘブライ、天文学、錬金術、そして未知のものまである。

今夜、〈テンプルの間〉は厳密に配された蠟燭(ろうそく)で照らされていた。そのほの明かりを補う光と言えば、大きな天窓から差しこむ一条の青白い月光だけで、この部屋でひときわ異彩を放つ物体を照らし出している。それはベルギー産の黒大理石を彫って作った巨大な祭壇で、正方形の空間のちょうど中

央にある。

　秘密はいかにして死ぬかだ、と参入者はまた心に言い聞かせた。

「時間だ」声がささやいた。

　参入者は前に立つ白いローブ姿の人物の威容に目を向け、下から上へと視線を這わせた。最上の聖なるマスター。五十代後半のその人物はアメリカの偶像そのものであり、深く敬愛され、身は壮健で、底知れぬ富を持つ。かつて黒かった髪は銀色に変わりつつあり、広く知られた顔立ちは、権力に恵まれた人生とみなぎる知性を映し出している。

「誓いを」舞い落ちる雪のように穏やかな声で、マスターが言った。「道程を終えよ」

　こうした道程の例に漏れず、この秘儀参入者の場合も第一位階からはじまった。その夜もいまと似た儀式がおこなわれ、聖なるマスターがベルベットの目隠しをあてがって儀仗の短剣を裸の胸に押しあて、こう問いただしたものだ。「この組織の神秘と恩恵に浴する資格者として、おのれの身を快く進んで捧げることを、欲得やそのほかの不純な動機によらず、名誉にかけて厳かに誓うか？」

「誓います」参入者は嘘をついた。

「ならば、この剣が心に突き立てられんことを」マスターは警告した。「そして、授かりし秘密を漏らさば、すみやかな死が訪れんことを」

　そのとき、参入者は何も恐れなかった。自分の真の目的が見抜かれるはずはない。

　しかし今夜は、〈テンプルの間〉に漂う不吉なまでの厳粛さが感じられ、いままでの道程で与えられた陰惨な警告がつぎつぎと脳裏によみがえった。これから学ぶ古の秘密をもし漏らすことがあれば、忌まわしい結果を招くとたびたび威嚇されていた。喉を耳から耳まで切り裂かれ……舌を根もとから

引き抜かれ……はらわたを抜き出されて焼かれ……天の四方からの風に吹き散らされ……心臓をえぐられて野の獣に与えられ――

「兄弟よ」灰色の目をしたマスターが言い、左手を参入者の肩に置いた。「最後の誓いを」

参入者は最後の一歩を踏み出す覚悟を決め、筋骨たくましい体を動かして、両手でかかえた髑髏へ注意をもどした。蠟燭の鈍い光のせいで、深紅のワインが黒に染まって見える。部屋が死の沈黙に包まれるなか、立会人の全員が視線を注ぎ、自分が最後の誓いを述べて選ばれし者の一員になるのを待ち受けているのを参入者は実感した。

今夜、壁に囲まれたなかで、この結社の歴史ではじめての出来事が起こりつつある。何世紀にもわたって、ただの一度もなかったことが。

それが口火となり……計り知れぬ力を自分にもたらす。気力が湧くのを感じた参入者は大きく息を吸い、これまで世界じゅうの国々で数知れぬ男たちが述べてきたのと同じ文句を口にした。

「もし、われがそれと知りつつあえて誓いを破らば……いま飲むこの葡萄酒が致命の毒とならんことを」

うつろな空間に声がこだまする。

そして静まり返った。

参入者は両手に力をこめて髑髏を口へ運び、乾いた骨に唇がふれるのを感じた。目を閉じて髑髏を手前に傾け、ワインを長々とゆっくり飲みくだす。最後の一滴を飲みほすと、髑髏をおろした。

一瞬、肺が締めつけられ、心臓が激しく鼓動を打ちはじめた気がした。まさか、見抜かれていたのか！　だが、その感覚は訪れたときと同じくらいすみやかに去った。

心地よいぬくもりが体に流れこむ。参入者は息を吐き、心の底で笑いながら、疑うことを知らぬ灰色の目の男を見つめた。愚かにも、この男は結社の最も秘密の多い位階へ自分を受け入れた。

もうじきおまえは、何より大切なものをすべて失うことになる。

1

エッフェル塔の脚をのぼるオーチス社のエレベーターは、観光客でごった返していた。せまいエレベーターのなかで、プレスの利いたスーツ姿のまじめそうなビジネスマンが、かたわらの少年を見おろす。「顔色が悪いぞ。下に残ればよかったのに」

「だいじょうぶ……」少年は不安を必死に抑えながら答えた。「つぎの階でおりるよ」息ができない！

男は身を寄せた。「もうそろそろ平気になったかと思ったんだが」愛情をこめて息子の頰をなでる。少年は父を落胆させた自分を恥じたが、耳鳴りのせいでほとんど何も聞こえなかった。息ができない。この箱から出なくちゃ！

エレベーターの案内係が、ピストンを連結した構造だの、錬鉄製の骨組みだのと、不安を打ち消すような説明をしている。はるか眼下では、パリの街路が四方八方へ伸びている。

もう少しだ、と少年は自分に言い聞かせ、首を伸ばしてエレベーターの乗降場を見あげた。がまんしろ。

上層の展望台をめざしてエレベーターが急勾配(こうばい)を上昇するにつれ、シャフトが細くなり、太い支柱が集まって窮屈な垂直のトンネルを作り出す。

「お父さん、やっぱり——」

不意に頭上から断続音が響いた。エレベーターが揺れ、危険なほど大きく傾く。すり切れたケーブルがエレベーターの周囲で風を切り、蛇のようにのたうちまわる。少年は父にしがみつこうとした。

「お父さん！」

恐怖の一秒間、ふたりの視線がからみ合った。

そして底が抜けた。

ロバート・ラングドンは柔らかい革張りの座席から突きあげられ、夢うつつのまどろみから唐突に引きもどされた。ファルコン２０００ＥＸビジネスジェット機の広々とした客室にひとりで腰かけていて、機は揺らぎながら乱気流を突っ切っていた。背後でプラット＆ホイットニー社の双発エンジンが低く単調な音を立てている。

「ミスター・ラングドン」頭上のインターコムから雑音混じりの声が聞こえた。「当機は最終着陸態勢にはいりました」

ラングドンはすわったまま姿勢を正し、講演のメモを革のショルダーバッグへもどした。フリーメイソンの象徴論を半分ほど見なおしたところで、意識が遠ざかっていた。亡き父の夢を見たのは、長年の恩師であるピーター・ソロモンからけさ思いがけず招きを受けたせいらしい。

けっして落胆させたくない、もうひとりの人物だ。

五十八歳の慈善家、歴史家、科学者であるソロモンは、三十年近く前に自分に手を差し伸べ、父の死によってもたらされた心の隙間をさまざまな形で埋めてくれた。有力な名家に属し、莫大（ばくだい）な富を持つ人物だが、その穏やかな灰色の瞳（ひとみ）にラングドンは謙虚さと思いやりを見いだしていた。

窓の外では日がすでに沈んでいたが、古代の日時計の尖柱さながらに地平線にそそり立つ、世界最大のオベリスクの細いシルエットがまだ見てとれた。大理石で覆われた高さ五百五十五フィートのオベリスクは、この国の心臓部を示している。その尖塔からは、街路や記念建造物の作る精密な幾何学模様が四方八方へとひろがっている。

空中から見ても、ワシントンＤＣは神秘的なまでの力を放っていた。

この街が大好きなラングドンは、ジェット機が着陸したとき、前途にあるものを思って気持ちの高ぶりを感じた。ジェット機は広大なダレス国際空港のどこかにある自家用機用ターミナルへ滑走していき、やがて停止した。

ラングドンは荷物をまとめて、パイロットに礼を言い、ジェット機の贅を尽くした客室から折りたたみ式の階段へ足を踏み出した。一月の冷たい空気に解放感を覚える。

息を吸え、ロバート。胸の内で言い、開けた空間に感謝した。

白い霧が滑走路一面に漂っていて、かすむ乗降場におり立ったときは沼地に踏みこんだ気分になった。

「こんにちは！　こんにちは！」イギリス人らしい単調な声が乗降場の先から大声で呼びかけた。

「ラングドン教授ですね？」

視線をあげると、バッジをつけてクリップボードを持った中年の女が走ってくるのが見えた。ラングドンが近づくとうれしそうに手を振った。しゃれたニット帽の下から、金髪の巻き毛がはみ出している。

「ワシントンへようこそいらっしゃいました！」

ラングドンは微笑んだ。「ありがとう」

「送迎サービスを承ったパムです」女の声は神経を逆なでするほど生き生きしている。「車を待たせてありますから、こちらへどうぞ」

ラングドンはパムに従って滑走路を横切り、VIP専用ターミナルへ向かったところ、そこにはまばゆく輝く自家用ジェット機が集まっていた。富豪と有名人のタクシー乗り場だな。

「ぶしつけなことをうかがいますが、教授」パムがおそるおそるといった口ぶりで言った。「象徴や宗教についての本を書いていらっしゃるあのロバート・ラングドン教授ですよね？」

ラングドンはためらったが、うなずいた。

「やっぱり！」パムは顔を輝かせた。「読書会で、聖なる女性と教会についてのあなたの本を読んだんです！　あの本が引き起こした痛快なスキャンダルといったら！　大騒ぎになって、あなたも楽しいでしょうね！」

ラングドンは苦笑した。「スキャンダルが目的だったわけじゃないんだが」

パムはラングドンが著作を論じる気分でないのを感じとったらしい。「すみません。くだらないおしゃべりと思って聞き流してください。ご本人だと気づかれるのにはきっとうんざりなさってるでしょうけど……ご自身の責任でもあるんですよ」おどけてラングドンの服を手ぶりで示す。「その制服でまるわかりですから」

制服？　ラングドンは自分のいでたちを見おろした。いつものチャコールグレーのタートルネック、ハリス・ツイードの上着、チノパンツ、大学生風のコードバンのローファー……教室、講演旅行、著者近影、社交行事などでお決まりの恰好(かっこう)だった。

パムは笑った。「着ていらっしゃるタートルネックはずいぶんな時代物ですよ。ネクタイを締めればずっと知的に見えるのに！」

ありえないな、とラングドンは思った。首吊り縄の小型版だ。

フィリップス・エクセター・アカデミーにかよう高校生だったころは、週に六日もネクタイを締めなくてはならなかった。ネクタイ――別名クラバット――の起源はローマの弁士が声帯を冷やさぬために巻いていた絹のスカーフだというロマンチックな説を校長は唱えていたが、実のところ、クラバットということばは、首に布を結びつけてから戦場に突撃した冷酷なクロアチア人傭兵部隊に端を発する。今日でも、この古の戦士の飾りは、日々の会議室での激闘で競争相手を威圧しようと目論む企業戦士たちが身につけている。

「忠告に感謝するよ」ラングドンは含み笑いをしながら言った。「そのうちネクタイも考えてみよう」

ありがたいことに、ターミナルのそばに停まっていた輝くリンカーン・タウンカーから、垢抜けたダークスーツ姿の男が出てきて、指を一本立てた。「ミスター・ラングドン？　わたしはベルトウェイ・リムジンのチャールズです」後部座席のドアをあける。「こんばんは。ワシントンへようこそ」

ラングドンは歓迎してくれたパムにチップを渡し、タウンカーの豪華な車内に乗りこんだ。温度調節器と、ミネラルウォーターの瓶と、焼きたてのマフィン入りのバスケットの位置を運転手が教える。数秒後、車はＶＩＰ専用の連絡道路を走っていた。なるほど、これが金持ちの暮らしというものか。

ウィンド・ソック・ドライブを疾走しながら、運転手は乗客名簿を確認し、手早く電話をかけた。「ベルトウェイ・リムジンです」慣れた口調でよどみがない。「お客さまを乗せたら報告するようにと仰せつかりました」いったん口をつぐむ。「了解いたしました。お客さまのミスター・ラングドンが

到着なさいましたので、午後七時までに連邦議会議事堂へお連れします。どういたしまして」電話を切った。

ラングドンは思わず笑みを浮かべた。まったく抜かりがない。細やかな気配りはピーター・ソロモンの最良の長所のひとつであり、そのおかげで強大な権力をやすやすと使いこなせているように見える。むろん、数十億ドルの銀行預金も役立たずではなかろうが。

空港の騒音が遠ざかるのを感じながら、ラングドンは贅沢な革張りの座席に深く腰かけて目を閉じた。連邦議会議事堂までは三十分かかるから、考えをまとめるのにこの時間を使える。何もかもが矢継ぎ早に起きたので、いまになってようやく、待ち受けるすばらしい一夜に深く思いをめぐらしはじめていた。

秘密のベールに隠れてご到着、か。ラングドンは先行きを思って愉快になった。

連邦議会議事堂から十マイル離れた場所では、ひとりの人物がロバート・ラングドンの到着に備えて入念に用意を調えていた。

2

マラークと名乗る男が、剃りあげた頭に針の先端を押しつけ、鋭利な器具が体表を出入りする感覚に喜びの吐息を漏らした。この電動器具の静かな低音には魔力がある……真皮に深く食いこみ、染料を注入する針の刺激にも。

自分は至高の作品だ。

刺青の目的はけっして美ではない。変化こそ目的だ。皮膚に傷をつけた紀元前二〇〇〇年のヌビアの祭司から、古代ローマのキュベレ教団の刺青を彫った神官、モコと呼ばれるものを皮膚に彫る現代のマオリ族まで、人間は生け贄(いけにえ)としておのれの身の一部を捧げ、身体装飾の苦痛に耐え、変貌(へんぼう)をとげるために刺青を施してきた。

肉体に印をつけてはならないとするレビ記十九章二十八節の不吉な警告があるにもかかわらず、刺青は現代でも何百万人もが——健全なティーンエージャーから、重度の薬物依存者、郊外の主婦に至るまでもが——体験する通過儀礼となっている。

肌に刺青を入れる行為は変身する力の表明であり、世界に対して宣言する——自分はこの肉体を支配している、と。変身がもたらす支配ゆえの恍惚(こうこつ)感が、数多くの人間を肉体改造の行為へ走らせてきた……整形手術、ボディピアス、ボディビルディング、ステロイド……さらには過食や性転換にまで。人間の精神は肉の殻を操ることを渇望する。

床置き時計が鐘をひとつ鳴らし、マラークは顔をあげた。午後六時三十分。器具を置いて、絹のローブに六フィート三インチの裸体を包み、廊下を歩いた。広々とした邸宅のなかには、刺青の染料の刺激臭と、針の消毒に使う蜜蠟燭(みつろうそく)の煙の強い香りが満ちている。その長身の若い男は廊下を進み、貴重きわまりないイタリアの工芸品——ピラネージの銅版画、サヴォナローラの椅子、ブガリーニの銀のオイルランプ——の前を通り過ぎた。

床から天井まである窓の向こうを一瞥(いちべつ)し、かなたに見える古めかしい建物の輪郭に目を引かれた。照らし出された連邦議会議事堂のドームが冬の暗い夜空を背景に輝いて、荘厳な力を放っている。

あれが隠し場所だ、とマラークは思った。あのどこかにそれは埋められている。それが実在することを知っていた者はごく少ない。その恐るべき力や巧妙な隠し方まで知る者はさらに少ない。今日に至っても、いまだにそれはこの国最大の語られざる秘密となっている。真実を知るわずかな者たちが、象徴と寓話（ぐうわ）のベールの下にそれを隠しつづけている。

いまやその者たちがこの自分のために扉を開いた。

数か月前、アメリカでも指折りの有力者たちが立ち会った秘密の儀式で、マラークは第三十三位階に昇進し、現存する世界最古の結社の最高位に就いた。新たな地位を得たにもかかわらず、同胞たちは何も教えなかった。これからも教えはしまい。そういう仕組みになっていないからだ。輪のなかに輪があり、結社のなかに結社がある。何年待ったところで、けっして全幅の信頼は得られまい。

さいわい、信頼されなくても最も深遠な秘密は得られる。

自分の参入儀式は目的を果たした。

先行きを思って力がみなぎるのを感じつつ、マラークは寝室へ向かった。スピーカーから流れているのはヴェルディの〈レクイエム〉の珍しい盤で、「永遠の光明を（ルクス・エテルナ）」を歌うカストラートのこの世のものとは思えぬ声が家じゅうに響いている。それはかつての自分の人生の名残だ。マラークはリモコンにふれ、大音量の「怒りの日（ディエス・イレ）」に切り替えた。そして、激しいティンパニと平行五度の響きを聞きながら、ローブをはためかせてたくましい脚を運び、大理石の階段を駆けあがった。

走るにつれ、空の胃袋が抗議のうなり声をあげた。この二日、水しか口に入れない絶食をつづけ、古来の作法に従って体を慣らしている。飢えは夜明けまでに満たされる、とマラークは自分に言い聞かせた。痛みとともに。

慎み深く寝室の聖域に歩み入り、ドアに鍵をかけた。身支度を調える一角に近づいたとき、金箔を貼った巨大な姿見に引き寄せられて足が止まった。抗うことができず、向きを変えて鏡に映る自分の像と相対した。貴重な贈り物をあけるかのように、ゆっくりとローブの前をはだけ、裸体をさらす。目にはいったものに畏怖した。

至高の作品。

大柄の体は毛が剃られて表面がなめらかだ。まず、鱗と鷹の鉤爪の彫られた足に視線を落とした。そこから筋肉質の腿までは、彫刻のある柱を模した刺青が施されている。左脚には螺旋、右脚には縦縞の模様。ソロモン神殿の一対の柱、ボアズとヤキンだ。股間から腹部は凝った装飾のアーチになっていて、その上の隆々たる胸を双頭の不死鳥が飾る……それぞれ顔を横に向け、目の役を乳首が果たしている。肩、首、顔、そして剃りあげた頭は、古代の象徴や記号を複雑に組み合わせた模様で覆いつくされている。

自分は芸術品だ。進化する聖像だ。

十八時間前、ある罪深い人間がこの裸体を目にした。その男は恐怖で叫んだ。「ああ、おまえは悪魔だ！」

「そう思いたければ好きにしろ」マラークは答えた。古代の人間が理解していたとおり、天使と悪魔は交代可能な同一のもので、両極の概念を表しているにすぎない。戦いで敵を打ち破った守護天使は、敵からは破壊の悪魔と見なされる。

マラークはうつむいて、鏡に映った頭頂部を斜に見あげた。王冠形の光輪に包まれて見える小さな円形の部分は刺青がなく、青白い肌が光っている。注意深く守ってきたそのキャンバスは、唯一残さ

れた手つかずの肌だった。この聖なる場所は辛抱強く待ちつづけてきた……そして今夜、ついに埋められる。傑作を完成させるためのものはまだ手に入れていないが、その瞬間は刻々と近づいている。

おのれの鏡像に鼓舞され、早くも力が増すのを感じた。ローブの前を閉じて窓辺まで行き、眼前にひろがる神秘の都市をもう一度ながめる。あのどこかにそれは埋められている。

いますべきことに意識をもどし、身支度用のテーブルのもとへ行って、刺青が見えなくなるまで、顔や頭皮や首にコンシーラーを念入りに塗った。それから、服をはじめ、今夜のために心して用意した特別な一式を身につける。作業が終わると、鏡で自分の姿をたしかめた。満足したマラークは柔らかい手のひらでなめらかな頭皮をなで、笑みを漂わせた。

それはあそこにある。そして今夜、それを見つけるために、ある男が力を貸す。

家を出るとき、マラークはまもなく連邦議会議事堂を揺るがすことになる出来事への決意を固めた。今夜のすべての駒を配するために、すでに並々ならぬ労力を費やしている。

そしていま、最後の駒がついにゲームに参加した。

3

ロバート・ラングドンが忙しくメモカードを見なおしていると、路面を踏むタウンカーのタイヤの音が変わった。ラングドンは目をあげ、現在地を知って驚いた。

もうアーリントン記念橋なのか？

メモを置き、眼下を過ぎていくポトマック川の穏やかな水面を見た。濃い霧が漂っている。

〝霧の低地（フォギー・ボトム）〟とはよく言ったもので、一国の首都を建設するにはどう考えても奇妙な場所だ。新世界にいくらでも土地はあったのに、父祖たちは理想社会の礎を置く場として、よりによって陰湿な川辺の沼地を選んだことになる。

横へ目をやり、タイダル・ベイスンの先にあるジェファーソン記念館のまるみを帯びた優美なシルエットに視線を向けた——アメリカのパンテオン、とこれを多くの人が呼ぶ。車のちょうど前方に、角張った輪郭が古代アテネのパルテノン神殿を思わせるリンカーン記念館が、いかめしい姿を現してくる。けれども、ラングドンはそのはるか先にあるこの街最大の名所を見つめていた——先刻空中から見たのと同じ尖塔だ。その建設の着想を与えたものは、ローマ人やギリシャ人よりも桁（けた）ちがいに古い。

アメリカにある、エジプトのオベリスク。

真正面にそびえるワシントン記念塔（モニュメント）の巨大な柱が空を背景に照らし出されるさまは、船の堂々たるマストを思わせる。下からながめているせいで、今夜のオベリスクは宙に浮いて見える。荒れた海を漂うかのように、寒々しい空を背にして揺れている。ラングドン自身も、足が地に着いていない気分だった。ワシントンを訪れるのはまったく予定外のことだ。けさ起きたときはわが家で静かな日曜日を過ごすつもりだったのに……いまは連邦議会議事堂まで数分のところにいる。

この日の朝の四時四十五分、ラングドンは静まり返った水面に飛びこんで、いつものように一日をはじめ、人気（ひとけ）のないハーヴァードのプールを五十往復した。水球の全米代表選手だった大学時代の体形のままとはいかないが、いまも引きしまったしなやかな肉体を保っていて、四十代の男にしては悪くない。唯一のちがいは、それを維持するために必要な努力の量だ。

六時ごろ家にもどると、スマトラ産のコーヒーを手で挽く朝の儀式に取りかかり、キッチンに満ちるエキゾチックな香りを楽しんだ。しかしけさは、驚いたことに留守番電話の赤いライトが点滅している。日曜の朝六時にかけてくるなんて、どこのどいつだ？　ラングドンはボタンを押し、メッセージを聞いた。

「おはようございます、ラングドン教授。朝早くにお電話して大変申しわけありません」礼儀正しい声はそれとわかるほどためらいがちで、かすかな南部訛りがあった。「わたくしはアンソニー・ジェルバートと申し、ピーター・ソロモンの秘書をつとめております。教授は早起きだとうかがったのですが……。ミスター・ソロモンが、教授にけさから早急に連絡をなさろうとしていらっしゃいます。このメッセージをお聞きになりしだい、恐れ入りますが本人に直接お電話をくださいませんでしょうか。ご存じかと思いますが、直通回線の新しい番号を念のためお伝えします。二〇二－三二九－五七四六です」

ラングドンは旧友のことが急に心配になった。ピーター・ソロモンは申し分のないほど育ちがよくて礼儀正しく、よほど困った事態にでもならないかぎり、日曜の夜明けに電話をかけてくるような人間ではない。

コーヒー作りを途中でほうり出し、折り返しの電話をかけるために書斎へ向かった。

なんでもないといいが。

ピーター・ソロモンは友人にして恩師であり、歳はひとまわり上でしかないものの、プリンストン大学ではじめて会って以来、父親のような存在でありつづけている。当時ラングドンは二年生で、その著名な若き歴史家かつ慈善家の夕方の客員講義は必修とされていた。ソロモンの講義には人を引き

こむ情熱があり、そこで示された記号論や原型の歴史についての鮮やかな考察はラングドンの心に火をつけ、象徴学に対して生涯にわたる情熱をいだくきっかけとなった。もっとも、感謝状をしたためる勇気をラングドンに与えたのは、ピーター・ソロモンの聡明さではなく、穏やかな灰色の目に宿る謙虚さだった。アメリカ有数の資産家で、注目を集める少壮の知識人でもあるピーター・ソロモンから、まさか返事が来るとは、未熟な二年生は夢想だにしていなかった。ところが返事は来た。そしてそれは、真に充実した友情のはじまりとなった。

卓越した学者であるピーターは、その控えめな物腰にそぐわず、莫大な財産を受け継いでいて、全米の建物や大学にその名が登場する大富豪ソロモン家の出身だった。ヨーロッパにおけるロスチャイルド家にも似て、ソロモンの姓にはアメリカの王族や成功者を想起させる神秘の響きがある。若いころに父親を亡くしたあと、ピーターはその権威を継承し、五十八歳の現在までに数えきれぬほどの要職を歴任した。いまはスミソニアン協会の会長をつとめている。ラングドンは折にふれてピーターに冗談交じりで言う。あなたの輝かしい経歴の唯一の汚点は、卒業証書をもらったのが二流の大学――イェールだったことだ、と。

書斎にはいったラングドンは、ピーターからもファクシミリが届いているのを見て驚いた。

ピーター・ソロモン
スミソニアン協会事務局

おはよう、ロバート

すぐにきみと話したい。

朝のうちになるべく早くだ。

二〇二－三二九－五七四六まで電話を頼む。

ピーター

ラングドンはさっそくその番号を押し、オーク材の手彫り机の前にすわって、回線がつながるのを待った。

「ピーター・ソロモンのオフィスです」聞き覚えのある秘書の声だ。「わたしはアンソニー。ご用件を承ります」

「ロバート・ラングドンです。先ほど留守番電話にメッセージを――」

「ああ、ラングドン教授！」若い男の声には安堵（あんど）の響きがあった。「早々にご連絡をくださってありがとうございます。ミスター・ソロモンがお話をなさりたいそうです。あなたからお電話だと伝えますので、お待ちいただいてよろしいですか」

「もちろん」

ピーターが電話に出るのを待つあいだ、ラングドンはその名がスミソニアン協会のレターヘッドの上に記されているのを見て、笑みを漏らした。ソロモン一族に怠け者はあまりいない。ピーターに連なる家系図には、裕福な実業界の大物や有力な政治家に加え、著名な科学者の名も多く並んでおり、

ロンドンの王立協会の会員までいる。ピーターのただひとり存命している親族である妹のキャサリンも、純粋知性科学（ノエティック・サイエンス）と呼ばれる最先端の学問分野のいまや第一人者だから、科学者の遺伝子を受け継いでいるらしい。

ちんぷんかんぷんだったな。去年ピーターが開いたホームパーティーの際、キャサリンが自分に純粋知性科学の説明を試みて無駄骨に終わったことを思い出し、ラングドンは楽しくなった。あのときは注意深く耳を傾けてから、こう答えた。「科学というより魔術みたいに聞こえるな」

キャサリンはおどけてウィンクをした。「ふたつはあなたが思ってるより近いのよ、ロバート」

ようやく秘書が電話にもどった。「申しわけありませんが、ミスター・ソロモンは電話会議から抜け出そうとしているところです。けさは少々立てこんでおりまして」

「かまいません。かけなおしますよ」

「実は、連絡を差しあげた理由をわたくしから説明するよう言いつかったのですが、よろしいでしょうか」

「どうぞ」

秘書は深々と息を吸った。「教授もご存じでしょうが、スミソニアン協会理事会は、広量な支援者のかたがたに謝意を表すために、毎年ここワシントンで内輪のパーティーを開いております。ご出席くださっているのは、この国でも一流の文化人のみなさまです」

一流の文化人として認められるには銀行口座の残高が二、三桁足りないはずだが、もしかしたらピーターがそれにもかかわらず招待してくれるのかもしれない、とラングドンは思った。

「今年も慣例どおり」秘書はつづけた。「会食の前に基調講演がおこなわれます。さいわい、講演会

場として〈国立彫像ホール〉を押さえることができました」

　ワシントンDCで最高の会場だな。その印象的な半円形のホールで一度政治関連の講演会に出席したことをラングドンは思い出した。かつて下院議場だった空間で、三十八体の彫像に囲まれ、五百脚の折りたたみ椅子が完璧な弧を描いて並べられていた光景は忘れがたい。

「問題はここからです。講演予定のかたが体調を崩し、つい先ほど講演ができないと伝えていらっしゃったのです」秘書はぎこちなくことばを切った。「そのため、かわりに講演してくださるかたを懸命に探しているところです。そしてミスター・ソロモンは、教授に代役をお引き受けいただければと望んでおられます」

　ラングドンは聞き流しかけて仰天した。「わたしに？」まったく予想外だった。「ピーターならずっといい代役を見つけられるはずですよ」

「ミスター・ソロモンが第一候補に選んだのは教授です。ご謙遜が過ぎますよ。協会のゲストのかたがたも教授のお話となれば大喜びでお聞きになるでしょうし、数年前の〈ブックスパン・テレビ〉でなさったのと同じ講演をしていただきたいとミスター・ソロモンは考えておられます。それなら準備も必要ないかと。わが国の首都の建築物に見られる象徴についてのお話だとうかがいました――会場を考えれば、まさしくうってつけのテーマだと思います」

　ラングドンにはそこまでの自信がなかった。「覚えているかぎりでは、あの講演はむしろ、建築物にまつわるフリーメイソンの歴史に関するもので――」

「そうです！　ご存じのとおり、ミスター・ソロモンはフリーメイソンですし、講演に出席される高名なご友人のかたがたの多くもそうです。そのテーマならきっと喜んでお聞きになるでしょう」

それならたしかに楽だ。これまでおこなった講演のメモはすべてとってある。「検討してもよさそうですね。会はいつですか」

秘書は急に話しにくそうに咳払いをした。「その、実を申しあげますと、今夜なのです」

ラングドンは大声で笑った。「今夜？」

「けさこちらがあわただしいのはそのためです。スミソニアン協会は大変厄介な状況に追いこまれておりまして……」秘書がたたみかける。「ボストンまでただちに自家用ジェット機を迎えに行かせます。フライトは一時間とかかりませんので、夜半にはご帰宅できるはずです。ボストンのローガン空港のＶＩＰ専用ターミナルはご存じですね？」

「知っています」ラングドンはしかたなく認めた。物事がいつもピーターの思いどおりになるのも無理はない。

「すばらしい！　そこでジェット機をお待ちいただくということでよろしいでしょうか。そう……五時では？」

「選択の余地はほとんどないんでしょう？」ラングドンは忍び笑いをした。

「わたくしはミスター・ソロモンにご満足いただきたいだけでして」

たしかにピーターには人々をそういう気持ちにさせる力がある。ラングドンはしばらく考えたが、逃れる術は見あたらなかった。「わかりました。引き受けると伝えてください」

「よかった！」秘書は深く安堵した声で叫んだ。それからジェット機の機体番号と、ほかのさまざまな情報を教えた。

ようやく電話を切ったとき、ラングドンはピーター・ソロモンがこれまでノーと言われたことがあ

るのだろうかと思った。

コーヒー作りを再開し、グラインダーに豆を追加した。けさは少しよけいにカフェインが要る。長い一日になりそうだ。

4

ナショナル・モールの東端に堂々と建つアメリカ連邦議会議事堂は、この都市を設計したピエール・ランファンが〝記念碑を待つ台座〟と評した高台にある。議事堂の巨大な建物は、幅が七百五十フィート、奥行きが三百五十フィートを上まわる。床面積は十六エーカーを超え、五百四十ほどのみごとな部屋がある。アメリカの建国者たちは、新たな民主国家の法と文化を築くにあたって古代ローマの理念に着想を得ており、新古典様式の建物はその荘厳さを再現できるよう綿密に設計されている。

議事堂のドームを仰視できる壮麗な明かり窓の下にひろがる地下空間には、近ごろ完成したばかりの観光センターがあり、議事堂へ向かう観光客を調べる最新のセキュリティ・チェックが設けられている。採用されてまもない警備官のアルフォンソ・ヌニェスは、持ち場に近づいてくる男の観光客を注意深くながめた。頭を剃りあげたその男は、ロビーをうろつきながら電話をかけていたが、話し終えて中へはいってきた。右腕を三角巾(きん)で吊り、わずかに足を引きずっている。軍の払いさげのすり切れたコートとスキンヘッドから、軍人ではないかと推測できた。ワシントンへの観光客でいちばん多いのはこの国の元軍人だ。

「こんばんは」ひとりで訪れた男性とはかならずことばを交わすという警備規則に従い、ヌニェスは

声をかけた。

「やあ」その男はほぼ無人の入口を一瞥して言った。「静かな夜だね」

「NFCのプレーオフの日ですからね。みんなレッドスキンズの試合を観てるんですよ」ヌニェスもそうしたかったが、今月この仕事に就いたばかりで、貧乏くじを引かされていた。「金属製のものをトレーに置いてください」

男が使えるほうの手でロングコートのポケットをもどかしげに探って中身を出すのを、ヌニェスは注視した。人間の本能は怪我をした者や障害のある者に対して特別扱いをしたがるが、その本能は無視するよう訓練されている。

ヌニェスが待っていると、男はポケットから小銭や鍵や二台の携帯電話といったありきたりな品を出した。「捻挫(ねんざ)ですか」ヌニェスは、エースの分厚い伸縮包帯を巻いてあるらしい右手に視線を向けて言った。

スキンヘッドの男はうなずいた。「氷の上で滑ってね。一週間前だ。まだひどく痛むよ」

「お気の毒です。そのなかを通ってください」

男がぎこちない足どりで探知機を通り抜けると、抗議のブザー音が鳴った。

男は顔をしかめた。「やっぱりな。包帯の下に指輪をはめていてね。指が腫(は)れあがって抜けないんで、医者がその上から包帯を巻いたんだ」

「だいじょうぶです」ヌニェスは言った。「ハンディ式を使いますから」

ヌニェスは、男の包帯を巻いた腕にハンディ式の金属探知機を這わせた。予想どおり、金属として探知されたのは、怪我をした薬指のあたりにある大きなふくらみだけだった。時間をかけ、三角巾と

指の隅々にまで金属探知機をあてる。おそらく上司が警備センターにある館内モニターで監視しているはずだし、この職を失うわけにはいかなかった。念を入れて損はない。三角巾の内側にも注意深く探知機を滑りこませた。

観光客が痛みにたじろいだ。

「すみません」

「かまわないさ」男は言った。「最近は用心に越したことはないからな」

「まったくです」ヌニェスはこの男を気に入った。妙な話だが、この場ではそれが重要な意味を持つ。人間の本能はテロに対するアメリカの第一防衛線になっている。世界じゅうのどんな電子装置よりも、人間の直感のほうが危険の正確な探知機になることは立証された事実だ——警備の参考書のひとつは、それを〝恐怖のたまもの〟と呼んでいる。

このとき、ヌニェスの本能は恐怖を呼び覚ますものを何も感じとらなかった。ただひとつ違和感を覚えたのは、間近にいるせいで気づいたのだが、雄々しい顔立ちのこの男が日焼けクリームかコンシーラーのたぐいを顔に塗っているらしいことだった。どうでもいいさ。冬に青白い顔になるのはだれだっていやだろう。

「問題ありません」ヌニェスは検査を終え、探知機をしまった。

「ご苦労さま」男がトレーから持ち物を集めはじめる。

そのときヌニェスは、包帯から突き出た二本の指に刺青があるのに気づいた。親指の先には王冠が、人差し指の先には星が彫られている。近ごろはどいつもこいつも刺青を入れるんだな。ヌニェスはそう思ったが、指の腹というのは刺青を入れるときにずいぶん痛みそうな場所だった。「その刺青、痛

かったのでは?」

男は指先を見て含み笑いをした。「きみが思うほどじゃない」

「それはよかった。自分のはすごく痛かったから。新兵訓練所にいたときに人魚を背中に彫ったんです」

「人魚だって?」スキンヘッドの男は声を抑えて笑った。

「ええ」ヌニェスは恥ずかしくなった。「若気の至りというやつです」

「わかるよ。おれも大きな若気の過ちをしでかした。毎朝起きると、あの女が隣にいる」

ふたりで笑ったあと、男はその場を去った。


たわいない、とマラークは思いながらヌニェスの前を通り過ぎ、連邦議会議事堂へのぼるエスカレーターに乗った。侵入は思ったよりたやすかった。背をまるめて腹に詰め物をしたせいで本来の体つきを悟られなかったし、顔と手にした化粧のおかげで全身を覆う刺青も隠せた。しかし、まさしく天才的と言えるのは三角巾であり、それはいまから議事堂に持ちこむ強力な物体に偽りの姿を与えていた。

宝探しに力を貸せる数少ない男からの贈り物だ。

5

世界で最も大きく、最も進んだテクノロジーを備えた博物館は、世界で最も秘密の多い博物館でも

ある。その所蔵品の数は、エルミタージュ美術館、ヴァチカン美術館、メトロポリタン美術館ですら及ばない……それらが束になっても。だが、壮大なコレクションがあるにもかかわらず、厳重に警備された壁の内側に一般人が招かれることはきわめて少ない。

　ワシントンDC近郊のシルバー・ヒル・ロード四二一〇に位置するその博物館は、ジグザグの形をした巨大な建物で、連なった五つの区画（ポッド）からなる。どのポッドもフットボールの競技場より広い。建物の青みがかった金属質の外見からは、中の異様さをうかがい知ることはまずできない。〝死の地帯（デッド・ゾーン）〟や〝酒浸り区画（ウェット・ポッド）〟、十二マイル以上に及ぶ保管棚などをおさめた六十万平方フィートの異世界がひろがっていようとは想像もつかないだろう。

　その晩、科学者のキャサリン・ソロモンは、落ち着かない気分で白のボルボを建物正面の守衛所へ走らせた。

　守衛が微笑んだ。「フットボールのファンじゃないんですね、ミズ・ソロモン」レッドスキンズのプレーオフゲームに先立っておこなわれているイベントの音量をさげる。

　キャサリンはこわばった笑みを作った。「日曜だから」

「ああ、そうでしたね。定例会の日だ」

「あの人はもう来てる？」キャサリンは心配そうに尋ねた。

　守衛は書類に目を落とした。「記録にはありません」

「早すぎたのね」キャサリンは親しげに手を振ると、曲がりくねった連絡道路をそのままのぼり、二層になったせまい駐車場の奥にあるいつものスペースへ車を進めた。持ち物をまとめ、バックミラーで顔をすばやく確認する――体裁ぶるというより習慣のなせる行為だった。

キャサリン・ソロモンは先祖から受け継いだ張りのある地中海人種の肌に恵まれていて、五十歳になるにもかかわらず、なめらかなオリーブ色の肌つきを保っていた。化粧はほとんどせず、豊かな髪は無造作に垂らしたままだ。兄のピーターと同じく、目は灰色で、気品のある細身の優雅な容姿をしていた。

まるで双子みたいだ、とまわりの人はよく言う。

ふたりの父親はキャサリンがまだ七歳のときに癌で世を去ったので、思い出はないに等しい。兄は八歳上で、父が死んだときには十五歳でしかなかったが、だれもが想像していたよりはるかに早くソロモン家の長となる道を歩みはじめた。それでも、見こみどおり、ピーターは家名にふさわしい威厳と強さを備えた人間に成長した。いまでも、ほんの子供だったころのようにピーターは妹を見守っている。

兄からはときどき急き立てられ、相手にも事欠かなかったのだが、キャサリンは独身を通していた。科学こそが人生の伴侶であり、研究はどんな男にも望めない充実感と昂揚感を与えてくれた。後悔したことは一度もなかった。

選んだ分野——純粋知性科学は、その名をはじめて耳にしたころにはまったくと言ってよいほど知られていなかったが、近年では、人間の精神が持つ力を理解する新たな扉を開きつつある。

人間には驚嘆すべき力が眠っている。

純粋知性科学についての著書を二冊書いたことで、この漠然とした分野の第一人者になったが、最近の発見が公になれば、世界じゅうが純粋知性科学の話題で持ちきりになるはずだ。

だが今夜、キャサリンの頭は科学からかけ離れたところにあった。数時間前に、兄に関するひどく

気がかりな情報を知らされていた。いまだにほんとうとは思えない。午後からずっと、そればかりが頭を占めていた。

小雨がフロントガラスを打ち、キャサリンは急いで荷物をまとめて建物へ向かおうとした。車から出ようとしたとき、携帯電話が鳴った。

発信者名を確認して、深呼吸をした。

それから耳の後ろに髪を掻きあげ、気持ちを静めてから電話に出た。


六マイル離れた場所で、マラークが携帯電話を耳に押しあてて連邦議会議事堂の廊下を歩いていた。呼び出し音が鳴るのを辛抱強く待つ。

ようやく女の声が答えた。「もしもし」

「もう一度お会いする必要があります」マラークは言った。

長い沈黙が流れる。「何も問題はないんでしょう?」

「新しい情報があります」

「教えて」

マラークは大きく息を吸った。「ワシントンDCに隠されているとお兄さまがお考えのものですが……」

「ええ」

「見つけられます」

キャサリン・ソロモンは呆然としているようだった。「つまり――実在すると?」

マラークはほくそ笑んだ。「ときに伝説は何世紀も生き延びます……ある理由から」

6

「ここまでだって？」連邦議会議事堂までまだゆうに四分の一マイルはあるのに、一番ストリートで運転手が車を停めたので、ラングドンはにわかに不安の波に襲われた。

「残念ながら、そうです」運転手は言った。「国土安全保障省のお達しでしてね。車両は歴史的建造物の近くまで進入できません。申しわけありませんが」

腕時計を見ると、驚いたことにもう六時五十分だった。ナショナル・モール周辺に工事現場があったせいで時間がかかり、講演開始まであと十分しかない。

「空模様が怪しいですね」運転手は車からおり、ラングドンのためにドアをあけた。「お急ぎください」ラングドンが札入れに手を伸ばしてチップを渡そうとすると、運転手は手を振ってことわった。

「すでに依頼人のかたから、料金に上乗せしてチップをたっぷりはずんでいただきました」

ピーターらしいな、とラングドンは荷物をまとめながら思った。「わかった。送ってくれてありがとう」

優美な弧を描いて新しい観光客用入口へとくだっていく、広い傾斜路のいちばん上に着いたとき、雨が数滴降りだした。

連邦議会議事堂観光センターは、巨額の費用がかかることをはじめとして、建造時に大論争を巻き起こした。ディズニー・ワールドに引けをとらぬ規模とも言われるこの地下空間は、広さが五十万平

方フィートを超え、展示室やレストランや会議場まで備えているという。

ラングドンはその見物を楽しみにしていたが、これほど長く歩かされるとは思わなかった。いつ本降りになってもおかしくないので、歩を速めて小走りで進んだが、ローファーでは濡れたコンクリートをうまく踏みしめられなかった。この恰好は講演のためであって、雨のなかを四百ヤードも駆けおりるためじゃない！

下にたどり着いたときには、息を切らしてあえいでいた。回転ドアを押して中へはいり、ロビーでしばらく息を整えて、雨のしずくを払い落とした。そのかたわら、目をあげて前にひろがる新設の空間をながめる。

これはたしかにすごい。

連邦議会議事堂観光センターは予想とまったく異なっていた。地下にあると聞いていたので、この施設を通り抜けるのは不安だった。子供のころ、深い井戸の底にひと晩閉じこめられる事故を経験したせいで、いまもせまい空間には身がすくむほどの嫌悪を覚える。ところが、この地下空間は……どういうわけか圧迫感がない。光がある。そして広さも。

天井は大きなガラス面になっていて、印象深い照明器具が備えつけられ、真珠色の内装に柔らかな光を投げかけている。

ふだんなら一時間はかけて造作を鑑賞するところだが、ショータイムまであと五分なので、顎を引いてすばやく足を運び、セキュリティ・チェックとエスカレーターのあるほうへ向かった。落ち着け。自分が向かっていることはピーターも知っている。主役抜きで会がはじまるはずがない。

セキュリティ・チェックでは、若いヒスパニック系の警備官とことばを交わしつつポケットの中身

を出し、年代物の腕時計をはずした。

「ミッキー・マウスですか？」警備官が楽しげに言った。

この手の指摘に慣れているラングドンは平然とうなずいた。ミッキー・マウスのコレクター版腕時計は、九歳の誕生日に両親からもらったプレゼントだ。「ゆとりを持って気楽に生きろと自分に言い聞かせるためにはめているんだよ」

「役に立っていないんじゃありませんか」警備官は笑って言った。「ひどくお急ぎのようだ」

ラングドンは笑みを返し、X線検査装置にショルダーバッグを通した。「〈彫像ホール〉へはどう行けばいい？」

警備官はエスカレーターのほうを手で示した。「案内板があります」

「ありがとう」ラングドンはコンベヤーベルトからバッグをつかみとり、足を急がせた。

エスカレーターが上昇していくあいだ、深呼吸をして頭の整理につとめた。目をあげ、雨の散ったガラス天井のかなたに照らし出された議事堂の巨大なドームを見やる。驚くべき建築物だ。地上三百フィート近い屋根の頂で、〈自由の像〉が霧深い闇を歩哨の亡霊さながらにながめている。高さ十九フィート半の銅像の各部を台座まで運びあげたのが奴隷だったことには、いつも皮肉なものを感じてしまう――高校の歴史の授業ではめったに教わらない議事堂の秘密だ。

実のところ、建物全体が怪談の宝庫になっている。ヘンリー・ウィルソン副大統領に肺炎による死をもたらした〝人殺しの浴槽〟や、血痕が永遠に消えずに異常なほど多くの訪問者が転ぶ階段や、一九三〇年代にジョン・アレグザンダー・ローガン将軍のはるか昔に死んだ馬のミイラが発見されたという封印された地下室などがある。

とはいえ、最も根強く語り継がれているのは、この建物に十三の異なる幽霊が出没するという話だろう。よく話題にのぼるのは都市設計者のランファンの霊で、広間をさまよいつつ、支払い期限が二百年過ぎた報酬を払えと迫るらしい。建築工事中に議事堂ドームから転落した作業員が工具箱を手にさすらうところも目撃されている。そしてもちろん、議事堂の地下で数えきれぬほど目撃された最も有名な幽霊ははかなげな黒猫であり、基礎構造の細い通路や、小部屋の入り組んだ薄気味悪い迷路を徘徊(はいかい)しているという。

エスカレーターからおりたところで、ラングドンはまた腕時計に目をやった。あと三分。〈彫像ホール〉の案内表示をたどって広い廊下を急ぎ、頭のなかで出だしの文句を練習した。たしかにピーターの秘書の言うとおりだ。著名なフリーメイソンがワシントンDCで開く催しにおいて、これ以上ふさわしいテーマはない。

ワシントンDCがフリーメイソンの歴史に富んでいるのは秘密でもなんでもない。この建物の礎石も、ジョージ・ワシントン本人がフリーメイソンの正規の儀式に則(のっと)って定めている。街を計画、設計したのはフリーメイソンのマスターたち——ジョージ・ワシントン、ベンジャミン・フランクリン、ピエール・ランファンら——で、これらの偉人は新しい首都をフリーメイソンの象徴や建築物や芸術で彩った。

むろん、人々はそれらの象徴にありとあらゆる妄想をいだいている。

多くの陰謀論者は、フリーメイソンでもあった父祖たちが強大な秘密をワシントンじゅうに隠し、象徴に基づくメッセージを街路の配置に忍ばせたと主張する。ラングドンはそれらを一顧だにしなかった。フリーメイソンに対する誤解はあまりに広く蔓延(まんえん)していて、教養のあるハーヴァードの学生で

すら、この組織に対して驚くほどゆがんだ考えを持っているようだった。

去年も、ある一年生がインターネットからプリントアウトした紙を持ち、目を爛々と光らせて教室に飛びこんできたものだ。それはワシントンＤＣの街路図で、いくつかの道路が強調表示されて、さまざまな図形――悪魔の五芒星や、フリーメイソンのコンパスと直角定規や、バフォメットの頭部――が作り出されていた。ワシントンＤＣを設計したフリーメイソンの会員たちが、謎めいた邪悪な陰謀のたぐいにかかわっていた証拠だという。

「おもしろい」ラングドンは言った。「だが、説得力は皆無だな。交わる線をじゅうぶんな本数引けば、どんな図形だって作れるに決まってる」

「でも、偶然のはずがありません！」学生は叫んだ。

ラングドンは、まったく同じ図形群がデトロイトの街路図でも作れることを辛抱強く示した。

学生はひどく落胆した顔になった。

「気を落とすな」ラングドンは言った。「ワシントンには驚くべき秘密がたしかにある……この街路図のどこにも載っていない秘密がね」

学生は元気を取りもどした。「秘密って？　どんな？」

「毎年春にわたしはオカルトの象徴についての講義をしている。ワシントンＤＣにも多くふれるよ。それを受けるといい」

「オカルトの象徴！」一年生はまた興奮してきたふうだった。「ということは、ワシントンＤＣには悪魔の象徴が実在するんですね！」

ラングドンは苦笑した。「あいにくだがね。オカルトという語は悪魔崇拝を連想させるが、実際は

〝隠された〟とか〝あいまいな〟という意味にすぎない。宗教による弾圧があった時代、教義に反する知識は秘匿して〝オカルト〟にしなくてはならなかった。そして教会はそれに脅威を感じたために、〝オカルト〟的なものはすべて邪悪だと意味をゆがめ、その偏見がいまも残っているんだよ」

「そうなんですか」学生はうなだれた。

それでも、春になると、ハーヴァードの〈サンダーズ・シアター〉に押し寄せた五百人の学生に交じって、最前列に陣どるその一年生の姿があった。そこは広々とした古い講堂で、きしみを立てる木の長椅子が並んでいる。

「おはよう、諸君」ラングドンは広々とした演壇で声を張りあげた。スライド映写機の電源を入れると、背後で像が形を結んだ。「落ち着いてきたところで訊くが、この写真の建物が何かわかるかい」

「連邦議会議事堂！」何十もの声が同時にあがった。「ワシントンＤＣにあります！」

「そのとおり。このドームには九百万ポンドの鉄が使われている。並び立つもののない、一八五〇年代の建築の傑作だ」

「すげえ！」ひとりが叫んだ。

ラングドンは目をくるりとまわし、だれかがその語の使用を禁じればいいのにと思った。「そうか。さて、ワシントンへ行ったことがある者は？」

ちらほらと手があがった。

「これだけか？」驚いてみせる。「では、ローマ、パリ、マドリード、ロンドンのどこかへ行ったことがある者は？」

講堂のほとんどの手があがった。

いつもそうだ。日常生活のきびしい現実がはじまる前に、ユーレイルの切符を手に夏を過ごすのは、アメリカの大学生にとって通過儀礼のひとつとなっている。「自国の首都よりもヨーロッパを訪れる者のほうがはるかに多いようだ。なぜだと思う？」

「ヨーロッパには飲酒年齢制限がないからです！」後ろの席のひとりが大声で言った。

ラングドンは笑った。「この国では飲酒年齢を守っている者がいるとでも？」

全員が笑い声をあげた。

それは新学期最初の日で、学生たちはふだんより落ち着くのに時間がかかり、体をよじらせたり木の椅子をきしませたりしていた。ラングドンはこの講堂で教えるのが好きだったが、それは学生の集中度が椅子の上で体を動かす音を聞くだけでわかるからだった。

「まじめな話にもどそう」ラングドンは言った。「ワシントンＤＣには世界最高の建築物、芸術、象徴がある。なぜみんな、自国の首都を差し置いて外国へ行く？」

「古いもののほうが魅力があるから」

「古いものというのは」ラングドンは確認した。「城とか、地下聖堂とか、神殿とかのたぐいだね？」

学生たちの頭がいっせいに前に振られる。

「いいだろう。さて、もしわたしがワシントンＤＣにはそのすべてがあると言ったら？　城、地下聖堂、ピラミッド、神殿……そこには全部がそろっている」

椅子のきしむ音が小さくなった。

「諸君」ラングドンは声を落とし、演壇の前方へ行った。「これからの一時間で、きみたちはわが国にも秘密や隠された歴史が満ちている事実を知ることになる。そしてヨーロッパの場合とまったく同

じように、最も巧みな秘密はありふれた光景のなかに隠されている」

木の椅子が完全にだまりこんだ。

よし。

ラングドンは照明を落とし、二枚目のスライドを映写した。「この絵でジョージ・ワシントンは何をしている?」

スライドに映っているのは、フリーメイソンの正装に身を包んだジョージ・ワシントンが奇妙な装置の前に立っている有名な壁画だった。巨大な木の三脚に取りつけられた滑車に、大きな石の塊が吊られている。ワシントンのまわりには、着飾った見物人たちがいる。

「石の大きな塊を引きあげてる?」ひとりが思いきって言う。

できれば学生に訂正させたいと思い、ラングドンはだまっていた。

「いや」別の学生が意見を述べた。「ワシントンは石をおろしていると思います。フリーメイソンの衣装を着ていますよね。礎石を据えるフリーメイソンの絵は前にも見たことがあります。この儀式では、かならず三脚を使って最初の石をおろすはずです」

「すばらしい。この壁画に描かれているのは、一七九三年九月十八日の十一時十五分から十二時三十分のあいだに、われらが建国の父が三脚と滑車を用いて連邦議会議事堂の礎石を据える場面だ」ことばを切り、学生たちを見渡す。「だれかこの日時の意味を知っているかい」

沈黙。

「この厳密な時刻を選んだのが、著名な三人のフリーメイソン――ジョージ・ワシントン、ベンジャミン・フランクリン、それにワシントンDCの最も重要な設計者であるピエール・ランファンだった

と言ったらどう思う？」

　さらに、沈黙。

「要約して言うと、礎石がこの日時に据えられた最大の理由は、龍の頭（カプト・ドラコニス）、つまり月と黄道面の交点が、処女宮にあったからだ」

　全員が不審そうに目を見交わした。

「待ってください。つまりそれは……占星術のようなものだと？」

「そのとおり。今日の星占いとはちがうがね」

　手があがった。「建国の父たちは占星術を信じていたということですか？」

　ラングドンはにやりと笑った。「大あたりだ。ワシントンＤＣの中心部では、世界じゅうのどんな都市よりも、建築物に占星術の印が――十二宮、星図、占星術に基づいて特定の日時に据えられた礎石といったものが――数多く発見できると言ったら？　憲法起草者の半数以上はフリーメイソンで、星と運命が密接に結びついていると固く信じ、新世界を打ち立てるにあたって天の配置に細心の注意を払ったんだよ」

「でも、月と黄道面の交点が処女宮にあったときに議事堂の礎石が据えられたなんて――それがどうしたんです？　ただの偶然では？」

「だとしたら、とてつもない偶然だな。何しろ、フェデラル・トライアングルを構成する三つの建物では――議事堂、ホワイトハウス、ワシントン記念塔のことだが――年はちがっても占星術でまったく同じ状況になるときを慎重に選んで礎石が据えられているんだから」

　ラングドンの視線の先で、講堂じゅうの目が大きく見開かれた。ノートをとりはじめたらしく、い

くつもの頭が下を向く。

奥のほうで手があがった。「なぜそんなことを？」

ラングドンは含み笑いをした。「それに答えようとしたら、全学期をかけて話すことになる。興味があるなら、わたしの神秘主義の授業に出るといい。率直に言って、いまのきみたちは答を聞く心の準備ができていないと思う」

「なんですって？」その学生は叫んだ。「試してください！」

ラングドンはもったいぶって考えるふりをしてから、かぶりを振った。「悪いが無理だな。きみたちの一部はまだ一年生だ。ショックが強すぎる」

「教えて！」全員が声を張りあげた。

ラングドンは肩をすくめた。「フリーメイソンかイースタン・スターにはいって直接学んだらどうだ」

「はいれませんよ」男の学生が言い張った。「フリーメイソンは極秘結社なんですから！」

「極秘？　ほんとうに？」ラングドンは、友人のピーター・ソロモンが誇らしげに右手にはめている大きなフリーメイソンの指輪を思い出した。「それなら、なぜフリーメイソンの人間は、ひと目見てフリーメイソンとわかる指輪やタイピンやバッジを身につける？　なぜフリーメイソンの建物にはっきりと表示がある？　なぜ会合の日時が新聞に載る？」学生たちの当惑顔を見て微笑む。「いいかい、フリーメイソンは秘密結社ではなく……秘密を備えた結社にすぎない」

「同じですよ」ひとりが言う。

「ほう？」ラングドンは反撃した。「きみはコカ・コーラが秘密結社だと思うか？」

「思うわけがありません」

「では、もしきみがコカ・コーラ本社のドアをノックして、クラシック・コークのレシピを教えてくれと言ったら？」

「ぜったい教えてくれないでしょうね」

「そうだ。コカ・コーラの最も深い秘密を知るためには、会社にはいり、何年も働き、自分が信頼に足る人物だと証明し、そういった情報を知りうる幹部にまで昇進しなくてはならない。そして、秘密を守ると誓う必要がある」

「つまり、フリーメイソンは企業に似ているとおっしゃるんですか？」

「厳格な階級制があって、守秘義務を非常に重んじるという点について言えば、そのとおりだ」

「伯父(おじ)がフリーメイソンなんです」女の学生がいきなり言った。「伯父が何も話そうとしないんで、伯母(おば)はフリーメイソンを毛ぎらいしてます。フリーメイソンは怪しげな宗教か何かだと言って」

「よくある誤解だよ」

「宗教じゃないと？」

「リトマス試験をしよう。ウィザースプーン教授の比較宗教学を受講している者は？」

いくつかの手があがる。

「よろしい。では、あるイデオロギーを宗教だと判断するのに必要な三条件は？」

「ＡＢＣです」別の女学生が答える。「保証(アシュアランス)、信仰(ビリーフ)、回心(コンバート)」

「正解だ。宗教は救済を保証し、特定の神学を信仰し、信心のない者を回心させる」ラングドンは間(ま)をとった。「しかしフリーメイソンは三条件のどれにもあてはまらない。フリーメイソンは救済を約

束しないし、特定の神学を持たないし、だれかを回心させようともしない。それどころか、フリーメイソンのロッジでは、宗教論議が禁じられている」

「じゃあ……フリーメイソンは反宗教的だと？」

「そんなことはない。フリーメイソンの入会資格には、超越者の存在をかならず信じるというものがある。フリーメイソンの考え方と組織化された宗教とのちがいは、フリーメイソンが超越者をことさらに定義したり、名づけたりしようとはしないことだ。ゴッド、アラー、仏陀、イエスのような神学で定義された呼称ではなく、至高の存在、世界の偉大なる建設者といった、もっと包括的なことばを使う。だからこそ、信仰のちがう会員たちでも団結できる」

「なかなか進歩的ですね」ひとりが言った。

「すがすがしいほど公平だと言ってもいいんじゃないか？　どちらの神がすぐれているかをめぐって異なる文化が殺し合いをする現代では、フリーメイソンの寛容さと偏見のなさは賞賛に値する」ラングドンは演壇の上で行きつもどりつした。「そのうえ、フリーメイソンはあらゆる人種、肌の色、信条の人間に対して開かれていて、いかなる点でも差別しない超俗的な友愛会を提供している」

「差別しない？」大学の女性センターの一員が立ちあがった。「フリーメイソンへの入会を認められた女性が何人いるとおっしゃるんですか、ラングドン教授」

ラングドンは降参のていで両手をあげた。「もっともな指摘だ。伝承によると、フリーメイソンはヨーロッパの石工の組合に端を発していて、そのせいで男性の組織になっている。何百年か前に――一説には一七〇三年に設立されたと言われているが――イースタン・スターと呼ばれる女性の支部が設けられた。現在、その会員は百万人を超える」

「それでも、フリーメイソンが女性を締め出している有力な団体であるのに変わりはありません」

フリーメイソンが実際にどれほど有力なのか、ラングドンはまったく確信を持てなかったが、その点に深入りするつもりはなかった。現代のフリーメイソンに対しては、仮装好きの無害な老人の集まりだとする見方から、世界を支配する黒幕たちの地下陰謀組織だとする極端な見方まで、さまざまにある。真相はきっとそれらの中間あたりなのだろう。

「ラングドン教授」後列にいる巻き毛の男子学生が呼びかけた。「フリーメイソンが秘密結社でも企業でも宗教でもないとしたら、いったい何なんですか」

「そうだな、会員に尋ねたらこういう定義が返ってくるだろう。フリーメイソンとは、比喩(ひゆ)に隠され、象徴によって示された倫理のシステムだ、と」

「〝不気味なカルト〟と遠まわしに言ってるように聞こえますけど」

「不気味だって?」

「そうですよ!」学生は立ちあがった。「連中があの謎めいた建物のなかで何をしてるか聞いたことがあるんです。蠟燭の明かりのもとで、棺桶(かんおけ)やら首吊り縄やらが出てくる妙な儀式をやって、髑髏からワインを飲むんだとか。どう考えたって不気味だ!」

ラングドンは講堂を見まわした。「ほかの者も不気味だと思うかい」

「思います!」全員が調子を合わせた。

ラングドンは悲しげにため息をついてみせた。「残念だ。その程度で不気味だと言うなら、わたしのカルトとは付き合えないな」

講堂を沈黙が覆った。女性センターの学生は動揺した様子だった。「まさか教授はカルトにはいっ

ていらっしゃるんですか？」

ラングドンはうなずき、打ち明け話をするときのささやき声で言った。「だれにも言わないでもらいたいんだが、異教の太陽神ラーを崇（あが）める日に、古の拷問器具の下でひざまずき、血と肉の儀式用の象徴を食べているんだ」

学生たちは怯（おび）えた顔になった。

ラングドンは肩をすくめた。「もし仲間になりたければ、日曜日にハーヴァードの礼拝堂に来て、十字架の下でひざまずき、聖体拝領のワインとパンを口に入れるといい」

講堂は静まり返ったままだった。

ラングドンはウィンクをした。「偏見にとらわれないことだ、諸君。わたしたちはみな、理解していないものを恐れる」


七時だ。

連邦議会議事堂の廊下に時計の鐘が響きはじめた。

ロバート・ラングドンはいまや走っていた。劇的な登場とはまさにこのことだな。下院連絡通路を駆け抜けると、〈国立彫像ホール〉の入口が見えたので、そちらへ直行した。

ドアの近くまで来たため、そぞろ歩きにまで速度を落とし、何度か深呼吸をした。上着のボタンを留めて顎をほんの少しあげ、角をまわったとき、最後の鐘が聞こえた。

ショータイムだ。

〈国立彫像ホール〉に歩み入ったロバート・ラングドン教授は、視線をあげて穏やかに微笑んだ。つ

ぎの瞬間、笑みが消えた。足がまったく動かなくなった。

とんでもない異常事態だ。

7

冷たい雨のなか、キャサリン・ソロモンは駐車場を走り抜けながら、ジーンズとカシミヤのセーターの上にもっと着こんでくればよかったと悔いた。建物の正面入口に近づくにつれ、巨大な空気清浄機の轟音（ごうおん）が増していく。キャサリンの耳にそれはほとんど届かず、先刻受けたばかりの電話の声がまだ響いていた。


──ワシントンDCに隠されているとお兄さまがお考えのものですが……見つけられます。

そう聞いても信じがたかった。電話の主からはまだ聞きたいことが多くあったので、今夜のうちに話す約束をした。

正面入口に着くと、この途方もなく大きな建物にはいるときにいつも感じるのと同じ興奮を覚えた。これがここにあるとはだれも知るまい。

入口の表示にはこう記されている。

スミソニアン博物館支援センター
（ＳＭＳＣ）

スミソニアン協会はナショナル・モールに一ダースを超える大博物館を構えているが、所蔵品があまりに多いため、一度に展示できるのはその二パーセントにすぎない。残りの九十八パーセントの所蔵品はどこかに保管しておく必要がある。そしてそれが……ここだった。

言うまでもなく、この建物には大量の実にさまざまな工芸品が――巨大な仏像、手書きの写本、ニューギニアの毒矢、宝石をちりばめたナイフ、鯨のひげで作ったカヤックなどの品々が――おさめられている。それに劣らず驚嘆を呼び起こすのが自然の宝だ。プレシオサウルスの化石、貴重な隕石（いんせき）の数々、ダイオウイカ、そしてセオドア・ルーズヴェルトがアフリカの狩猟旅行から持ち帰った象の頭骨までもが保管されている。

とはいえ、スミソニアン協会会長のピーター・ソロモンが三年前に妹をＳＭＳＣへ招いた理由は、そのどれとも関係がない。それは科学の驚異を見守るためではなく、作り出すためである。そしてそれこそがキャサリンの長く取り組んできたことだった。

この建物の最も遠く奥まった秘密の場所に、世界に類を見ない小さな科学研究所がある。そこで最近キャサリンが成しとげた純粋知性科学上の大発見は、あらゆる知的分野に――物理学から歴史学、哲学、そして宗教にまで――影響を及ぼすものだった。やがてすべてが変わる、とキャサリンは思っていた。

ロビーにはいると、受付の守衛があわててラジオをしまい、イヤフォンを耳から引き抜いた。「ミズ・ソロモン！」ことさらに大きな笑みを作る。

「レッドスキンズね」

守衛は後ろめたそうに顔を赤らめた。「試合前のイベントです」

キャサリンは微笑んだ。「だれにも言わないから」金属探知機に歩み寄り、ポケットの中身を出す。カルティエの金の腕時計をはずしたとき、いつもの悲しみに襲われた。時計は十八歳の誕生日に母から贈られたものだった。母が非業の死をとげてから十年になる……この腕のなかで息を引きとってから。

「ところで、ミズ・ソロモン」守衛が冗談めかしてささやいた。「あそこで何をしているか、だれかに教えるつもりはないんですか」

キャサリンは視線をあげた。「いつかね、カイル。今夜は無理」

「お願いしますよ」守衛は食いさがった。「秘密の博物館の……秘密の研究所でしょう？　きっとすごいことをやってるはずだ」

すごいどころの話じゃないわよ、とキャサリンは思いながら手まわり品を集めた。実のところ、いま取り組んでいる科学はあまりにも進んでいて、もはや科学と似ても似つかぬものになっていた。

8

ロバート・ラングドンは〈国立彫像ホール〉の入口で立ちつくし、眼前の予想外の光景に目を凝らしていた。そこにあるのは記憶と寸分たがわない――古代ギリシャの円形劇場の様式を模した、均整のとれた半円形の空間だった。優雅な弧を描く砂岩とイタリア産漆喰（しっくい）の壁はまだら模様の角礫岩（かくれきがん）の柱で区切られ、この国の彫像コレクションが一定間隔で置かれている――アメリカの偉人たちを実物大で刻んだ三十八体の像が、鮮やかな白と黒の大理石のタイルの上に半円状に並んでいる。

以前に参加した講演会のときのままだった。

一点を除けば。

今夜、ホールは空っぽだった。

椅子もない。聴衆もいない。ピーター・ソロモンもいない。ひと握りの観光客がぶらついているだけで、自分の華々しい登場をまるで気に留めていない。ピーターが言っていたのは〈円形大広間(ロタンダ)〉のほうだろうか？　〈ロタンダ〉へ通じる北の廊下の先を見たが、そこも観光客がうろついているだけだった。

時計の鐘の残響はすでに消えている。これで正式に遅刻したわけだ。

急いで廊下にもどり、案内係をつかまえた。「すみません、スミソニアン協会主催の講演会はきょうですね？　会場はどこですか」

案内係はとまどった。「存じません。開始時刻は何時でしょうか」

「いまだよ！」

男はかぶりを振った。「今夜、スミソニアン協会の何かの催しがあるとは聞いておりません——少なくともここでは」

ラングドンは困惑してホールの中央に駆けもどり、四方へ目を走らせた。ソロモンは悪ふざけでもしているのか？　そうは思えない。携帯電話とけさ届いたファクシミリの紙を取り出し、ソロモンの電話番号を押した。

壮大な建物のなかで携帯電話が電波をとらえるまで間(ま)があった。ようやく呼び出し音が鳴りはじめる。

聞き覚えのある南部訛りの声が答えた。「ピーター・ソロモンのオフィスです。わたしはアンソニー。ご用件を承ります」

「アンソニー」ラングドンは安堵した。「つかまってよかった。ロバート・ラングドンだ。講演会の件で手ちがいがあったらしい。〈彫像ホール〉に来たんだが、だれもいないんだよ。ほかの会場に変更されたのかい」

「それはないはずですが。お調べいたします」ピーターの秘書は一拍置いた。「ミスター・ソロモンには直接ご確認なさいましたか」

ラングドンは混乱した。「いや、わたしはきみに確認したんだよ、アンソニー。けさの話だ！」

「ええ、覚えております」電話の向こうで沈黙が流れる。「少々不用意でしたね。そうは思われませんか、教授」

いまやラングドンは警戒心の塊となっていた。「なんだって？」

「つまり……」男は言った。「あなたはこの番号にかけろというファクシミリを受けとり、それに従った。ピーター・ソロモンの秘書だと自称する見知らぬ人物と話した。それから勇んで自家用ジェット機に乗ってワシントンへ発ち、迎えの車に乗りこんだ。そうですね？」

悪寒がラングドンの体を駆け抜ける。「きみはいったいだれだ？　ピーターはどこにいる？」

「ピーター・ソロモンはおまえがきょうワシントンにいることなど知らない」男の声から南部訛りが消え、低いささやき声へと変わった。「ミスター・ラングドン、おまえがここにいるのは、おれがそう望んだからだ」

9

〈彫像ホール〉のなかで、ロバート・ラングドンは携帯電話を耳に押しつけたまま、小さな円を描いて歩きまわった。「何者だ」

男は絹のようになめらかなささやき声で答えた。「そう構えるな、教授。おまえをここに呼び出したのにはわけがある」

「呼び出した？」ラングドンは檻に閉じこめられた獣の気分だった。「誘拐したと言ったらどうだ！」

「ちがうな」男の声は薄気味悪いほど穏やかだった。「危害を加えるつもりがあったら、おまえはとっくにタウンカーのなかで死体になっている」間をとってことばを響かせる。「こちらの意図がまぎれもなく高潔なのは請け合おう。おまえを招待したいだけだ」

おことわりだ。ここ数年のヨーロッパでの出来事で不本意ながら有名人になってしまったせいで、変人たちを引き寄せていたが、この相手は重大な一線を越えている。「どういうことなのかは知らないが、こんな電話をしている暇は――」

「賢明とは言えないな。ピーター・ソロモンの魂を救いたければ、おまえに残されたチャンスはわずかしかない」

ラングドンはハッと息を呑んだ。「いまなんと言った？」

「聞こえたはずだ」

男がソロモンの名を妙な形で口にしたことにラングドンは恐れを感じた。「ピーターの何を知って

いる」

「いま、やつの最大の秘密を握っている。ミスター・ソロモンはおれの客で、おれは聞き上手の主人というわけだ」

そんなばかな。「ピーターを拘束できたはずがない」

「おれは直通の携帯電話に出た。その意味を考えたらどうだ」

「警察に通報する」

「その必要はない。すぐに当局の人間が現れるはずだ」

こいつ、何を言ってるんだ？　ラングドンはきびしい口調で言った。「ピーターを捕らえているなら、いますぐ電話に出せ」

「それは無理だな。ミスター・ソロモンは痛ましい場所に閉じこめられている」男はことばを切った。

「アーラーフに」

「どこだって？」ラングドンは指の感覚がなくなるほど強く携帯電話を握りしめている自分に気づいた。

「辺獄(アーラーフ)だ。辺土(ハミスタガン)とも言う。ダンテが名にし負う『地獄篇』のすぐあとで聖なる詩を捧(ささ)げた場所だ」

宗教と文学にからめたその言い草は、この相手が異常者だというラングドンの印象を強めた。第二の頌詩(しょうし)か。それならよく知っている。ダンテを読まずにフィリップス・エクセター・アカデミーから逃れられる者はいない。「つまりピーターは……煉獄にいると言いたいのか？」

「おまえたちキリスト教徒はそういう幼稚なことばを使うが、そのとおりだ。ミスター・ソロモンははざまにいる」

男のことばが耳にまとわりつく。「つまり、ピーターは……死んだと？」

「正確にはちがう」

「正確にはちがう？」声を張りあげたので、音がホールに鋭く反響した。観光客の一家が目を向けてくる。ラングドンは顔をそむけ、声を落とした。「生死に中間などあるはずがない！」

「意外だよ、教授。おまえなら生と死の神秘をもっとよく理解していると思っていたのだが。はざまの世界はたしかに存在する――いま、ピーター・ソロモンはそこでさまよっている。この世界にもどることもありうるし、その先の世界へ行くこともありうる……おまえがどう出るかしだいだ」

ラングドンはその意味を理解しようとした。「わたしに何をしろと？」

「簡単なことだ。おまえは古（いにしえ）のものへ近づく術（すべ）を与えられている。今夜、それを提供してもらおう」

「何を言っているのかわからない」

「わからないだと？　古の秘密を託されたのに、知らぬ顔を装うのか？」

なんとなく思いあたることがあり、ラングドンは気分が急に沈んでいくのを感じた。古の秘密。数年前のパリでの出来事はだれにもいっさい語っていないが、聖杯マニアは丹念に報道を追い、中には点と点を結びつけてラングドンこそ聖杯の秘密を――もしかしたらその場所をも――知る人物だと考えている者までいる。

「いいか、もしこれが聖杯の話なら断言するが、わたしの知っていることなど、たいして――」

「おれの知性を軽んじないでもらいたいな、ミスター・ラングドン」男はさえぎった。「聖杯のようなくだらないものや、どの歴史が正しいなどの不毛な論争はどうでもいい。信仰の意味についての堂々めぐりの議論にはなんの興味もない。その答は死によってしか見つかるまい」

男が言いきったので、ラングドンは混乱した。「それなら、何が目的なんだ」

数秒の沈黙が流れる。「知っているだろうが、この街には古の門がある」

古の門？

「今夜、それをおれのために解き放て。おれが接触したことを光栄に思ってもらおう。これは生涯に二度とない招待だぞ。ただひとり、おまえだけが選ばれた」

そして、おまえは頭がいかれている。「あいにくだが下手な選択をしたな。わたしは古の門など聞いたこともない」

「わかっていないようだな、教授。おまえを選んだのはおれではない……ピーター・ソロモンだ」

「なんだって？」ラングドンはかろうじて声を絞り出した。

「ソロモンは門の見つけ方を教えたうえで、それを解き放てる人間はひとりしかいないと明かした。それはおまえだと」

「ピーターがそんなことを言ったなら、それは思いちがいか……嘘だ」

「そうは思わない。それを告げたとき、ミスター・ソロモンは衰弱しきっていたから、信じてやるべきだろうな」

ラングドンは怒りが突きあげるのを感じた。「警告しておくが、もしピーターに手を出したら――」

「それならもう手遅れだ」男は悦に入った口調で言った。「ピーター・ソロモンから得たいものはすでに手に入れた。しかし、やつのためを思うなら、おれがおまえから得たいものを渡してもらおう。時間は貴重だ……おまえたちの両方にとって。門を見つけて解き放て。ピーターがその道を指し示す」

ピーターが？　「ピーターは〝煉獄〟にいると言ったじゃないか」

「上のごとく、下もしかり」男は言った。

ラングドンは異様なほどの寒気を覚えた。この奇妙な返答は太古のヘルメス文書に記されている格言で、天と地の物理的なつながりを信じるという意味合いを持つ。上のごとく、下もしかり。ラングドンは広大な空間に目を走らせ、なぜ今夜、これほど急に何もかもが一変し、手に負えぬ状況になってしまったのかと憂えた。「古の門の見つけ方など知らない。警察に通報する」

「ほんとうにわからないのか？　なぜおまえが選ばれたのかが」

「わからない」

「かならずわかる」男は含み笑いをしながら言った。「すぐにな」

そして電話は切れた。

ラングドンは恐怖を覚えながらしばし立ちすくみ、いまあったことを理解しようとつとめた。

出し抜けに、遠くから思いも寄らない音が響いた。

〈ロタンダ〉から聞こえてくる。

だれかの叫び声だった。

10

連邦議会議事堂の〈ロタンダ〉へは何度も行ったことがあったが、全力疾走で向かったのははじめてだった。入口を駆け抜けると、部屋の中央に群がる観光客の一団が見えた。幼い少年が泣き叫んで

いて、両親が落ち着かせようとしている。ほかの観光客がそのまわりを取り囲み、何人かの警備官が秩序を取りもどそうと奮闘している。

「男がそれを三角巾のなかから出して」だれかが半狂乱で言う。「そこに置いていったのよ！」

ラングドンは近づいていき、大騒ぎの原因とおぼしき物体をはじめて視界にとらえた。議事堂の床にあるその物体はたしかに奇妙だが、泣き叫ぶほどのものとは思えない。

あれなら何度も見たことがある。ハーヴァードの芸術を教える学科にも何十個か置いてある――彫刻家や画家が人体の最も複雑な個所を表現するときに利用する実物大の樹脂模型だ。最も複雑な個所とは、意外な話だが顔ではなく手である。マネキンの手を〈ロタンダ〉に置いていったのか？

ハンデキンとも呼ばれるマネキンの手は、指に関節があって、好きな形をとらせることができるので、青くさい大学生などはよくその中指を突き立てたりする。けれどもこのハンデキンは、人差し指と親指を天井へ向けて上に伸ばす形になっている。

しかし、さらに近づくと、このハンデキンがふつうのものとちがうのが見てとれた。たいていのハンデキンと異なって、これは樹脂の表面がなめらかではない。染みがあり、わずかに皺が寄っていて、まるで……

本物の皮膚のようだ。

足が止まった。

そして、血が見えた。なんということだ！

切断された手首は、立てて置けるように、棘のついた木の台に突き刺してあるらしい。吐き気の波が押し寄せる。息を詰めてもう少し近寄り、人差し指と親指の先に小さな刺青が彫られているのを見

てとった。しかし、注意を引いたのはその刺青ではない。薬指にはめられた見覚えのある金の指輪にすぐさま視線を奪われた。

そんな。

ラングドンはあとずさった。世界が激しくまわりはじめ、いま自分が見ているのがピーター・ソロモンの切断された右手であることを悟った。

11

どうしてピーターは出ないのよ？　キャサリン・ソロモンは携帯電話を切った。どこへ行ったの？

この三年間、毎週日曜の夜七時におこなう打ち合わせで、ピーターはかならず先に着いていた。それは新たな週がはじまる前に家族の絆(きずな)をたしかめ合う密(ひそ)やかな儀式で、ピーターにとっては妹の最新の研究成果を知るという目的もあった。

ピーターが遅れたことは一度もなく、電話にはかならず出る。なお悪いことに、兄がいざ現れたらどんなことばをかければいいのか、いまだにキャサリンは決めかねていた。きょう知ったことについて尋ねたくても、どんなふうに切り出せばいい？

ＳＭＳＣを背骨のように貫く通路に、足音が規則的に響く。〝大通り〟と呼ばれるこの通路は五つの巨大な保管区画を結んでいる。頭上四十フィートの高みには、建物の鼓動に合わせて脈打つ循環システムのダクトがあり、循環する何千立方フィートもの濾過(ろか)空気が断続音を発している。

ふだんなら、研究所までの四分の一マイル近くを歩くあいだ、建物が息づくこの音に安らぎを感じ

る。しかし今夜は、断続音に苛立ちを覚えた。きょう知った兄についての話を聞けばだれでも動揺しただろうが、この世でただひとりの家族であるピーターが自分にまで秘密にしていたのかと思うと、なおさら思い悩まずにはいられなかった。

キャサリンの知るかぎり、ピーターが自分に対して秘密を作ったことはたった一度しかない。それはすばらしい秘密で、まさにこの通路の奥に隠されていた。三年前、兄は自分を連れてこの通路を進み、ＳＭＳＣを案内しながら、さまざまな逸品を誇らしげに見せた——火星起源の隕石ＡＬＨ－８４００１、勇猛な先住民シッティング・ブルの自筆の絵日記、チャールズ・ダーウィンが広口瓶に採取して封蠟を施した標本などだ。

しばらくして、ふたりは小窓のある重たげなドアの前を通り過ぎた。キャサリンはその向こうにあるものを一瞥して息を呑んだ。「いったいあれは何？」

兄は忍び笑いをして歩きつづけた。「〈ポッド３〉だ。酒浸り区画とも呼ばれる。なかなか珍しい光景だろう？」

恐ろしいと言うべきよ。キャサリンは早足で兄のあとを追った。この建物はまるで別の惑星だ。

「ほんとうに見せたいのは〈ポッド５〉なんだよ」兄はどこまでもつづいて見える廊下の奥へといざなった。「最近増築されたばかりでね。国立自然史博物館の地下にある工芸品を保管するために建てられたんだ。五年ほどかけて移転する予定だから、いまの〈ポッド５〉は空っぽだ」

キャサリンは兄に目を向けた。「空っぽ？　それなら、なぜ見にいくの？」

兄の灰色の目にいつものいたずらっぽい光がきらめいた。「だれも使っていないなら、おまえが使えると考えついたんだよ」

「わたしが？」

「そうだ。専用の研究スペースがあればいいと思ったのさ——おまえがここ何年もかけて練りあげてきた思考実験をやりとげる場がね」

キャサリンは驚いて兄を見つめた。「でもピーター、あれはあくまでも思考実験なのよ！　現実におこなうなんてまず不可能よ」

「不可能なものなどないさ、キャサリン。それに、この建物はおあつらえ向きだ。ＳＭＳＣは単なる宝物庫ではない。世界の最先端を行く科学研究施設でもあるんだよ。絶えず所蔵品の一部を選び出し、最高級の測定機器を用いて調べている。おまえが必要としそうな機器はすべてそろっているから、自由に使っていい」

「ピーター、あの実験に必要な機器は——」

「もう用意は調っている」兄が満面の笑みを浮かべる。「研究所は完成ずみだ」

キャサリンの足が止まった。

兄が長い廊下の先を指さす。「これから見てみよう」

ことばがなかなか出なかった。「わたしの……わたしのために研究所を造ってくれたの？」

「それがわたしの仕事だよ。スミソニアン協会は科学知識の発展のために設立された。会長として、わたしはその責任を真摯に受け止めなくてはならない。おまえが考案した実験は、科学を未知の領域にまでひろげる可能性がある」兄は立ち止まってキャサリンを正面から見据えた。「おまえが妹であろうとなかろうと、わたしにはこの研究を支援する義務があると思う。おまえの発想はすばらしい。それが導く先を世界じゅうに知らしめるべきだ」

「ピーター、なんと言ったら――」

「気にしなくていいんだ。費用はわたしが出したし、いまはだれも〈ポッド5〉を使っていない。実験が終わったら引っ越せばいい。それに、〈ポッド5〉にはおまえの研究にうってつけの独自の特徴がある」

広大なだけで何もないポッドが自分の研究にどう役立つのか、キャサリンには想像もつかなかったが、すぐにわかりそうな気がした。ちょうどふたりは、太い文字表示のある鋼鉄のドアの前にたどり着いていた。

ポッド5

ピーターがカードキーをスロットに差すと、電気仕掛けのキーパッドが照らし出された。暗証番号を打ちこもうと指をあげたが、そこで手を止め、例によって子供のようにいたずらっぽく眉(まゆ)を吊(つ)りあげた。「心の準備はできているかい」

キャサリンはうなずいた。兄さんはいつだって演出にこだわる。

「さがって」ピーターがキーを叩(たた)く。

鋼鉄のドアが大きな音を立てて開いた。

入口の向こうにあったのは漆黒の闇だった。うつろな空間が口をあけている。奥から鈍いうなり声のような音が響いた。冷気が吹きつけてくる。深夜にグランド・キャニオンをのぞきこんでいる気分だった。

「エアバスの編隊がおさまる空っぽの格納庫を想像するといい」ピーターが言った。「だいたいの感じはそんなところだ」

キャサリンは思わず一歩あとずさった。

「ポッドそのものはあまりに広すぎて暖房は効かないが、研究所は断熱処理されたシンダーブロックでできていて、おおむね立方体の形をしている。隔離するために、奥の角に設置した」

キャサリンはその光景を頭に描こうとした。箱のなかの箱。見透かそうと懸命に目を凝らしたが、そこは完全なまでの闇だった。「どのくらい遠いの？」

「かなり遠い。ここにはフットボールの競技場が軽くおさまる。言っておくが、あそこまで歩くのは少し神経を使うぞ。とびきり暗いからな」

キャサリンはためらいがちに奥をのぞきこんだ。「照明のスイッチは？」

「〈ポッド5〉にはまだ電気が通っていない」

「でも……それならどうやって研究所を動かすの？」

ピーターはウィンクをした。「燃料電池だ」

キャサリンは呆然と口をあけた。「冗談でしょう？」

「小さな町に行き渡るほどの健全なエネルギーが得られるさ。研究所はほかのポッドからの無線電波を完全に遮断する。そのうえ、太陽の放射線から所蔵品を守るために、ポッドの外壁はフォトレジスト層で覆われている。要するに、このポッドは封鎖されていて、エネルギーの影響をいっさい受けない」

キャサリンも〈ポッド5〉の魅力を理解しつつあった。自分の研究の大半は、未知のエネルギーの

場を測定することが中心だから、無関係の放射エネルギーや雑音の届かない場所でおこなう必要がある。近くの人々からの〝脳放射エネルギー〟や〝思考放出〟などによる微妙な干渉も無視できない。だから大学のキャンパスや病院の研究所は使えないが、ＳＭＳＣの無人区画なら、これ以上適した場所はない。

「奥へ行って見てみよう」兄がにやりと笑い、広々とした闇へ足を踏み入れた。「ついてくるんだ」キャサリンはドアから離れられなかった。真っ暗闇のなかを百ヤード以上も？　懐中電灯をと言いたかったが、兄はすでに暗黒に吸いこまれていた。

「ピーター？」

「思いきって信じることだ」ピーターの声はすでに遠い。「道は見つかる。わたしを信じろ」

冗談でしょう？　キャサリンは心臓が激しく打つのを感じながらドアの向こうへ数フィート歩み入り、闇を透かし見ようとした。何も見えない！　出し抜けに背後で鋼鉄のドアが音を立てて閉まり、キャサリンを完全な闇のなかへ追いやった。一点の光さえ見えない。「ピーター？」

沈黙。

道は見つかる。わたしを信じろ。

躊躇（ちゅうちょ）しながらも、手探りで少しずつ進んだ。思いきって信じる？　目の前にあるはずの手さえも見えない。進みつづけたものの、数秒で方向感覚を完全に失った。ここはどこなの？

それが三年前の話だ。

いま、同じ重い金属のドアの前に着いたキャサリンは、あの最初の夜からどれほど長い道のりを歩いてきたことかと思い返した。研究所は――〈立方体（キューブ）〉という愛称がつけられて――〈ポッド5〉の

奥にある聖域となり、わが家と化した。兄が予言したとおり、あの夜キャサリンは闇を抜ける道を見つけ、その後も毎日見つけた――単純だが巧みな道しるべのおかげであり、兄はそれを妹自身に気づかせるためにあえて話さずにいたのだった。

それよりはるかに重要なのは、兄の別の予言もまた実現したことだ。実験は驚くべき結果をもたらし、特にここ半年の大発見は思考のパラダイムを一変させうるものだった。キャサリンと兄は、先行きがじゅうぶんに予測できるまで、実験結果を極秘にすることを決めた。しかし、人類史上最も革新的な科学上の発見の一部を、近い日に発表できるのは確実だった。

秘密の博物館の、秘密の研究所。キャサリンは〈ポッド5〉のドアにカードキーを差し入れた。照らし出されたキーパッドに暗証番号を打ちこむ。

鋼鉄の扉が開いた。

聞き慣れた鈍いうなりとともに、いつもの冷気が押し寄せてくる。脈が速まりはじめた。

この世でいちばん奇妙な通勤路。

キャサリン・ソロモンはその通勤路を進む腹を固め、腕時計を見てからうつろな空間へ踏み入った。しかし今夜は、不安が中まで付きまとった。ピーターはどこへ行ったの?

12

連邦議会議事堂警察警備部長のトレント・アンダーソンは、議事堂とその周辺施設の警備を十年以上にわたって監督している。胸板の厚い大柄な男で、顔の彫りが深く、赤毛の髪をいつも短い角刈り

に保っているため、上級軍人の雰囲気を漂わせている。権威のほどを疑おうとする愚か者への警告とするために、武器は目立つように装備してある。

アンダーソンは勤務時間の大半を、議事堂地下の警備センターから警備官の小部隊を指揮することにあてていた。監視モニターやコンピューターや電話交換機に目を光らせる技術者たちにそこで指示を出し、配下にある多数の警備の人間と絶えず連絡がとれるようにしていた。

その夜はいつになく静かで、アンダーソンは喜んでいた。今夜はオフィスの薄型テレビでレッドスキンズの試合を少し観たいと思っていたからだ。試合がちょうどはじまったとき、インターコムが鳴った。

「部長」

アンダーソンはうなり、テレビに視線を注いだままボタンを押した。「なんだ」

「〈ロタンダ〉でちょっとした騒ぎが起こっています。警備官を向かわせましたが、部長もご覧になりたいのではないかと思いまして」

「そうか」アンダーソンは警備の中枢部へ――コンピューターのモニターが密集する最新設備の小区画へ――歩み入った。「何があった?」

技術者がモニターのデジタル映像を指さした。「〈ロタンダ〉の東のバルコニーに設置されているカメラです。二十秒前の出来事ですよ」ビデオを再生する。

アンダーソンは技術者の肩越しにそれをながめた。

きょうの〈ロタンダ〉は無人に近く、数人の観光客がまばらにいるだけだ。アンダーソンの訓練された目は、単独で行動して動きの速い人物をすぐさまとらえた。剃りあげた頭。軍払いさげの緑のコ

ート。怪我した腕を吊る三角巾。わずかに足を引きずっている。前かがみの姿勢。携帯電話で話している。

そのスキンヘッドの男は音声出力からはっきりと足音を響かせながら〈ロタンダ〉の中央へ行ったが、そこで唐突に立ち止まって電話を切り、靴ひもを結ぼうとするかのようにひざまずいた。けれども、靴ひもを結ぶかわりに、三角巾から何かを取り出し、床に置いている。そして立ちあがり、足を小さく引きずりながら東の出口へ向かった。

アンダーソンは男が置き去った奇妙な形の物体を凝視した。いったいなんだ？　高さは八インチほどで、垂直に立っている。アンダーソンは画面に顔を近づけ、眉根を寄せた。あれが本物のはずがない！

スキンヘッドの男が早足で東の柱廊玄関へ姿を消すと、近くにいた幼い少年の声が聞こえた。「ママ、あの人が何か落としていったよ」少年は何気なくその物体に近づいたが、やにわに凍りついた。動きの止まった長い一瞬ののち、物体を指さして耳をつんざく悲鳴をあげる。

アンダーソンは即座に体の向きを変えてドアへ走り、そのさなかに大声で指示を出した。「全部署に連絡！　三角巾をしたスキンヘッドの男を捜索して確保せよ！　ただちに！」

警備センターを飛び出し、すり減った階段を二段飛ばしに駆けあがった。監視カメラには、三角巾をしたスキンヘッドの男が東の柱廊玄関から〈ロタンダ〉を出るところが映っていた。最短でこの建物を出たければ、すぐ先にある東西の連絡廊下を通ることになる。

先まわりできる。

階段の上にたどり着き、角をまわって、前に伸びる閑散とした廊下に目を走らせた。奥で年配の夫

婦が手をつないでぶらついている。近くでは、青いブレザーを着た金髪の観光客がガイドブックを見ながら、下院議事堂の外にあるモザイク天井をながめている。

「ちょっと失礼！」アンダーソンは大声をあげてその男に駆け寄った。「腕を三角巾で吊ったスキンヘッドの男を見なかったか？」

男は困惑顔で本から視線をあげた。

「三角巾をしたスキンヘッドの男だ！」アンダーソンはさらに強い口調で繰り返した。「見なかったか？」

観光客はためらい、落ち着かない様子で廊下の東の端へ目をやった。「ええ……見ました。ぼくの前を走り過ぎて……あそこの階段へ向かったと思います」廊下の先を指さす。

アンダーソンは無線機を取り出して叫んだ。「全部署へ！　問題の男は南東の出口へ向かった。急行せよ！」無線機をしまって銃をホルスターから引き抜き、出口へ走った。

三十秒後、議事堂の人目につかない東の出口から、青いブレザー姿のたくましい金髪の男が湿った夜気のなかへ出た。

変身。

実にたやすかった。

軍払いさげのコートを着て足を引きずりながら〈ロタンダ〉から飛び出したのは、わずか一分前のことだ。それから壁の暗いくぼみでコートを脱ぎ、下に着ていた青のブレザーをさらした。コートを捨てる前に金髪のかつらをポケットから出し、頭に合わせておく。そして背筋を伸ばし、ワシントン

DCの薄いガイドブックをブレザーから出したあと、くぼみから悠然と歩み出た。

変身。それは自分の才能だ。

生身の脚を振り動かして、停まったリムジンへ向かいながら、マラークは背を反らして六フィート三インチの身長にもどり、しっかり胸を張った。深々と息を吸い、肺に空気を満たす。胸の刺青となった不死鳥の翼が大きくひろがるのを感じる。

この力を知らしめてやりたい、と街を見渡して思った。今夜、わが変身は完遂する。

議事堂で、マラークは古代の作法に敬意を払いつつ巧みに立ちまわることができた。古の招待はなされた。今夜のここでの役割をラングドンがまだ理解していなかったとしても、ほどなく悟ることになる。

13

ロバート・ラングドンにとって、連邦議会議事堂の〈ロタンダ〉はサン・ピエトロ大聖堂と同じく、つねに驚きで心を奪われる場所だった。頭ではこの空間が自由の女神像ですら楽々と立てるほど広いことを理解しているが、まるで霊が宙を漂うかのように、なぜか予想以上の大きさと神聖さをいつも感じる。だが今夜のそこには、混沌(こんとん)だけが満ちていた。

警備官たちが〈ロタンダ〉を封鎖しつつ、動揺した観光客を手首から遠ざけようとしている。少年は泣いたままだ。まばゆい光がきらめくや——観光客が手首の写真を撮ったらしい——数人の警備官がただちにその男を拘束し、カメラを取りあげてどこかへ連行する。混乱のなか、ラングドンは愕然(がくぜん)

として前へ進み、人々のあいだをすり抜けて手首に近づいた。

ピーター・ソロモンの切断された右手首は直立していて、棘のついた小さな木製の台に切り口が刺してある。三本の指が折り曲げられているが、親指と人差し指はしっかり伸ばされて高い天井を指している。

「みなさん、さがってください！」警備官が声をかけた。

じゅうぶんに近づいたラングドンには、手首から流れ出て台の上で固まった血だまりが見てとれた。死後にできた傷からは出血しない……つまり、ピーターは生きている。安堵（あんど）すればいいのか、吐き気を催せばいいのかわからなかった。ピーターは生きながら手を切断されたのか？　喉（のど）に苦いものがこみあげる。握手やあたたかい抱擁を交わすために、親友がまさにこの手を差し伸べてきた数々の場面が思い出された。

チャンネルの合わぬまま雑音だけを流しつづけるテレビのように、頭のなかが数秒のあいだ空っぽになった。浮かびあがった最初の鮮明な像は、予想だにしなかったものだった。

王冠……そして、星。

ラングドンはかがみこみ、ピーターの親指と人差し指の先を凝視した。刺青か？　信じられない話だが、こんなことをしてのけた怪物は、ピーターの指先に小さな象徴の刺青を彫ったらしい。

親指には――王冠。人差し指には――星。

そんなばかな。ふたつの象徴は即座にラングドンの心に焼きつき、ただでさえ凄惨（せいさん）な光景を異次元へ引きあげた。この象徴の組み合わせは歴史に頻繁に現れ、場所はつねに決まっている――手指の先だ。それは古代世界で最も切望された、最も謎の多い図像でもある。

神秘の手。

いまではほとんど見かけないが、歴史を通じて、この図像はある行動への強力な呼びかけを象徴してきた。ラングドンは目の前にある異様な作品の真意を測ろうとした。何者かがピーターの手を使って神秘の手を作ったのか？　考えられない。伝統によれば、この図像は石や木に刻まれるか、絵として描かれる。生身の体で神秘の手を仕立てあげるなど聞いたこともない。忌むべき発想だ。

「そこのあなた」背後の警備官が呼びかけた。「さがってください」

ラングドンはほとんど聞いていなかった。ほかにも刺青がある。握られた三本の指の先は見えないが、それぞれに独自の刻印があるはずだ。伝統に従えばそうなる。合わせて五つの象徴。数千年前から、神秘の手の指先にある図柄はまったく変わっていない……その目的も。

この手が表すのは……招待だ。

ここへ自分を誘い出した男のことばを思い出し、急に寒気を覚えた。これは生涯に二度とない招待だぞ。古代において、神秘の手には宿願の招待を伝えるという役目があった。この図像を与えられることは、選ばれた者たちの――あらゆる時代の秘伝の知恵を守るとされる者たちの一団に加わるよう求められることに等しい。招待を受けるのは大きな名誉であると同時に、その隠された知恵を授かるにふさわしいと長(マスター)から認められたことを意味する。新会員にマスターの手が差し伸べられるというわけだ。

「さあ」警備官が肩に手を強くあてた。「すぐにさがってください」

「これの意味を知っている」ラングドンはかろうじて言った。「協力できるんだよ」

「さがりなさい！」

「友人がひどい目に遭っている。早く――」

力強い腕が体を引っ張り、床の手から遠ざける。ラングドンは体勢を大きく崩して逆らえず、されるがままになった。

正式な招待がなされた。古の神秘と隠された知識へ通じる謎の門を解き放つために、何者かが自分を呼び出した。

だが、どれもこれも正気とは思えない。

異常者の妄想だ。

14

マラークのストレッチ・リムジンは連邦議会議事堂からゆっくり遠ざかり、インディペンデンス・アベニューを東へ向かった。歩道の若い男女がＶＩＰをひと目見ようとして、フィルムの貼られた窓に目を凝らしている。

乗っているのは前だ。マラークはそう思って笑みを漏らした。

マラークはこの大型車をひとりで運転するときに得られる力を気に入っていた。所有しているほかの五台の車は、今夜必要なものを――確実なプライバシーを――提供してくれない。完璧(かんぺき)なプライバシー。この街のリムジンには一種の暗黙の特権が与えられている。いわば走る大使館だ。連邦議会議事堂の近くで勤務する警察官は、どんな有力者を誤って足止めしてしまうかわからないので、リムジンを制止するような危険な賭(か)けにはまず出ない。

アナコスティア川をわたってメリーランド州にはいると、運命の力に引き寄せられてキャサリンに近づくのを感じた。今夜の第二の使命だ……予想外の使命ではあるが。ゆうべピーター・ソロモンが秘密を最後まで明かしたとき、隠された研究所があって、キャサリン・ソロモンがそこで奇跡を起こしたことを知った。それは衝撃の大発見であり、公になれば世界が変わりかねないものだ。

その研究は万物の真の性質を解き明かす。

何世紀にもわたって、地上の〝最高の頭脳たち〟は古の科学を黙殺して、無知な迷信と蔑み、うぬぼれた懐疑主義と目くらましの新しい技術で——真実からみずからを遠ざけるだけの道具で——武装するばかりだった。どの世代の大発見も、つぎの世代の技術によって誤りを証明されるのが常だ。それが大昔から繰り返されている。学べば学ぶほど、人はおのれの無知を悟るしかない。

数千年前から、人類は闇をさまよっている。けれどもいま、かつて予言されたとおり、変化が訪れつつある。やみくもに突き進む歴史を重ねたすえ、人類は分岐点にたどり着いた。この瞬間が来ることは、古文書や古代の暦や星そのものによってはるか昔に予言されている。その日はすでに決まっていて、目前に迫っている。まず知識の目覚ましい爆発が起こり……明知の光が闇を照らし出し、深淵から逃れて英知の道へ向かう最後の機会を人類に与える。

自分はその光をさえぎるために来た、とマラークは心で言った。それがおのれの役目だ。

運命はこの身をピーターとキャサリンのソロモン兄妹に結びつけた。ＳＭＳＣでキャサリン・ソロモンが果たした大発見はいまだかつてない思考の堰を切り、新たなルネッサンスを創始しうる。その成果が公表されれば、失われた知恵を再発見する触媒となり、人類に想像を絶する力を与えるだろう。

キャサリンの使命はその光明をともすことにある。

自分の使命はそれを消すことだ。

15

漆黒の闇のなかで、キャサリン・ソロモンは研究所の外側のドアを手で探った。鉛張りのドアを見つけて引きあけ、入口の小部屋に駆けこむ。虚空を進んできた時間は九十秒にも満たないが、心臓が早鐘を打っている。三年も経ったんだから、慣れてもいいのに。〈ポッド5〉の闇を抜けてこの明るく照らされた清潔な空間にはいると、いつも心が休まった。

〈キューブ〉は窓のない大箱だった。チタンで被覆した繊維状の鉛の網で内壁と天井が隙間なく覆われていて、コンクリートの囲いのなかに造られた巨大な檻（おり）という印象を与える。半透明のプレキシガラスが部屋をいくつかの部分に仕切り、研究所、制御室、機械室、浴室、小さな資料室などがある。

キャサリンは足早に研究所に歩み入った。滅菌したその明るい作業空間では、一対の脳波計、フェムト秒コム発生器、磁気光学トラップ、そしてランダム事象発生装置という通称で知られる量子不確定性電子ノイズＲＥＧなどの高度な測定機器が光を放っている。

純粋知性科学は最先端のテクノロジーを利用しているにもかかわらず、発見するものは、結果をはじき出す冷たいハイテク機械よりもはるかに神秘的だ。衝撃的な新しいデータがつぎつぎ見いだされるとともに、魔法や神話がすみやかに現実となり、そのどれもが純粋知性科学の基本原理――人間の精神の知られざる力――に裏づけを与えていく。

全体のテーマは単純だ――人間はまだ、みずからの精神的、霊的能力の表層しか解明していない。

カリフォルニアの純粋知性科学研究所（IONS）や、プリンストン大学工学部特異現象研究所（PEAR）などの施設でおこなわれた実験では、人間の思考をしかるべく集中させると、実在の物質に影響を与えうることが立証された。それらの実験は〝スプーン曲げ〟の座興のたぐいではなく、厳正な管理のもとで施行された調査であり、そのどれもが同じ驚くべき結果を示した。われわれの思考は物質世界と影響し合っており、自覚の有無にかかわらず、原子未満の領域にまで変化を及ぼしている。

精神は物質を支配している。

二〇〇一年九月十一日の恐ろしい事件の直後の数時間で、純粋知性科学の分野は大きな発展をとげた。恐怖に包まれた世界が結びつき、この惨劇への強い悲しみを共有したとき、世界各地にある三十七のランダム事象発生装置が、突如として明らかに規則性のある――ランダムではない――出力をはじめたことを、四人の科学者が発見した。同じ経験を通じて一体となった何千万、何億もの精神が融合したことがなんらかの形で装置のランダム事象発生機能に影響を及ぼし、出力内容に規則性を与えて、混沌に秩序をもたらしたらしかった。

その衝撃的な発見は、〝宇宙の意識〟の存在を認める古代の霊的信仰――人間の意識は巨大な融合体を作っていて、物質と影響し合う力を持つという考え方――と通じる印象を与えた。最近の研究では、集団での瞑想や祈りもランダム事象発生装置に同様の結果をもたらすことが判明しており、それが純粋知性科学のジャーナリストであるリン・マクタガートの言う〝人間の意識は肉体という軛の外にある〟という説を裏づけている。高度に組織されたエネルギー体であり、物質世界を変容しうるということだ。キャサリンはマクタガートの著書『意思のサイエンス』と、人間の意思が世界に及ぼす力を解明すべく著者がインターネットのサイト（theintentionexperiment.com）を通じておこなっ

ている世界規模の研究に感銘を受けた。ほかにも、興味を掻き立てられた進歩的な論考がいくつかある。

それらを土台にしてキャサリン・ソロモンの研究は一気に進み、〝集中した思考〟が文字どおりあらゆるものに——植物の生長率、水槽のなかで魚が泳ぐ向き、ペトリ皿で細胞が分裂していく動き、隔離された自動システムの同調、そして自身の体内の化学反応にまで——影響を与えうることを証明した。結晶構造が新しく形成されるときでさえ、人間の精神が変化を及ぼすことがある。グラスの水を凍らせるとき、キャサリンが愛情のこもった思いを送ると、美しい対称図形の氷ができた。信じられないことに、その逆もまた成り立ち、敵対的な悪感情を水へ送ると、氷の結晶は無秩序でまとまりのないものになった。

人間の思考は物質世界を変容できる。

実験が大胆になるにつれ、結果にはますます驚嘆させられた。研究所での成果は、〝精神は物質を支配している〟という説がニューエイジの自己満足の繰り言でないことを、一点の疑いもなく立証した。精神には物質の状態そのものを変える力があり、さらに重要なのは、物質世界を特定の方向へ動かす力も持っていることだった。

人間はこの世界の支配者だ。

原子未満の領域でも、自分の意思のみによって粒子が現れたり消えたりすることをキャサリンは示した。粒子を見たいという望みがそれを出現させたと言ってもよい。数十年前にハイゼンベルクもその正しさを示唆しているが、いまやそれは純粋知性科学の基本原理となっている。リン・マクタガートはこう言っている。「活動している意識は、存在の可能性があるものを実際に存在するものへと変

えるなんらかの力を持っている。世界の創造に欠かせないのは、それを観察する意識である」

しかし、キャサリンの研究の最も目覚ましい成果は、物質世界に影響を与えうる精神の力を訓練によって強化できるのを発見したことだった。意思の力は学習しうる。瞑想と同じく、〝思考〟の真の力を操るには練習が欠かせない。だがもっと重要なのは……生まれつきそれに秀でた人間もいることだ。そして歴史を通じ、ごくわずかな者だけが自由に駆使できた。

これは近代科学と古代の神秘主義とを結びつける失われた環(ミッシング・リンク)だ。

そう教えたのは兄のピーターであり、兄のことが頭に浮かぶと、キャサリンは不安を募らせた。研究所の資料室をのぞいてみる。だれもいない。

資料室は小さな読書用の空間になっている——モリス・チェアが二脚、木のテーブルが一脚、フロアスタンドが二台あり、五百冊ほどの本をおさめたマホガニー材の書棚が一方の壁を占めている。キャサリンとピーターは、素粒子物理学から古代の神秘主義まで、ありとあらゆる分野に及ぶ愛読書をここに持ちこんでいた。蔵書はいまや新旧から広く採り入れられ、最先端の分野もあれば歴史に属する分野もある。キャサリンの本の大部分には『量子意識』や『新物理学』や『神経科学の原理』などの題が付されているが、兄の本はもっと古く謎めいた『キバリオン』や『ゾーハル』や『踊る物理学者たち』などで、大英博物館が所蔵するシュメールの粘土板文書の翻訳もある。

「われわれの科学の未来を切り開く鍵(かぎ)は過去に隠されている」兄はよくそう言ったものだ。歴史と科学と神秘主義の研究に生涯を懸けてきたピーターは、大学で受けた科学教育を昇華させるために古のヘルメス哲学を学ぶべきだとキャサリンに促した最初の人物だった。ピーターに刺激されてキャサリンが現代科学と古代の神秘主義のつながりに興味を持ったのは、何十年も前のことだ。

「教えてくれないか」イエール大学で研究していたキャサリンが休暇で家にもどっていたとき、兄が言った。「近ごろのイエールの連中は理論物理学の授業でどんな本を読んでいるんだ」

わが家の図書室にいたキャサリンは必読書のリストをそらんじた。

「興味深いな。アインシュタイン、ボーア、ホーキングは現代の天才たちだ。だがもっと古い本は読んでいないのか」

キャサリンは頭を掻いた。「というと……ニュートンとか？」

兄は微笑した。「ほかにはどうだ」ピーターは学界ですでに名声を得ていて、兄妹はこうした戯れ半分の知的格闘を楽しむようになっていた。

ニュートンより古いの？　プトレマイオス、ピタゴラス、ヘルメス・トリスメギストスなど、なじみのない名前がキャサリンの頭につぎつぎと浮かんだ。いまどき、そんな本はだれも読まないのに。

傷んだ革表紙の古い本が並ぶ長い棚に、兄が指を這わせた。「古代の人々の科学的知識には驚かされるばかりだよ……現代物理学はようやくその全体を理解しはじめたにすぎない」

「ピーター」キャサリンは言った。「エジプト人がニュートンよりもずっと前に梃子と滑車の仕組みを理解していたとか、昔の錬金術師が現代の化学と同水準の研究をしていたとかいう話ならもう聞いたけど、だからどうだというの？　いまの物理学は、古代の人には想像もつかないような概念を扱ってるのよ」

「たとえば？」

「そうね……たとえば、エンタングルメント理論よ！」すべての物質が密接に結びついていること、ひとつの網のなかでからみ合いの状態にあること、一種の宇宙的統一体をなしていることを、原子未

満の世界の研究はすでに明らかにしている。「まさか古代の人々がエンタングルメント理論の談義に花を咲かせていたなんて言うつもり？」

「そのとおりだ！」ピーターは黒く長い前髪を目から払いのけた。「エンタングルメントの考え方は古代の信仰の中核にあった。名称は歴史そのものと同じぐらい古い……法身（ほっしん）、道（タオ）、梵（ブラフマン）などだ。実のところ、人類の最も古い霊的探求は、みずからがエンタングルメントのなかにあることを知り、万物との結びつきを感じることにあった。人間は宇宙とひとつになること、一体化することをつねに求めてきたのだよ」眉を吊りあげる。「今日（こんにち）でも、ユダヤ教徒やキリスト教徒は〝贖罪（アトーンメント）(atonement)〟を懸命に求める……大半の者は、求めているのが実は〝一体化（アット・ワン・メント）(at-one-ment)〟であることを忘れてしまっているがね」

歴史を熟知した相手との論争がいかに面倒かを忘れていたキャサリンはため息をついた。「わかった。でも兄さんの話は一般論よ。わたしは特定の物理学の話をしてるの」

「それなら、ぜひ特定の話をしよう」鋭い目が挑発する。

「じゃあ、〝極性〟のような単純なものはどうかしら――原子未満の世界の正負のバランスのことよ。どう考えても古代の人たちは――」

「待て！」兄はほこりまみれの大きな本を引っ張り出し、図書室の机に音を立てて置いた。「現代の極性の考え方は、二千年以上前に書かれた『バガヴァッド・ギーター』でクリシュナが説いた〝二元世界〟となんら変わりがない。二元論や、自然界の対立する力を扱った本が、『キバリオン』も含めて、ここにはほかにも十冊以上ある」

キャサリンは納得しなかった。「いいわ。でも、原子未満の世界での現代の発見は？　たとえば、

ハイゼンベルクの不確定性原理は――」

「それならこれを見るべきだな」ピーターは大きな書棚の先へ行って別の本を引き出した。「ウパニシャッドとして知られる、古代インドの聖典『ヴェーダ』の一部だ」先刻の本の上に重々しく置く。「ハイゼンベルクとシュレーディンガーはみずからこの書を研究し、自分たちの理論を打ち立てるのに役立ったと賛辞を贈っている」

対決は数分にわたってつづき、机の上に本の高い山が築かれていった。とうとうキャサリンは苛立って両手をあげた。「もういい！　言いたいことはわかったけど、わたしは最先端の理論物理学を研究したいの。科学の未来がそこにあるのよ！　クリシュナだのヴィヤーサだのが、超弦理論や多次元宇宙モデルについてたいしたことを言ってるとは思えないの」

「そのとおりだ。言っていない」ことばを切った兄の唇に笑みがよぎる。「超弦理論について話すなら……」ピーターはまた書棚の前をうろついた。「この本について話さなくてはな」とてつもなく大きな革装丁の本を引き抜き、大音響を立てて机にほうり出す。「十三世紀に中世アラム語で書かれた原本を翻訳したものだ」

「超弦理論が十三世紀に？」キャサリンは真に受けなかった。「冗談じゃない！」

超弦理論は真新しい宇宙論モデルだった。最新の科学観察に基づき、多次元の宇宙は三次元ではなく十次元から成っていて、振動する弦のように作用し合っていると説く。その振動する弦はバイオリンの共鳴する弦に似ている、と。

キャサリンが待っていると、ピーターは本を開き、飾りつきの目次に目を走らせてから、冒頭の近くを開いた。「ここを読むんだ」文字と図の並ぶ色あせたページを指さす。

キャサリンはやむなくそのページを読んだ。翻訳は古くて非常に読みづらかったが、驚愕したのは、その文章と図が、現代の超弦理論で推論されたのとまったく同じ宇宙を——振動する弦という考え方に基づく十次元の宇宙を——はっきり示していることだった。読み進むうち、キャサリンはやにわに息を呑んで体を引いた。「信じられない、六つの次元がどうからみ合ってひとつとして動くかまで書いてある！」怯えてあとずさる。「いったいなんなの、この本は？」

兄は悠然と笑った。「おまえにいつか読んでもらいたい本だ」ふたたびページをめくり、装飾された図版に表題が書きこまれたところへもどる。

——完本ゾーハル。

キャサリンは『ゾーハル』を読んだことがなかったが、それがユダヤ教の古代神秘思想の根幹をなす文書で、かつて大きな力を秘めていると見なされ、一部の博学なラビにしか閲覧が許されなかったことは知っていた。

キャサリンは本を凝視した。「宇宙が十次元からなることを昔の神秘主義者は知っていたというの？」

「そのとおり」ピーターは、セフィロトと呼ばれる十個の円が結びついた図を手で示した。「たしかにことばは謎めいているが、それが示す物理学はきわめて先進的だ」

キャサリンはどう答えればいいのかわからなかった。「でも……どうしてもっと多くの人がこれを研究しないの？」

兄が微笑む。「いずれするだろう」

「理解できない」

「キャサリン、われわれはすばらしい時代に生まれたんだよ。変化が訪れつつある。人類は新しい時代の戸口に立っていて、自然や古いものにふたたび目を向けようとしている……『ゾーハル』などの世界じゅうの古文書に示された思想にね。力ある真実はそれ自体が重みを持ち、人々をいずれは引きもどす。現代科学が古代の人々の知恵を真摯に学ぼうとする日がやがて来るだろう。そして、それはいまだに得られぬ大いなる疑問の答を人類が見つける日になる」

その夜、キャサリンは兄の古文書を熱心に読みはじめ、兄の正しさをただちに悟った。古代の人々は深遠な科学知識を持っていた。今日の科学がしているのは、〝発見〟というより〝再発見〟だ。人類はかつて宇宙の真の性質を把握していたらしいが……それを手放し……忘れてしまった。

それを思い出すのに現代の物理学が役立つはずよ！　その探究こそが――最新科学を用いて古代の人々の失われた知恵を再発見することが――キャサリンの生涯の使命となった。意欲を与えつづけたのは、学者として味わう興奮だけではない。すべての根底に、世界にとってその知識がなんとしても必要だという確信があった。いまこそそれが要る。

研究所の奥に、自分のものと並んで兄の白衣が掛けてあるのをキャサリンは見た。無意識のうちに携帯電話を取り出し、メッセージを確認する。何もはいっていない。記憶のなかの声がふたたびこだまする。

――ワシントンＤＣに隠されているとお兄さまがお考えのものですが……見つけられます。ときに伝説は何世紀も生き延びます……ある理由から。

「ちがう」キャサリンは声に出して言った。「ほんとうのはずがない」

伝説がただの伝説にすぎない場合もある――それ以上でもそれ以下でもない。

16

議事堂警察警備部長のトレント・アンダーソンは、警備の不手際に憤りを募らせながら、〈ロタンダ〉へ大急ぎで引き返した。たったいま、部下のひとりが東の柱廊玄関近くの壁のくぼみで三角巾と軍払いさげのコートを発見していた。

あの男、抜け出したのか!

すでに部下たちには屋外の監視カメラの映像を調べるよう指示したが、何かが見つかるころには男ははかなたへ去っているだろう。

〈ロタンダ〉にもどって様子を見たところ、騒ぎはうまくおさまっていた。ここに通じる四つの出入口は、最も目立たない場内規制の手法――ベルベットの飾り綱、謝罪する警備官、〝清掃のため一時閉鎖中〟と記された看板――で封鎖されていた。十人余りの目撃者全員が大広間の東端に集められ、警備官がそれぞれの携帯電話とカメラを押収している。何より避けたいのは、このなかのだれかが携帯電話で撮った画像をＣＮＮへ送信することだ。

拘束された目撃者のなかに、ツイードの上着を着た長身で黒っぽい髪の男がいて、警備責任者と話したいと主張して一団から離れようとしていた。いまも部下と激しく言い争っている。

「すぐに応対する」アンダーソンはその部下に声をかけた。「とりあえず、事がはっきりするまで、だれも広間から出さないでくれ」

そして、大広間の真ん中で直立している手首へ目を転じた。なんたることか。議事堂警備の任務に

就いて十五年、奇妙な物事はいくつか目にしてきた。しかし、こんな代物ははじめてだ。

鑑識班は何をしている。さっさとこいつを持ち去ってくれ。

近づいて見ると、手首がまっすぐ立つように、血まみれの切断面を棘つきの木の台に刺してあるのがわかった。木と肉か。金属探知機には反応しない。唯一の金属である大きな金の指輪は、この指さも自分の持ち物のようにふるまったあの男が、探知機に読みとらせたか、さりげなく指から引き抜いたかのどちらかだろう。

かがみこんで手首を仔細に観察する。どうやら六十歳ぐらいの男のものらしい。指輪には装飾を施した印章があり、双頭の鳥と数字の33が見てとれる。どういう意味かはわからない。それ以上に目を奪われたのは、親指と人差し指の先のごく小さな刺青だった。

いまいましい見せ物だ。

「部長」部下のひとりが駆け寄り、携帯電話を差し出した。「部長宛のお電話です。たったいま、警備センターの交換台がまわしてきました」

アンダーソンは部下の正気を疑わずにはいられなかった。「取りこみ中だ」と憤然と言う。

部下の顔は青ざめていた。手で送話口を覆ってささやく。「ＣＩＡです」

アンダーソンは愕然とした。ＣＩＡがもう聞きつけたのか？

「保安局からです」

アンダーソンは身をこわばらせた。そんなばかな。部下が差し出す電話を不安混じりに見やる。

ワシントンという諜報機関の大海原において、ＣＩＡ保安局はいわばバミューダ・トライアングルだ――あまりにも謎めいた危険区域なので、それを知る者すべてが可能なかぎり避けて通ろうとする。

一見自己破壊的な方針のもと、保安局はＣＩＡによって、ある奇妙な目的のために――ＣＩＡ自身をスパイするために――創設された。強力な内部統制機関さながら、保安局はＣＩＡ全職員の不正行為――公金の横領、秘匿情報の売買、機密技術の漏洩、拷問の違法使用などなど――を監視している。

アメリカのスパイたちをスパイしている。

国家の安全保障にまつわる捜査において、ＣＩＡ保安局の持つ権限はきわめて広く強い。その保安局が連邦議会議事堂でのこの一件に関心を持つのはなぜなのか、これほど早く嗅ぎつけたのはどういうわけなのか、アンダーソンには見当もつかなかった。とはいえ、噂では保安局はあらゆる場所に目を持っているという。自分の知らないところで、議事堂の監視カメラの映像を直接入手しているのかもしれない。この一件は保安局の本務とはまるでそぐわないが、電話のかかったタイミングから見て、切断された手首以外の用件とは考えられなかった。

「部長」部下は一刻も早く手放したいかのように電話を突き出している。「いますぐお出になるべきです。電話の相手は……」ことばを切り、声を出さずに口だけを動かして伝える。「サトウです」

アンダーソンは眉をひそめて部下を見た。冗談だろう？　手のひらが汗ばむのを感じる。サトウがじきじきにこの件を扱っているって？

保安局の大君主とも呼ぶべきサトウ局長はＣＩＡの伝説の人物である。真珠湾攻撃の余波の残るなか、カリフォルニア州マンザナールの日系アメリカ人収容所で生まれたサトウは、戦争の恐怖、すなわち不十分な軍事情報がもたらす危険を片時も忘れたことのない百戦錬磨の強か者だった。アメリカの諜報機関で最も謎めいて力のある地位のひとつにのぼり詰めたいまでは、揺るぎない愛国者であるばかりか、対立するすべての者にとって恐るべき敵となった。めったに姿を現さないが万人に恐れら

れる存在として、獲物を狙うときのみ浮上する海獣(リバイアサン)のごとくＣＩＡの深海を潜行している。

アンダーソンはサトウと顔を合わせたことが一度だけある。あの冷ややかな黒い目を見つめたときの記憶がよみがえり、このやりとりが電話でおこなわれることに感謝したい気分になった。

アンダーソンは携帯電話を受けとって口もとに近づけた。「サトウ局長」なるべく愛想のよい声で言う。「議事堂警察警備部長のアンダーソンです。何か――」

「すぐに話したい男が建物のなかにいてね」まぎれもなくサトウの声だ――黒板に砂利をこすりつけたような響きがある。喉頭癌(こうとう)の手術はサトウに、聞く者を不快にさせる悪声とそれに印象の劣らぬ首の傷跡を残した。「大至急その男を見つけてもらいたい」

それだけか？　人を呼び出せだと？　にわかに希望が芽生えた。ここに電話をかけてきたのは単なる偶然の一致かもしれない。「だれをお探しですか」

「名前はロバート・ラングドン。いままさにそこにいると思う」

ラングドン？　聞いたことがある気がするが、はっきりとは思い出せない。ともあれ、サトウは手首の件を知っているのだろうか。「こちらは〈ロタンダ〉におりますが、ここに観光客が何人かいますので……少しお待ちください」アンダーソンは電話を持った手をおろし、人々に呼びかけた。「すみません、ラングドンという名前のかたは？」

短い沈黙ののち、観光客の一団から深みのある声が返ってきた。「はい。わたしがロバート・ラングドンです」

サトウは何もかも承知だ。アンダーソンは声の主を見ようと首を伸ばした。

先刻自分と話をしようとしていた男が歩み出た。取り乱した様子だが……その顔はどこかで見た覚

えがある。

アンダーソンは電話を口もとへ寄せた。「ええ、ミスター・ラングドンはこちらにおられます」

「電話口へ」サトウが耳障りな声で言った。

アンダーソンは深く息をついた。自分よりあの男がいいらしい。「お待ちください」男を手招きした。

ラングドンが歩み寄ってきたとき、名前を覚えていた理由を急に思い出した。つい最近、この男についての雑誌記事を読んだばかりだ。ここでいったい何をしている？

ラングドンは六フィートの長身とスポーツ選手並みに引きしまった体格の持ち主だが、ヴァチカンの爆発事件とパリの大追跡を乗り越えて名を馳せた人物らしからず、冷厳なしたたかさは微塵も感じられなかった。こんな男がフランス警察の追跡をかわしたのか……まさかローファーを履いて？いかにもアイビーリーグの大学図書館の炉辺でドストエフスキーでも読んでいそうなタイプだ。

「ミスター・ラングドン」アンダーソンは言い、半ばまで出迎えた。「わたしは議事堂警察警備部長のアンダーソン。ここの警備責任者です。あなたに電話がかかっています」

「わたしに？」ラングドンの青い目が不安げに曇る。

アンダーソンは電話を差し出した。「ＣＩＡの保安局からです」

「聞いたことがない」

アンダーソンは苦笑した。「しかし、先方はあなたを知っているようです」

ラングドンが電話を耳に押しあてた。「もしもし」

「ロバート・ラングドン？」小さなスピーカーからサトウのざらついた声が響き、アンダーソンの耳

にも届いた。

「ええ、そうですが」

アンダーソンはサトウの声を聞こうと近づいた。

「局長のサトウです、ミスター・ラングドン。目下、国家の危機に対処していて、あなたがお持ちの情報が助けになると信じています」

ラングドンの顔に希望が満ちた。「ピーター・ソロモンの件ですね。居場所をご存じなんですか？」

ピーター・ソロモン？　アンダーソンは蚊帳の外に置かれた気分だった。

「教授」サトウが答えた。「いま質問しているのはこちらです」

「ピーター・ソロモンは大変な事件に巻きこまれているんだ」ラングドンが叫んだ。「どこかの異常者が――」

「とにかく」サトウが話をさえぎった。

アンダーソンはたじろいだ。まずい。ＣＩＡ高官の質問を妨げるのは、民間人だけが犯す過ちだ。もっと思慮がありそうな男なのに。

「よく聞いてください」サトウが言った。「いまこうしているあいだにも、この国は危機に瀕しています。それを回避するのに役立つ情報を、あなたが持っていると聞きました。そこでもう一度質問します。どんな情報を持っているのか」

ラングドンは途方に暮れたふうだった。「なんの話かまったくわかりませんよ。わたしはただ、ピーターを見つけて――」

「まったくわからない？」口調がきびしくなる。

ラングドンが苛立つのが見てとれた。声も攻撃的な調子を帯びてくる。「はい、局長殿。見当もつきません」

アンダーソンはひるんだ。まずい。まずい。まずい。ロバート・ラングドンはサトウを相手にとんでもない失態を演じている。

そのとき、もはや手遅れだとアンダーソンは悟った。驚いたことに、〈ロタンダ〉の奥にサトウ局長本人が現れ、ラングドンの背後へ足早に近づいてきた。サトウがこの建物にいる！　アンダーソンは息を呑んで衝撃に備えた。ラングドンはまったく気づいていない。

迫りくる暗い人影は、携帯電話を耳に押しあて、黒い目を二点のレーザーさながらラングドンの背中にひたと据えていた。


携帯電話を固く握りしめたラングドンは、ＣＩＡ保安局局長の詰問にますます不満を募らせていた。そっけなく言う。「局長殿、申しわけありませんが、お考えがわかりかねます。わたしに何をお望みですか」

「何を望むかって？」電話からサトウの異様な声が響く。ざらついてうつろなそれは、咽頭炎か何かを患いつつ死にゆく男が発したとしか思えない。

その声が聞こえたと同時に、肩を叩かれる感触があった。振り返ったラングドンが視線をおろすと……そこに見えたのは小柄な日系人の女の顔だった。険しい表情、斑点だらけの顔、薄くなりかけた髪、脂が染みついた歯、首を一直線に横切る不気味な白い傷跡。女は節くれ立った手で電話を耳に押しあてている。その唇が動くや、ラングドンの握りしめた携帯電話から聞き覚えのあるしわがれ声が

響いた。

「あなたに望むのは」サトウは静かにフラップを閉じ、ラングドンをにらみつけた。「まずは局長殿、と呼ぶのをやめること」

ラングドンは面目なく相手を見返した。「す……すみません。お詫(わ)びします。電話の接続が悪くて――」

「接続にはなんの問題もないよ、教授」サトウは言った。「それから、わたしは戯言(たわごと)を聞かされるのが大きらいでね」

17

イノエ・サトウ局長は見るからに恐ろしい容貌(ようぼう)の持ち主である――猛(たけ)り狂う嵐を髣髴(ほうふつ)させる、身長がわずか四フィート十インチの女傑だ。体も顔も骨張っていて、白斑と呼ばれる皮膚疾患のせいで、粗目の花崗(かこう)岩がところどころ苔(こけ)むしたかのようなまだらな肌をしている。細い体軀(たいく)に皺だらけの青いパンツスーツが布袋のようにまとわりつき、開襟ブラウスは首の傷跡を隠すのになんの役目も果たしていない。同僚のあいだでは、サトウが見栄えに気づかっているのは濃い口ひげを抜くことだけではないかと噂されていた。

サトウは十年以上にわたってＣＩＡ保安局を統轄している。桁外(けた)れのＩＱと冷徹なまでに鋭い直感の持ち主で、その組み合わせがもたらす自信が、不可能をなしえぬすべての者を怯えさせる。侵攻性の喉頭癌末期という診断さえ、サトウを打ち負かすことはできなかった。病魔との闘いで、一か月の

仕事と喉頭の半分と体重の三分の一を失ったが、その後何事もなかったかのように職務に復帰した。サトウは不滅の存在と見られていた。

電話で性別を勘ちがいしたのは自分がはじめてではあるまいとラングドンは思ったが、サトウはなおも怒りに満ちた黒い目でにらんでいた。

「もう一度お詫びします」ラングドンは言った。「自分がどういう状況にあるのか、まだわかりかねているところで――今夜ワシントンＤＣへ来たのは、ピーター・ソロモンを拘束していると言い張る男にだまされたせいです」上着のポケットからファクシミリの紙を取り出す。「けさその男からこれが送られてきました。男がよこしたジェット機の機体番号を書き留めてありますから、連邦航空局に連絡をして調べ――」

サトウの小さな手がすばやく伸びて、紙をつかみとった。開きもせずにポケットにしまう。「教授、捜査の指揮を執るのはわたしよ。こちらの質問に答えるとき以外は口を閉じていなさい」

サトウは警備部長に向きなおった。

「アンダーソン部長」と言って歩み寄り、間近から小さな黒い目で見あげる。「いったい何がどうなっているのか、説明して。東門にいた警備官から、床に人の手首があるのが見つかったと聞いたけど、それは事実？」

アンダーソンが脇へ退くと、大広間の中央にある物体があらわになった。「はい、ほんの数分前のことです」

サトウは、置き忘れられた服でも見るかのように手首を一瞥した。「なのに、電話ではそのことを報告しなかった」

「その……ご存じだと思いまして」

「嘘はやめなさい」

アンダーソンはサトウの凝視にすくんだが、自信に満ちた声を保った。「われわれで対処できます」

「とてもそうは思えない」同じくらい自信たっぷりにサトウが言った。

「鑑識班がこちらに向かっています。何者の犯行にせよ、指紋を残しているでしょう」

サトウの顔に疑いの色が浮かんだ。「人の手首を持ってあなたがたの警備をすり抜ける知能の持ち主なら、指紋を残すとは思えないね」

「そうかもしれませんが、現場の責任者はこのわたしです」

「では、いまこの瞬間、任を解こう。あとはわたしが引き継ぐ」

アンダーソンは身をこわばらせた。「本件は保安局の管轄ではないのでは？」

「まさしくわれわれの管轄だよ。これは国家の安全保障にかかわる問題なんだから」

ピーターの手が？　ふたりのやりとりを呆然と見つめながら、ラングドンはとまどった。国家の安全保障？　自分の目的は一刻も早くピーターを見つけることだが、サトウはちがうらしい。まったく別の次元の話をしている。

アンダーソンも困惑のていだった。「国家の安全保障？　おことばを返すようですが――」

「記憶がたしかなら」サトウがさえぎった。「わたしはあなたより序列が上だね。四の五の言わずに従いなさい」

アンダーソンは首を縦に振り、唾（つば）を呑みこんだ。「しかし、あの手がピーター・ソロモンのものだと証明するために、指紋の採取ぐらいはすべきではないでしょうか」

「わたしが証明します」ラングドンは胸の悪くなりそうな確信を持って言った。「あの指輪はピーターのものです……それに手首も」ことばを切る。「ただし、刺青は新しい。何者かが最近彫ったのでしょう」

「なんだって?」この場に着いてからはじめて、サトウが動揺のそぶりを見せた。「刺青?」

ラングドンはうなずいた。「親指に王冠、人差し指に星の刺青があります」

サトウは眼鏡を取り出すと、鮫(さめ)のように旋回して手首へ歩み寄った。

「さらに」ラングドンは言った。「残り三本の指は見えませんが、それらの先にもまちがいなく刺青があるはずです」

興味を引かれた様子で、サトウはアンダーソンに手で合図をした。「部長、残りの指先も確認して」

手首にふれないように注意深く、アンダーソンがかたわらにかがんだ。頬を床に近づけて、握った手の指先を下からのぞきこむ。「ミスター・ラングドンの言うとおりです。すべての指先に刺青があります。太陽、角灯、鍵」ですが、残りの三つが何かは——」

「太陽、角灯、鍵」ラングドンは事もなげに言った。

サトウはいまやラングドンに向きなおり、小さな目で値踏みするように見つめた。「いったいなぜそれを?」

ラングドンは見返した。「指先にこうした図像のある手は、非常に古い象徴です。〝神秘の手〟と呼ばれています」

アンダーソンが愕然と立ちあがった。「この手に名前が?」

ラングドンはうなずいた。「古代世界の最も奇なる象徴のひとつです」

サトウが首をかしげた。「では訊くけど、そんなものが連邦議会議事堂の真ん中でいったい何をしていると?」

この悪夢から目覚めたい、とラングドンは切に願った。「古来、神秘の手は招待を表す象徴として用いられてきました」

「招待って……何への?」サトウが問いただす。

ラングドンは切断された友の手に刻まれた象徴へ目を向けた。「神秘の手は、何世紀にもわたって、謎めいた呼び出しの役割を果たしてきました。端的に言えば、秘密の知識を――選ばれた少数のみが知る秘伝の知恵を授けるという招待です」

サトウは細い腕を組み、漆黒の瞳でラングドンを見据えた。「教授、なぜこの場にいるのか心あたりがない人間にしては……なかなかみごとじゃないか」

18

キャサリン・ソロモンは白衣をまとい、出勤直後の日課――〝巡回〟と兄は呼ぶ――に取りかかった。

寝ている赤ん坊の様子をうかがう心配性の親のように、機械室の戸口から中をのぞいた。水素燃料電池は順調に作動し、補充用のタンクはすべて専用の棚にしっかりおさまっている。

さらに廊下を進んで、データ保管室へと向かった。いつものように、冗長性を備えた二台のホログラフィックディスク・ドライブが専用の恒温庫内で低いうなりをあげている。わたしの研究のすべて、

とキャサリンは心のなかで言い、厚さ三インチの飛散防止ガラスの奥を見やった。冷蔵庫サイズの従来機とはちがい、その装置はしゃれたステレオコンポに似ていて、それぞれが円柱状の台座に載っている。

二台のホログラフィックディスク・ドライブはまったく同一で、同期化されている――研究結果の寸分たがわぬ複製を守るために、確実なバックアップとして機能している。通常は、地震、火災、盗難に備えて、第二の装置は離れた場所に設置するよう推奨されるものだが、この場合は秘密厳守を最優先とすることで兄妹の意見が一致した。このデータが別の場所のサーバーへ移動したら、もはや秘密が保たれる確証はないからだ。

何もかもが順調に動いていることに満足し、キャサリンは廊下を引き返した。ところが、角を曲がったところで、研究所から思いがけないものが目に飛びこんだ。いったい何？　すべての装置がほの明かりに照らされているではないか。急いで中にはいると、驚いたことに、制御室のプレキシガラスの壁の向こうから光が漏れていた。

兄さんね。キャサリンは研究所を足早に抜けて、制御室の重いドアをあけた。「ピーター！」と名前を呼んで駆けこむ。

制御室の端末の前にいた肉づきのいい女が跳びあがった。「もう、キャサリン！　びっくりさせないでください！」

トリッシュ・ダン――ソロモン兄妹以外にここへの立ち入りを許されている唯一の人物――は、キャサリンのもとで働くメタシステムの研究者で、週末に出勤することはめったにない。二十六歳の赤毛の天才的なデータモデラーで、ＫＧＢも顔負けの機密保持同意書に署名していた。今夜はどうやら、

制御室のプラズマ・スクリーン――NASAの管制センターにあるような巨大なフラット・スクリーン・ディスプレイ――でデータ分析をしていたらしい。

「ごめんなさい」トリッシュが言った。「まだお見えじゃないとばかり思って。おふたりがいらっしゃる前に終わらせるつもりだったんです」

「兄から連絡はあった？　遅れているうえに、電話にも出ないの」

トリッシュはかぶりを振った。「きっと、あなたにもらった新しいiPhone（アイフォーン）が使えなくて手間どってるんですよ」

キャサリンはそのさりげない軽口をありがたく思った。そのうえ、トリッシュがいたことで名案が浮かんだ。「実は、今夜あなたがいてくれてうれしいの。差し支えがなければ、ちょっと手伝ってもらえないかしら」

「なんであれ、フットボール観戦よりはましです」

キャサリンは深く息をつき、心を落ち着かせた。「どう説明していいかわからないんだけど、きょう妙な話を聞いてね……」

どんな話を聞いたのかトリッシュ・ダンには知る由もないが、キャサリン・ソロモンの気が立っているのは明らかだった。ふだんは穏やかな灰色の瞳に不安をたたえ、制御室に来てから耳の後ろへ髪を掻きあげるしぐさをすでに三回もした――トリッシュはそれを繊細さの〝露見（テル）〟と呼んでいた。優秀な科学者だけど、お粗末なポーカープレイヤー。

「わたしには」キャサリンが言った。「それが作り話に思えるのよ……古い伝説じゃないかって。だ

けど……」口をつぐみ、またひと房の髪を耳の後ろにかけた。

「だけど？」

ため息が漏れる。「だけどきょう、信頼できる人から、その伝説が真実だと言われたのよ」

「なるほど……」この話はどこへ向かうのだろう。

「それについて兄と話すつもりなんだけど、その前に、あなたの力を借りれば何かわかるんじゃないかとひらめいたの。その伝説が過去に裏づけられたことがあるかどうかを、ぜひ知りたいのよ」

「歴史上のいつでもいいんですか」

キャサリンがうなずいた。「世界のどの国でも、どの言語でも、いつの時点でもね」

妙な指示だけど、もちろんだいじょうぶ、とトリッシュは思った。十年前なら無理な話だった。けれども、インターネット、すなわちワールド・ワイド・ウェブ（WWW）が存在し、世界じゅうの大図書館や博物館のデジタル化が進む今日では、多言語の翻訳モジュールを備えた比較的単純な検索エンジンと適切なキーワードを用いれば、キャサリンの目的は達せられるだろう。

「お安いご用です」トリッシュは言った。ここの研究資料の多くは古代言語で記された文章を含んでいるため、得体の知れない言語を英語に変換してくれと頼まれて、特殊な光学式文字認識（OCR）翻訳モジュールを書くことがよくある。古フリジア語、貊語（ばくご）、アッカド語のＯＣＲ翻訳モジュールを作成したメタシステムの使い手は、地球上で自分ひとりにちがいない。

そうしたモジュールも役に立つだろうが、効率のよい検索スパイダーを作る秘訣（ひけつ）は、適切なキーワードを選ぶことに尽きる。ありきたりではいけないが、限定しすぎてもいけない。

キャサリンはトリッシュの一歩先にいるらしく、キーワードらしきものを紙片に書き出していると

ころだった。いくつか書いて手を止め、しばし考えたのち、いくつか追加する。「これでよし」ようやくそう言って、紙片をトリッシュに手渡した。

検索用の文字列をざっと見たトリッシュは目をまるくした。キャサリンが調べているのは、いったいどんなばかげた伝説なのか。「このキーワードをすべて検索するんですね？」そのひとつには見覚えすらない。これってそもそも英語？「ほんとうにこの全部が同じ文章で見つかるとお思いですか？　一字一句たがわず？」

「試したいの」

ありえない、とトリッシュは言いかけたが、そのことばはここでは禁句だ。誤りと目されたものが確たる真実に一変することの多い研究分野において、そういう態度は危険だとキャサリンが考えているからだ。けれども、これらのキーワードがその部類に属するとはトリッシュにはとうてい思えなかった。

「結果が出るまでどのくらいかかるかしら」キャサリンが訊いた。

「スパイダーを書いて実行するのに数分。それから、スパイダーが検索し終えるまでに十五分くらいでしょうね」

「そんなに速いの？」

トリッシュはうなずいた。従来の検索エンジンは、オンラインの全宇宙をクロールし、新しい文書を見つけ、内容を要約し、検索可能な独自のデータベースに追加するのに、まる一日要することが多い。しかし、トリッシュが書こうとしているスパイダーはそのたぐいではなかった。

「いまから書くのは〝デリゲーター〟と呼ばれるプログラムです」トリッシュは説明した。「合法と

言いきれない部分もありますが、速いんですよ。要は、ほかの人たちの検索エンジンにこちらの仕事をさせるプログラムです。たいていのデータベースには検索機能が組みこまれています——図書館も、博物館も、大学も、政府も。そこで、それらの検索エンジンを見つけ出して任意のキーワードを入力し、検索させるようなスパイダーを作るんです。そうやって、何千、何万もの検索エンジンの力を結集するわけですね」

キャサリンは感心したようだ。「並列処理ね」

それもメタシステムの一種よ。「何か結果が出たらお知らせします」

「ありがとう、トリッシュ」キャサリンはトリッシュの背中を軽く叩いてドアへ向かった。「資料室にいるわ」

トリッシュはプログラムの作成に取りかかった。検索スパイダーのコード化は自分の技術レベルをはるかに下まわる小手先の作業にすぎないが、そんなことはどうでもいい。キャサリン・ソロモンのためなら、なんでもするつもりだ。いまもときおり、自分をここへ導いた幸運が信じられなくなることがある。

よくここまで漕ぎつけたものね。

トリッシュは一年余り前まで、ハイテク産業の数ある個室オフィスのひとつでメタシステムのアナリストとして働いていた。勤務時間外にフリーランスでプログラミングを手がけ、〝コンピューターを用いたメタシステム分析の実用化の展望〟というブログをはじめたが、こんなものをだれが読むのか見当もつかなかった。すると、ある晩に電話が鳴った。

「トリッシュ・ダン？」ていねいに尋ねる女性の声。

「はい、どなたでしょうか」

「キャサリン・ソロモンといいます」

トリッシュは卒倒しそうになった。キ、ャ、サ、リ、ン、・ソ、ロ、モ、ン？「わたし、ちょうどあなたの本を——『純粋知性科学——古の英知へ至る現代の道』を読んだばかりで、それについての記事をブログに書いたんです！」

「ええ、そうね」相手は愛想よく答えた。「だから電話をしたのよ」

あたりまえじゃない。トリッシュは自分がまぬけになった気がした。優秀な科学者だって、自分の名前をグーグルで検索するものよ。

「あなたのブログを興味深く読ませてもらったわ」キャサリンが言った。「メタシステムのモデリングがこんなに進んでいたなんて知らなかった」

「ええ」トリッシュは感激しつつ、どうにかことばを絞り出した。「データモデルは幅広い応用が可能な技術で、爆発的に発展しています」

ふたりは数分間、トリッシュのメタシステムの分野での研究成果について語り合った。いかに大規模なデータフィールドのフローを分析し、モデル化し、予測してきたかを。

「当然ですが、あの本はわたしにはむずかしすぎました」トリッシュは言った。「でも、わたしのメタシステムの研究と接点があることは理解できたんです」

「メタシステムのモデリングが純粋知性科学の研究を一変させうる、とブログに書いてあったわね」

「そのとおりです。メタシステムは純粋知性科学を本物の科学に変えられるとわたしは信じています」

「本物の科学？」キャサリンの口調が少しきびしくなった。「ということは……」

しまった、言い方がまずかった。「いえ、その、純粋知性科学は……奥の深い学問だと言いたかったんです」

キャサリンは笑った。「いいのよ、ちょっとからかっただけ。そういう意見はしじゅう耳にするから」

驚くにはあたらない、とトリッシュは思った。カリフォルニアにある純粋知性科学研究所でさえ、あいまいで難解な表現によってこの科学を説明し、〝通常の感覚や理性の力では得られぬ情報への直接的・直感的接近〟について研究する分野だと定義している。

〝純粋知性（ノエティックス）〟ということばが、古代ギリシャ語の〝ヌース〟――〝内なる知識〟や〝直感的意識〟を表す語――から来ていることをトリッシュは知っていた。

「あなたの研究しているメタシステムに興味があるの」キャサリンが言った。「わたしの研究との関連についてもね。会ってくれるかしら。ぜひあなたの知恵を借りたいのよ」

キャサリン・ソロモンがわたしの知恵を借りたい？　マリア・シャラポワからテニスの秘訣を訊かれたに等しい気がした。

つぎの日、トリッシュの自宅の私道に白いボルボが現れ、ブルージーンズ姿のすらりとした魅力的な女性がおりてきた。トリッシュはとたんに気落ちした。上等ね、とうなり声を漏らした。頭がよくて、お金持ちで、しかも細身だなんて――それでも神は善なりと信じろっていうの？　けれども、キャサリンの気どりのない態度にトリッシュはたちまち打ち解けた。

ふたりはトリッシュのみごとな家を一望できる裏手の広いポーチに腰を据えた。

「すばらしいお宅ね」キャサリンが言った。

「ありがとうございます。大学生のとき、運よくソフトウェアで特許を取得したんです」

「メタシステムのソフトウェアで？」

「メタシステムの前身となるものです。九・一一のあと、政府は膨大なデータフィールドを――一般市民のEメールや、携帯電話や、ファクシミリや、テキストメッセージや、ウェブサイトを――傍受して、テロリストの通信に使われるキーワードがないかと嗅ぎまわっていました。そこでわたしは、データフィールドを別の形で処理できるソフトウェアを開発したんです……そこから追加の情報を得られるようにして」トリッシュは微笑んだ。「要は、そのソフトウェアでアメリカの体温を測ることができるんです」

「なんですって？」

トリッシュは笑い声をあげた。「たしかに妙に聞こえますよね。つまり、全国民の感情の状態を計測するんですよ。意識のバロメーターの特大版と言ってもいい」国じゅうの通信をデータフィールドとし、フィールド内での特定のキーワードと感情を表す指標の出現頻度をもとにすることで、国民の気分が判定できる、とトリッシュは説明した。楽しい時期には楽しげなことばが、苦しい時期には苦しげなことばが使われる。テロリストの攻撃があったような場合には、政府はそのデータフィールドを用いて国民の心境の変化を見きわめ、事件がもたらした精神的衝撃について大統領によりよいアドバイスを提供することができる。

「おもしろいわ」顎（あご）をなでながらキャサリンが言った。「つまり、個人の集団を……まるでひとつの生命体であるかのように調査するのね」

「そのとおり。〝超(メタ)‐体系(システム)〟ですよ。各部分の総和によって、単一の個体が定義されますから。たとえば人間の体は、さまざまな特性と目的を持つ何十兆もの細胞で成り立っていますが、単一の個体として機能します」

キャサリンは熱心にうなずいた。「単一体として動く鳥や魚の群れもそうね。〝収束〟とか〝エンタングルメント〟と呼ばれてるわ」

高名な客がメタシステムによるプログラミングを自身の専門分野で利用できないかと検討しはじめているのを、トリッシュは感じとった。「わたしの作成したソフトウェアは、政府機関が大規模な危機を――感染症の世界的流行、大災害、テロなどを――正しく評価して的確に対処するのに役立つよう設計されています」ことばを切る。「もちろん、別の方面に用いられる可能性もつねにあります……世論の動きを読みとって、国政選挙の結果や株式市場の動向を予測するとか」

「力強い武器ね」

トリッシュは大きなわが家を手で示した。「政府もそう考えました」

キャサリンの灰色の瞳がトリッシュをじっと見据えた。「あなたの仕事がもたらす倫理的な問題について訊いてもいいかしら」

「というと？」

「つまり、あなたが開発したのは簡単に悪用されうるソフトウェアよね。それがあれば、だれもが入手できるわけではない強力な情報にアクセスできる。そういうものを作るにあたって、なんの躊躇もなかった？」

トリッシュはまばたきひとつしなかった。「まったくありませんでした。わたしが作成したソフト

ウェアは、そう……フライトシミュレーターと同じです。開発途上国へ救急支援に向かう目的で飛行訓練をする人間もいれば、ジェット機を超高層ビルに突入させるために飛行訓練をする人間もいる。知識はひとつの道具であって、すべての道具と同じように、どんな結果を生むかは使う者の手に委ねられています」

キャサリンは感じ入った様子だった。「では、仮定の質問をさせてちょうだい」

このやりとりが仕事の採用面接に転じたことを、トリッシュはにわかに悟った。

キャサリンは手を下へ伸ばしてテラスから小さな砂粒をつまみとり、手のひらに載せてトリッシュに見せた。「結局のところ、メタシステムの役割は砂浜全体の重さを計算することよね……一度にひと粒の重さを量ることによって」

「ええ、突き詰めて言えば、そういうことです」

「あなたも知ってのとおり、こんな小さな砂粒にも質量がある。ごく少ないけれど、それでも質量にはちがいない」

トリッシュはうなずいた。

「そして、質量を持つ以上、当然重力もある。やはり、あまりにも小さくて感じることができないけれど、まちがいなく存在している」

「そのとおりです」

「そこで、こうした砂粒を数えきれないほど密集させ……そう、たとえば月を作ったとしたら、それらの一体化した重力は、地球の海全体を動かして潮の満ち干を引き起こすほどになる」

先がまったく見えないが、トリッシュはその話を楽しんで聞いていた。

「ここで仮定の話に移るわ」砂粒を捨てて、キャサリンが言った。「もしも思考が……頭のなかで形作られるどんな小さな考えもが……質量を持っているとしたらどう？　思考は物質であり、測定可能な質量を持つ、測定可能な実体だとしたら？　もちろん、ごく小さな質量だけれど、質量にはちがいない。もしそうなら、どういうことになる？」

「仮定の話ですよね。ええ、はい……思考が質量を持っているなら、思考は重力を持ち、物体を引き寄せることができます」

キャサリンは微笑んだ。「ご名答。じゃあ、さらに一歩進みましょう。もしもおおぜいの人々が同じ思考に集中しはじめたら、何が起こる？　すべての同じ思考がひとつにまとまっていき、質量の総計も増えていくわね。したがって、その重力も肥大する」

「なるほど」

「つまり……仮にじゅうぶんな数の人々が同じ物事を考えはじめたら、それらの思考の重力ははっきりと形をとり……まさしく力と呼べるものになる」キャサリンはウィンクをした。「そして、われらが物質界に測定可能な影響を及ぼしうるというわけ」

19

サトウ局長は腕組みをしてラングドンに疑惑の目を向けながら、いま聞かされた話を値踏みした。

「その男はあなたに古の門を解き放てと言った。で、わたしにどうしろと？」

ラングドンは力なく肩をすくめた。また気分が悪くなり、友の切断された手首を見ないようにつと

める。「たしかにそう言われたんです。古の門が……どこかに隠されていると。門など知らないと答えましたが」

「だとしたら、男はなぜあなたがそれを見つけることができると考えているのか」

「むろん、頭がおかしいからです」〝ピーターがその道を指し示す〟と男は言っていた。ラングドンは天に向けられたピーターの指へ目をやり、誘拐犯の残忍なことば遊びにあらためて嫌悪を覚えた。〝ピーターがその道を指し示す〟。指さす先にある頭上のドームへはすでに一瞥をくれていた。門が？　あそこに？　ばかばかしい。

「電話をかけてきた男は」ラングドンはサトウに言った。「今夜わたしが議事堂に来ることを知っていた唯一の人間ですから、だれであれ、今夜わたしがここにいるとあなたに知らせた人物こそが犯人です。ですから――」

「だれから情報を得たかはあなたの知ったことじゃない」サトウは鋭い口調でさえぎった。「目下の最優先事項はその男に協力することであり、これまで入手した情報によると、男に望みのものを与えられるのはあなただけなんだよ」

「こちらの最優先事項は友人を見つけることです」ラングドンは憤然と答えた。

サトウは大きく息を吸った。見るからに忍耐の限界に近づいている。「ミスター・ソロモンを見つけたいなら、われわれの採るべき道はひとつだよ、教授。それは、居場所を知っているとおぼしき唯一の人物に協力すること」サトウは腕時計を見た。「時間の余裕はない。相手の要求にすみやかに従うほかないと思うね」

「どうやってですか」ラングドンは不信感を隠さずに尋ねた。「古の門を探し出して、それを開くこ

とで？　門などありませんよ、サトウ局長。その男は大ばかだ」

サトウが歩み寄り、一フィートも離れていないところまで迫って言った。「言わせてもらうと……その大ばかこそが、けさ、聡明と目される人物ふたりを巧みに操ってのけたんじゃないか」ラングドンをまっすぐ見据えたのち、アンダーソンにちらりと目をやる。「われわれの世界では、狂気と天才の差は紙一重だとだれもが学ぶ。その男に少しばかり敬意を払ったほうが賢明だよ」

「人の手を切断したんですよ！」

「だからこそだよ。明確な意図のない人間がそんな行動をとるはずがない。もっと重要なのは、あなたの協力が役立つとその男がまちがいなく信じているということ。はるばるワシントンまで呼びつけたのは、理由があってのことにちがいないんだ」

「その門をわたしが開くことができると考えたのは、ピーターから聞いたからだと男は言いました」ラングドンは反論した。

「では、もしそれが事実じゃないなら、ピーター・ソロモンはなぜそんなことを言ったと？」

「言っていないはずです。もし言ったとしても、脅迫されたせいでしょう。取り乱したのか……恐れをなしたのか」

「なるほど。それは拷問的尋問と呼ばれ、なかなかの効果がある。だからこそミスター・ソロモンは真実を話したんだと思えるね」その手法をみずから駆使したことがあるかのような口ぶりで、サトウは言った。「ピーター・ソロモンがなぜそう考えているか、その男から説明はあったのかい」

ラングドンはかぶりを振った。

「教授、あなたが評判どおりの人物なら、あなたとピーター・ソロモンはどちらもその種の事柄――

密事や、謎の多い史実や、神秘主義などに興味を持っている。過去の議論のなかで、ワシントンＤＣにある秘密の門についてミスター・ソロモンは一度も話題にしなかったのかい」

ＣＩＡの高官がそんな質問をするというのは信じがたかった。「しませんでした。ピーターとは謎めいた物事についてよく話をしますが、どこかに古の門が隠されているなんて話を彼の口から聞いたら、医者に診てもらうように勧めたでしょうね。それが古の神秘に通じるというならなおさらです」

サトウは目をあげた。「なんだって？　男はその門がどこ
ヘ通じるかをはっきり言ったのか」

「その必要はありませんよ」ラングドンは床の手首を指し示した。「神秘の手には、謎の門を抜けて、古来秘されてきた英知を授けるという、正式な招待の意味がこめられているんです。その失われた知恵は〝古の神秘〟と呼ばれています」

「つまりあなたは、ここに隠されているとその男が信じる秘密について聞いたことがあると？」

「多くの歴史学者が知っていますよ」

「では、そんな門は存在しないとなぜ言いきれる？」

「〝若返りの泉〟や〝理想郷(シャングリ・ラ)〟のことはだれもが知っていますが、だからといってそれらが存在するわけではありません」

アンダーソンの無線機がけたたましく鳴り、会話をさえぎった。

「部長？」無線機から声が響く。

アンダーソンはベルトから無線機をつかみとった。「アンダーソンだ」

「敷地内の捜索を終えました。特徴の一致する者はいません。つぎのご指示はありますか」

アンダーソンは叱責(しっせき)されると予期したらしく、局長をすばやく一瞥したが、サトウは無関心のてい

だった。アンダーソンは無線機へ小声で話しかけながら、ラングドンとサトウから離れた。

サトウの揺るぎないまなざしは、なおもラングドンに据えられていた。「ワシントンに隠されていると男が信じた秘密は……幻想だと言いたいのかい」

ラングドンはうなずいた。「非常に古い伝説ですよ。古の神秘というのは、実のところ、キリスト教以前のものです。何千年も前の」

「それなのに、いまも生き延びていると？」

「同じくらい非現実的な伝承がほかにも数多く残っていますよ」ラングドンが学生たちによく説いて聞かせるのは、現代の宗教のほとんどが科学的検証に堪えられぬ寓話を持つことだ。紅海をふたつに割ったモーセから……ニューヨーク州北部に埋められていたひと綴りの金の板から魔法の眼鏡を使って『モルモン書』を翻訳したジョセフ・スミスまで、枚挙にいとまがない。ある考えが広く受け入れられているからといって、それが真実である証拠にはならない。

「なるほど。じゃあ、古の神秘というのは……具体的にはなんのこと？」

ラングドンは深く息をついた。説明するのに二、三週間くれないか？「ひとことで言えば、古の神秘とは、はるか昔に蓄えられた秘密の知識の集まりです。興味深いのは、この知識を得ると、人間の意識下に眠る絶大な力を手にすることができると言われている点でしょう。これを知りえた賢者たちは、世間には隠しとおすという誓いを立てます。しかるべき心得のない者にとっては、あまりに強力で危険な知識だと見なされているからです」

「どんなふうに危険だと？」

「秘密にされるのは、子供たちからマッチを遠ざけるのと同じ理由からですよ。正しく使えば、火は

明かりをもたらします。しかし、扱いを誤ると、火はきわめて凶暴になる」

サトウは眼鏡をはずしてラングドンに目を凝らした。「で、そんな絶大な力を持つ情報がほんとうに存在すると、あなたも信じてるのかい」

ラングドンはどう答えていいかわからなかった。古の神秘は自分にとって、学究生活最大の矛盾でありつづけてきた。この世のほぼすべての神秘的な伝説は、神懸かりとも呼ぶべき謎めいた力を人間に与えうる秘密の知識があるという考えを礎としている。タロットカードや易経は人に未来を見透かす力を与え、錬金術は名高い〝賢者の石〟を通じて永遠の命を授け、魔術はその熟練者に強力な呪文を託す。その例は果てしなくある。

学者として、これらの伝説の史料を否定することはできない――それどころか、数々の文書や工芸品や美術品が、古代の人々が強力な知恵を有していたことを明らかに示している。それらの知恵は、しかるべき心得のある者だけがその力を手に入れられるように、寓話や神話や象徴を通じてのみ伝えられてきた。それでもなお、現実主義者にして懐疑論者であるラングドンは、どうしても納得できずにいた。

「わたしは懐疑論者です」ラングドンはサトウに言った。「古の神秘が単なる伝説ではない――つまり、歴史に繰り返し登場する作り話の原型ではないと示唆する証拠は、実社会で一度も見たことがありません。人間が奇跡的な力を手にすることが可能だとしたら、その証拠が存在するはずです。にもかかわらず、これまでの歴史において、超人的な力を持った人間はひとりもいませんでした」

サトウが眉を吊りあげた。「かならずしもそうとは言えないんじゃないか」

多くの信心深い人々にとっては、イエス・キリストをはじめとする生き神の先例が存在することを

認めざるをえず、ラングドンは躊躇した。「強力な知恵の実在を信じる教養人が多数いるのはたしかですが、わたし自身は確信を持てずにいます」

「ピーター・ソロモンはそうした教養人のひとりなのかい」サトウは尋ね、床の手首を一瞥した。

ラングドンはその手を見る気になれなかった。「ピーターは、太古からの神秘的な事物に情熱を注いできた一族の人間です」

「つまり、答はイエスだと？」サトウが訊く。

「たとえピーターが古の神秘の実在を信じていたとしても、ワシントンDCのどこかに隠された現実の門を抜けることでそれが手にはいるとは信じていないと断言できます。隠喩（いんゆ）を用いた象徴表現を理解していますから。どうやら誘拐犯はそうではないようですが」

サトウはうなずいた。「つまり、門は隠喩だとあなたは考えてる」

「当然です」ラングドンは言った。「少なくとも、理屈の上ではね。よくある隠喩ですよ――悟りを開くために、秘密の門を通り抜けなくてはならないというのは。門や戸口は、変化をもたらす通過儀礼の象徴として広く用いられる建造物です。字句どおりに門を探すことは、実在する〝天国の門〟のありかを突き止めようとするのと同じです」

サトウはしばし考えをめぐらしているようだった。「しかし、ミスター・ソロモンの誘拐犯は、あなたが現実の門をあけられると信じているようだね」

ラングドンは大きく息を吐いた。「その男は多くの妄信者と同じ過ちを犯しました――隠喩と字句どおりの現実を混同したんです」たとえば、初期の錬金術師たちは鉛を金に変えようと無駄骨を折ったものだ。〝鉛を金に〟は、人間の真の可能性を引き出すこと――無知で鈍い精神を、すぐれた輝か

しい精神に変えること――の隠喩にすぎないと自覚しなかったために。

サトウは床の手首を指し示した。「もしその男がなんらかの門のありかを突き止めさせたいなら、はじめから見つけ方を指示すればいいじゃないか。なぜこんな芝居がかった真似をするんだ。なぜ刺青を入れた手を残す？」

ラングドンもすでにそれを自問していて、答は不快なものだった。「たぶん、われわれの相手は精神的に不安定なだけでなく、高度な教育を受けた人物でもあるはずです。この手首を置いたのは、古の神秘にも秘密の暗号にも精通している証拠です。むろん、この部屋の歴史についてもね」

「この部屋の歴史？」

「今夜その男がおこなった何もかもが古代の儀礼に完全に則っています。古来、神秘の手は聖なる招待を意味するので、聖なる場所に捧げられなくてはなりません」

サトウは眉をひそめた。「ここは連邦議会議事堂の〈ロタンダ〉だよ、教授。古代の秘密にふさわしい神殿のたぐいじゃない」

「実のところ」ラングドンは言った。「そのご意見に異を唱える歴史家をわたしはおおぜい知っています」


ちょうどそのころ、街の別の場所では、トリッシュ・ダンが〈キューブ〉内のプラズマ・スクリーンの光を浴びつつ作業をしていた。検索スパイダーの準備を終え、キャサリンから渡された五つのキーワードを打ちこむ。

まあ、無理でしょうけどね。

ほとんど期待はせず、トランプの札合わせを世界規模で楽しむつもりで検索スパイダーを実行した。それらのキーワードが、いまや目のくらむような速さで世界じゅうの文書と照合されていく……完璧な一致を求めて。

いったい何事かと疑問をいだかずにはいられなかったが、ソロモン兄妹との仕事では全貌を知りえない場合があることを、トリッシュは心得ていた。

20

ラングドンは腕時計に不安な視線を走らせた。午後七時五十八分。ミッキー・マウスの笑顔を見ても気分が晴れなかった。ピーターを見つけなくてはならない。時間が刻々と過ぎていく。

しばらく離れて電話に出ていたサトウが、ラングドンのもとへもどってきた。「教授、何か不都合でも？」

「いいえ」ラングドンは言い、袖を引いて時計を隠した。「ただ、ピーターのことが心配でたまらなくて」

「気持ちはわかるけど、ミスター・ソロモンを救う最善の道は、誘拐犯の考えを知る手助けをすることだと請け合うよ」

ラングドンはそれには納得できなかったが、サトウが望みどおりの情報を得るまで、自分はどこへも行けないことを悟った。

「ついさっき」サトウが言った。「この〈ロタンダ〉は古の神秘とやらにふさわしい神聖な場所だと

いう意味のことを言ったね」

「はい、そうです」

「どういうことか説明してくれないか」

ラングドンはことばを慎重に選ぶべきなのを知っていた。ワシントンDCにおける神秘の象徴に関してては何学期も講義をしてきたが、この連邦議会議事堂に関するだけでも、言及すべきものは無数にあると言ってよい。

アメリカには秘められた過去がある。

ラングドンがこの国で用いられた数々の象徴について講じるたびに、学生たちが困惑するのは、建国の父たちの真の意図は現代の多くの政治家が唱えるものとまるで無縁だったという事実だ。

運命と見なされていたものは、歴史のかなたへ消えていった。

当初、建国の父たちはこの国の首都を〝ローマ〟と命名した。川には〝テベレ川〟と名づけ、神殿や礼拝堂からなる古代様式の首都を築き、建造物を歴史上の偉大な神々――アポロン、ミネルヴァ、ヴィーナス、ヘリオス、ウルカヌス、ユピテル――の像で飾り立てた。首都の中央には、数々の由緒ある大都市にならって、古代の人々を久しく讃えるべくエジプトのオベリスクを建造した。このオベリスクはカイロやアレクサンドリアのそれより大きく、全長五百五十五フィートで三十階を超し、首都改名の拠となった神とも呼ぶべき建国の父に感謝と敬意を表している。

ワシントン。

それから何世紀も経た今日、アメリカには政教分離の原則があるにもかかわらず、国立の建造物である連邦議会議事堂の〈ロタンダ〉は古代宗教の象徴群に絢爛と彩られている。一ダースを超す神々

が祭られ、その数は本家ローマのパンテオンをもしのぐ。むろんローマのそれは六〇九年にキリスト教の聖堂に変わったが、こちらの万神殿（パンテオン）は過去のままで、真の歴史の名残をいまもはっきりとどめている。

「ご存じかと思いますが」ラングドンは説明をはじめた。「この〈ロタンダ〉は、ローマで最も崇拝された聖堂のひとつを讃えて設計されました。ウェスタ神殿です」

「ウェスタの巫女（みこ）たちの？」ローマの神殿で聖火を守った処女たちとアメリカの連邦議会議事堂のあいだに関係があることを、サトウは信じがたいらしい。

「ローマのウェスタ神殿は」ラングドンは先をつづけた。「円柱形で、床に大きな穴があいていました。火を絶やさないことをつとめとする聖処女たちが、その穴を通して聖なる啓示の火を守っていたんです」

サトウは肩をすくめた。「この〈ロタンダ〉もまるいけど、床に大きな穴なんかないね」

「ええ、いまはありませんが、ある時期まで、この部屋の真ん中には大きな穴があいていました。ちょうどピーターの手首があるあたりです」ラングドンは床を手で示した。「実は、いまも転落防止用の柵（さく）の跡が残っていますよ」

「なんだって？」サトウは床に目を注いで言った。「そんな話は初耳だけど」

「ミスター・ラングドンのおっしゃるとおりのようです」床のかつて支柱のあった部分に鉄の突起が円を描いて並んでいるのを、アンダーソンが指さした。「前から目にしていたが、なぜこんなものがあるのかは見当もつかなかったな」

そうだろうよ、とラングドンは心でつぶやき、日々〈ロタンダ〉の真ん中を行き交う多数の人々—

—高名な議員も含む——の姿を思い描いた。当人たちは、かつてなら階下の〈地下聖堂（クリプト）〉へ転落していたことを知る由もあるまい。

「床にあいた穴は」ラングドンは説明した。「やがて閉ざされましたが、かなりの期間、〈ロタンダ〉を訪れた人々は階下で燃える炎を見おろすことができました」

サトウが振り返った。「炎だって？　議事堂のなかで？」

「実のところ、大たいまつよりも立派な、けっして消えることのない火が、この真下の〈クリプト〉で燃えていました。炎は床にあいた穴から見えるようになっていて、この空間はまさに近代のウェスタ神殿だったわけです。議事堂おかかえの〝ウェスタの巫女〟さえもいました。連邦政府の職員で、〝〈クリプト〉の守護者〟と呼ばれ、五十年にわたって絶やすことなく火を守りつづけたんですよ。政治と宗教、それに煙の害のせいでこれが廃止されるまで」

アンダーソンもサトウも驚いたようだった。

今日では、ここで火が燃えていたことを示す名残は、階下の〈クリプト〉の床にはめこまれている、四つの頂点を持つ星形の方位図——かつて新世界の四隅にまで光を投じた、アメリカの消えざる炎の象徴——だけしかない。

「つまり」サトウが言った。「ピーターの手首をここに置いた男は、そのすべてを知っていたと言いたいのかい」

「ええ、もちろん。それよりはるかに多くのことをね。ここには至るところに、古の神秘を信じていたことを反映した象徴がありますから」

「秘伝の知恵か」サトウは揶揄（やゆ）するような口ぶりで言った。「人間に神のような力を与える知識とい

うわけだ」

「そうです」

「この国のキリスト教に基づく精神基盤とは相容れないんじゃないか」

「そう思われるでしょうが、事実です。人間が神へと変身することは、アポテオシスと呼ばれています。お気づきかどうかはともかく、そのテーマ――人間の神への変身こそが、この〈ロタンダ〉の象徴群の核となる要素なんですよ」

「アポテオシス?」何かに思いあたったらしく、アンダーソンがすばやく振り返った。

「ええ」アンダーソンはここで働いている。知っているのだろう。「アポテオシスという単語の意味は〝神格化〟――つまり人間が神になることです。古代ギリシャ語で〝なる〟を意味するアポと、〝神〟を意味するテオスが組み合わさっています」

アンダーソンは驚いた顔をした。「アポテオシスは神になるという意味なんですか。知らなかったな」

「いったいなんの話?」サトウが問いただした。

「実は」ラングドンは言った。「この議事堂にある最も大きな絵画は〈ジ・アポテオシス・オブ・ワシントン〉――〝ワシントンの神格化〟――と呼ばれています。それは明らかに、ジョージ・ワシントンが神に変身するさまを描いたものです」

サトウは疑わしげな顔をした。「そんなものは見たことがないね」

「いいえ、ご覧になっていますよ」ラングドンは人差し指を立てて、まっすぐ上へ向けた。「真上にあります」

21

〈ワシントンの神格化〉――連邦議会議事堂の〈ロタンダ〉の天蓋を覆う四千六百六十四平方フィートのフレスコ画――は、コンスタンティノ・ブルミディによって一八六五年に完成された。〝議事堂のミケランジェロ〟として知られたブルミディは、ミケランジェロがシスティナ礼拝堂に遺したのと同じ意味合いで、〈ロタンダ〉にその名を遺した。いちばんの高みにあるキャンバス、すなわち天井にフレスコ画を描いた人物としてである。ミケランジェロと同じく、ブルミディもヴァチカンでいくつかの代表作を手がけたが、一八五二年に神の国の聖堂を捨ててアメリカへ移り住み、新たな聖堂――合衆国連邦議会議事堂での仕事に取り組んだ。今日の議事堂は、ブルミディの手になる傑作の数々――ブルミディ通廊のだまし絵から、副大統領室の帯状装飾の施された天井に至るまで――によって燦然たる輝きを放っている。とはいえ、大半の歴史家がブルミディの最高傑作と口をそろえて言うのは、〈ロタンダ〉の途方もなく大きな天井画だ。

ラングドンは天井を覆う壮大なフレスコ画を見あげた。ふだんはその絵の奇妙な描写に対する学生たちの驚愕の反応を楽しむのに、いまはただ、得体の知れない悪夢にはまりこんだ気分だった。

隣に立つサトウは両手を腰にあて、目を細めてはるかな天井に見入っている。母国の中枢にあるこの絵をはじめて観察したときに大衆が示す反応と同じものが、いまのサトウからも感じとれた。

錯乱状態。

無理もない、とラングドンは思った。〈ワシントンの神格化〉を見れば見るほど、だれもが不思議

な心地に陥るものだ。「真ん中のあたりにジョージ・ワシントンがいます」高さ百八十フィートのドームの中心を指さして言った。「ご覧のとおり、ローブを身につけたワシントンが十三人の乙女に付き添われて、人間界の上の雲にのぼっています。これはワシントンが神格化……まさに神に変身した瞬間です」

サトウとアンダーソンは無言のままだった。

「そのまわりに」ラングドンはつづけた。「時代がかった風貌（ふうぼう）の人物がいろいろ見えますね。われらが建国の父たちに高度な知識を授けている古代の神々ですよ。あそこにいるのはミネルヴァで、この国の偉大な発明家たち――ベンジャミン・フランクリン、ロバート・フルトン、サミュエル・モースに、技術に関する教示を与えています」ひとりずつ指し示して説明する。「あちらが蒸気機関の作製に手を貸すウルカヌス。こちらには、大西洋横断ケーブルの敷設のしかたを実演してみせるネプチューン。その向かいは、穀物の女神で、〝シリアル〟ということばの由来となったケレス。ケレスが腰かけているのはマコーミックの刈り入れ機で、わが国が食糧生産で世界のリーダーになれたのはそういった画期的な技術革新のおかげでした。あの絵は、建国の父たちが神々から大いなる英知を授かるさまを堂々と描いています」ラングドンは頭をさげてサトウを見た。「知識は力であり、正しい知識によって、人は奇跡とも神業とも呼べる仕事を成しとげます」

サトウはラングドンに視線をもどし、首をさすった。「電話線を敷くのは神業からほど遠いけどね」

「現代の人間にとってはそうかもしれません」ラングドンは答えた。「しかし、いまのわたしたちが大洋を隔てた相手と語り合い、音速で飛び、月におり立つ力を持ったことを仮にジョージ・ワシントンが知ったら、人間が奇跡の所業をなしうる神になったと思うはずです」そこでことばを切る。「S

F作家のアーサー・C・クラークのことばを借りれば、〝高度に発達した科学は魔法と見分けがつかない〟のです」

サトウは唇を引き結び、思案にふけっているようだった。床の手首へ一瞥をくれたのち、伸びた人差し指が示すドームの天井へ目をやった。「例の男は〝ピーターがその道を指し示す〟と言ったんだったね」

「はい、でも――」

「部長」サトウはラングドンから顔をそむけて言った。「あの絵をもっと近くで見ることはできる？」

アンダーソンがうなずいた。「ドームの内壁に作業員用の通路があります」

ラングドンははるか頭上に目を向けて、絵のすぐ下に小さな手すりがあるのを見てとり、体がこわばるのを感じた。「あそこへのぼる必要はありませんよ」ラングドンは以前、上院議員夫妻に招かれて、めったに人が訪れないその通路を歩いたことがあった。目のくらむ高さと危なげな足もとに失神しそうになったものだ。

「必要がない？」サトウは訊き返した。「自分が神になれる門がここにあると信じる男がいて、人間が神に変身するさまを象徴する天井のフレスコ画があって、その絵をまっすぐ指し示す手がある。何もかもがわれわれを上へ導いていると思えるけどね」

「実を言いますと」アンダーソンが目をあげて口をはさんだ。「あまり知られていませんが、ドームには門のように開く六角形の格間がひとつだけあって、そこから下をのぞくことができますから――」

「ちょっと待って」ラングドンはさえぎった。「それは筋がちがいますよ。男が探しているのは比喩としての門であり、実在しない入口です。〝ピーターがその道を指し示す〟というのは隠喩を用いた

表現にすぎません。この手のしぐさ――人差し指と親指の両方を上に向ける形は古の神秘のよく知られた象徴で、世界じゅうの古代美術に見られます。レオナルド・ダ・ヴィンチの暗号交じりの傑作群――〈最後の晩餐〉、〈東方三博士の礼拝〉、〈洗礼者聖ヨハネ〉――でも同じしぐさが描かれていますね。人間と神の密やかなつながりの象徴として」〝上のごとく、下もしかり〟。例の異常者の珍奇なことばの選択が、いまや意味のあるものに感じられてきた。

「そんなの見たことがないね」サトウが言った。

なら、スポーツ専門チャンネルを見たらいい、とラングドンは思った。タッチダウンやホームランのあとでプロのスポーツ選手が神に感謝して天を指さすさまを見ると、いつも愉快な気分になる。自分がキリスト教以前の神秘的伝統を――つかの間、奇跡の偉業を果たせる神に変貌させてくれた天の力に応えるしぐさを――受け継いだと自覚している者は、どのくらいいるのだろう。

「参考までに言うと、ピーターの手は、この〈ロタンダ〉に最初に現れた神秘の手ではありません」

サトウが正気かと問いたげな目で見た。「なんだって？」

ラングドンはサトウのブラックベリーを手で示した。「〝ジョージ・ワシントン、ゼウス〟をグーグルで検索してください」

サトウはいぶかしげな顔をしながらも、文字の入力をはじめた。アンダーソンがそばへ寄り、肩越しにのぞきこんでいる。

ラングドンは言った。「かつてこの〈ロタンダ〉には、半裸のジョージ・ワシントンの巨大な彫像が鎮座していました。神としての彫像です。パンテオンのゼウスとまったく同じ恰好で、上半身をむき出しにして、左手に剣を握り、右手の親指と人差し指を伸ばして上へ向けていました」

サトウがネットで画像を見つけたらしく、アンダーソンが愕然とした表情でブラックベリーに見入っている。「待ってください、これがジョージ・ワシントンだって？」

「そうです」ラングドンは答えた。「ゼウスとして描写されています」

「手を見てください」なおもサトウの肩越しに見つめながら、アンダーソンが言った。「右手の形がミスター・ソロモンとまったく同じだ」

だから、ピーターの手はこの部屋に最初に現れた神秘の手じゃない、と言ったじゃないか。ラングドンは心でつぶやいた。ホレイショ・グリーノーの手になるジョージ・ワシントンの裸像がはじめて〈ロタンダ〉にお目見得したとき、ワシントンは何か着るものを必死で探そうとして空へ手を伸ばしているにちがいない、と多くの者が茶化した。だがアメリカの宗教規範が変わっていくにつれ、冗談めいた批判は論争と化し、彫像は撤去されて東の庭園の納屋へ追いやられた。現在はスミソニアン協会の国立アメリカ歴史博物館に居を定めているが、よもやそれが、建国の父が神として――パンテオンのゼウスのように――連邦議会議事堂を見守っていた時代の最後の痕跡のひとつだとは、だれも思うまい。

サトウがブラックベリーで電話をかけはじめた。部下と連絡をとる頃合と判断したらしい。「どう？」辛抱強く耳を傾ける。「なるほど……」ラングドンの目をまっすぐに見てから、ピーターの手首へ視線を移す。「ほんとうに？」もうしばらく聞き入る。「了解、ありがとう」電話を切ってラングドンのほうを振り返った。「部下が調査をして、〝神秘の手〟なるものの存在を確認し、あなたの話の裏づけをとったよ。指先の五つのしるし――王冠、星、太陽、角灯、鍵――についても、この手が秘伝の知恵を授ける古の招待の役割を果たしていることもね」

「それはよかった」ラングドンは言った。

「とんでもない」サトウはそっけなく言った。「どうやら行き詰まりだね。なんであれ、あなたが秘密を明かさないかぎりは」

「というと？」

サトウはラングドンに歩み寄った。「振り出しにもどったんだよ。あなたはまだ、わたしの部下でも調べられることしか話していない。だからもう一度質問するよ。なぜあなたは今夜ここへ呼ばれたのか？　なぜあなたは特別なのか？　あなただけが知っていることとはなんなのか？」

「堂々めぐりになりますが」ラングドンは憤然と応じた。「わたしが何かを知っているとその男が考えた理由が、さっぱりわからないんですよ！」

サトウのほうこそ、今夜自分が議事堂にいることをいったいどうやって知ったのか、とラングドンは問い詰めかけたが、それもまた堂々めぐりだった。サトウが明かすはずがない。「つぎに何をすべきかがわかったら、お話しします。でも、わからないんですよ。古来、神秘の手は師から弟子へ差し伸べられるものです。そして、ほどなく一連の指示が与えられます……神殿への道順や、何か重要なことを授けてくれる人物の名前が。しかし、この男がわれわれに残したものは五つの刺青だけです！　とうてい——」ラングドンははっと息を呑んだ。

サトウがラングドンの顔をじっと見る。「どうした？」

ラングドンの視線が床の手首へすばやくもどった。五つの刺青。たったいまラングドンは、ここまで話したことがかならずしも正しくないことに気づいた。

「教授？」サトウが促す。

ラングドンは忌まわしい物体のほうへゆっくりと近づいた。〝ピーターがその道を指し示す〟。「いま、ふと頭をよぎったんです。例の男はピーターの手のひらに何かを残したのかもしれない、と。地図や、手紙や、なんらかの指示を」

「それはありえない」アンダーソンが言った。「見てのとおり、三本の指はきつく握られてはいません」

「たしかにそうです」ラングドンは言った。「でも、ひょっとしたら……」床にかがみこみ、握られた指の下から手のひらの隠れた部分をのぞきこもうとする。「紙に書かれてはいないかもしれない」

「それも刺青だと？」アンダーソンが尋ねる。

ラングドンはうなずいた。

「手のひらに何か見えるかい」サトウが訊いた。

ラングドンはさらに低くかがみ、ゆるく握られた指の下から見あげた。「この角度では無理です。どうしても――」

「いいから」ラングドンに迫りながら、サトウが言った。「さっさと指を伸ばしてしまいなさい！」

アンダーソンがサトウの前に立ちはだかった。「局長！　鑑識班が来るまで、ぜったいにこれには――」

「答が要るんだよ」サトウは言い、アンダーソンを押しのけた。床に身をかがめ、ラングドンを手首のそばから追いやる。

立ちあがったラングドンは、サトウがポケットからペンを取り出して、握られた三本の指の下へ注意深く滑りこませるのを、信じがたい思いで見守った。指が一本ずつ上へこじあけられ、ついに、すべてが開かれて手のひらがあらわになった。

ラングドンをちらりと見あげたサトウの顔に、かすかな笑みがひろがった。「またしてもご名答だね、教授」

22

キャサリン・ソロモンは資料室を行きつもどりつしながら、白衣の袖を引いて腕時計をたしかめた。待つことには慣れていないのに、いまは世界じゅうのすべてが保留にされているような心地だった。トリッシュの検索スパイダーの結果を待ち、兄からの連絡を待ち、そのうえ、この厄介な状況を生み出した張本人である男からの電話を待っている。

話を聞かなければよかったのに、と思った。ふだんの自分は初対面の相手に対してはきわめて注意深くふるまう。ところが、きょうの午後はじめて会ったばかりだというのに、その人物はものの数分でこちらの信頼を勝ちとった。それも完璧(かんぺき)に。

男から電話があったのは、わが家で一週間ぶんの科学雑誌をまとめ読みするという、毎週日曜の午後の愉悦に浸っているさなかだった。

「ミズ・ソロモン？」異様なほど軽やかな声が言った。「ドクター・クリストファー・アバドンと申します。お兄さまについて少々お話しできたらと思いまして」

「すみません、どちらさまですって？」キャサリンは訊き返した。それに、どうやってわたしの携帯電話の番号を知ったの？

「ドクター・クリストファー・アバドンです」

聞き覚えがない。

気まずい立場に陥ったかのように、男が咳払いをした。「申しわけありません、ミズ・ソロモン。わたしのことはお兄さまからお聞き及びとばかり思っていました。わたしはお兄さまの主治医です。あなたの携帯電話の番号が緊急連絡先として記載されていたもので」

キャサリンの心臓が一瞬止まりかけた。緊急連絡先？　「何かあったんですか？」

「いえ……そうは思いません」男が言った。「お兄さまがけさの予約時刻においでにならず、どの番号にかけても連絡がつかないのです。ことわりもなくお見えにならなかったのはこれがはじめてで、いささか心配になりましてね。あなたにお電話するのは気が引けたのですが――」

「いいえ、かまいません、お気づかいに感謝します」キャサリンはなおも、相手の医師が何者かを思い出そうとしていた。「兄とはきのうの朝から話していませんが、たぶん携帯電話の電源を入れ忘れているだけでしょう」新しいｉＰｈｏｎｅを贈られたばかりで、ピーターはまだ使い方がよくわかっていない。

「兄の主治医とおっしゃいましたね」キャサリンは問いかけた。ピーターに、わたしに内緒の持病が？

電話の向こうに重苦しい沈黙が漂った。「大変失礼な言い方ですが、あなたにお電話したことで、わたしは職務上きわめて重大な過失を犯してしまったようです。診察を受けていることはあなたもご存じだとお兄さまはおっしゃっていましたが、どうもそうではないらしい」

兄が主治医に嘘を？　キャサリンの不安はますます高まった。「兄は病気なんですか？」

「すみませんが、ミズ・ソロモン、医師と患者のあいだの守秘義務があり、お兄さまの容態について

はお話ししかねます。そもそも、お兄さまが自分の患者だと認めたこと自体が失言でした。これで失礼しますが、もしきょうお兄さまから連絡がありましたら、ご無事を確認したいので電話をくださるようお伝えください」

「待って！」キャサリンは言った。「ピーターのどこが悪いのかを教えてください」

自分の過ちを腹立たしく思うのか、ドクター・アバドンは深く息をついた。「ミズ・ソロモン、動転していらっしゃるようですが、それも無理はありません。お兄さまはお元気ですよ。きのうもわたしのオフィスにおいでになりました」

「きのう？　そしてきょうもまた予約を？　ただごとじゃないわね」

またため息が漏れる。「お兄さまにもう少し時間を差しあげては――」

「いまからオフィスへうかがいます」キャサリンは言いながら、すでにドアへ向かっていた。「場所はどちら？」

沈黙。

「ドクター・クリストファー・アバドンだったわね」とたたみかける。「こちらで調べてもいいし、手っとり早くあなたが教えてくださってもいい。どちらにせよ、いまからうかがいます」

男は一考ののちに言った。「お会いしても、わたしが失態について自分の口からお伝えする機会が来るまで、お兄さまには何も言わずにいてくださいますか」

「いいわ」

「ありがたい。オフィスはカロラマ・ハイツにあります」男は所番地を伝えた。

二十分後、キャサリン・ソロモンはカロラマ・ハイツの壮麗な通りを車で走っていた。ピーターの

すべての電話番号にかけてみたが、応答はなかった。兄の所在についてはさほど心配していないものの、ひそかに医師の治療を受けていたという知らせには穏やかではいられなかった。

目的の場所にようやくたどり着いたキャサリンは、当惑のまなざしで建物を見あげた。これが医者のオフィスですって？

眼前の豪奢（ごうしゃ）な邸宅には、錬鉄の防護柵、何台ものデジタル監視カメラ、緑豊かな広い敷地が備わっていた。住所をもう一度確認しようと速度を落としたところ、監視カメラの一台が車のほうへ回転し、門が勢いよく開いた。ためらいがちに私道を進み、六台用の車庫とストレッチ・リムジンの隣に車を停めた。

いったいどんな医者なの？

車からおりると、邸宅の玄関扉が開き、垢抜（あかぬ）けた人影が漂い出てきた。端整な顔立ちの男で、並はずれて背が高く、想像したよりも若い。それでいて年配者のような品格を漂わせている。ダークスーツにネクタイという完璧な装いで、豊かな金髪は一糸乱れず整えられている。

「ミズ・ソロモン、わたしがドクター・クリストファー・アバドンです」男はそよ風のささやきを思わせる声で言った。握手をしたところ、肌はなめらかで手入れが行き届いている。

「キャサリン・ソロモンです」相手の顔を凝視しないようにして答えた。異様につるりとした褐色の肌。化粧をしてるの？

一段と強い胸騒ぎを覚えつつ、美しい内装が施された広間へ足を踏み入れた。クラシック音楽が静かに流れ、香を焚（た）いたようなにおいが漂っている。「すてきな部屋ね」キャサリンは言った。「もっと……オフィスらしいところを想像してたわ」

「さいわい在宅で仕事をしておりますので」アバドンは居間へといざなった。暖炉で薪（まき）のはじける音がして、炎が燃えている。「どうぞお楽に。ちょうどお茶を淹（い）れているところです。すぐにお持ちしますから、飲みながらお話ししましょう」キッチンのほうへ歩いていき、姿を消した。

キャサリンは腰をおろさなかった。女性特有の直感は信頼すべき強力な本能だという思いがあり、この家にはどことなく薄気味悪いものが感じられた。いままでに見たどんな医者のオフィスともまったく似ていない。骨董（こっとう）品で飾られたこの居間の壁はどこも芸術作品の古典で埋めつくされ、多くが神話を題材とした絵画だ。キャサリンは美の三女神が描かれた大きな絵の前で足を止めた。女神の裸体が生き生きとした色彩でみごとに描かれている。

「マイケル・パークスのオリジナルの油彩画です」湯気の立つ茶を載せたトレーを手に、ドクター・アバドンがやにわにキャサリンの隣に現れた。「暖炉のそばにかけましょうか」キャサリンを先導し、椅子を勧める。「不安をお感じになる理由は何もありませんよ」

「不安なんかないわ」キャサリンの返答はあまりにも性急だった。

ドクター・アバドンは穏やかに微笑みかけた。「実のところ、人がいつ不安に陥るかを見抜くのがわたしの仕事です」

「なんですって？」

「精神科の開業医ですからね。それがわたしの仕事です。かれこれ一年近くお兄さまを治療しています。セラピストとして」

キャサリンは目を瞠（みは）るばかりだった。ピーターがセラピーを受けてるって？

「患者が治療を受けていることを秘密になさることは珍しくありません」アバドンは言った。「わた

しはあなたにご連絡すべきではありませんでした。ただ、あえて弁明をさせてもらえば、お兄さまがそうさせたのです」

「あの……どういうことか、さっぱり」

「不安にさせてしまったのであればお詫びします」アバドンはぎこちなく言った。「お会いしてすぐ、わたしの顔をじっとご覧になっていましたね。ええ、たしかに化粧をしています」照れくさそうに自分の頰に手をふれる。「皮膚に疾患がありまして、隠したいのですよ。ふだんは妻がしてくれるのですが、不在の折は、自分の拙い技術に頼らざるをえません」

キャサリンはうなずいた。きまりが悪くてことばが出ない。

「それにこのきれいな髪は……」アバドンは豊かな金髪に手をふれた。「かつらです。皮膚疾患は毛嚢にも影響を及ぼし、おかげで頭髪は一本残らず抜け落ちました」肩をすくめる。「虚栄心こそわが最大の罪です」

「わたしの罪は無作法のようね」キャサリンは言った。

「とんでもない」アバドンの笑みは柔らかかった。「仕切り直しといきませんか。お茶でも飲みながら」

ふたりは暖炉の前に腰をおろし、アバドンが紅茶をついだ。「お兄さまのおかげで、お会いするたびにお茶を出す習慣がつきました。ソロモン家のみなさまはお茶に目がないそうですね」

「家風なんです」キャサリンは言った。「ストレートでいただきます」

紅茶を飲みながらの雑談がしばらくつづいたが、キャサリンは兄の話が聞きたくてたまらなかった。ついに尋ねる。「兄はどうしてこちらへ？」それに、なぜわたしにだまっていたの？　たしかに、ピ

ーターはこれまでの人生でじゅうぶんすぎるほどの悲劇を味わわされてきた——若くして父親と死別し、その後、ひとり息子と母親を数年のあいだに相次いで亡くしたのだから。それでも、つねに乗り越えてきたはずだ。

アバドンは紅茶をひと口飲んで言った。「お兄さまがわたしのもとへ来られたのは、信用なさっているからです。わたしたちには通常の患者と医者の関係を超えた絆（きずな）がありましてね」暖炉の近くにある額入りの書類を手で示す。一見何かの免許状のようだが、双頭の不死鳥が目に留まった。

「あなたもフリーメイソン？」それも、最高位の。

「ピーターとわたしはある種の兄弟です」

「第三十三位階に招かれたということは、何か大きな貢献をなさったんでしょうね」

「そうでもありません」アバドンは言った。「代々受け継いだ資産がありまして、メイソンの慈善事業にかなりの額を用立てているまでです」

兄がなぜこの若い医師を信頼したのか、いまやキャサリンは納得した。慈善事業と古代の神話に興味のある、資産家のフリーメイソンなのね？　想像していたよりも、ドクター・アバドンと兄には共通点が多い。

「なぜ兄がこちらへうかがったのかとお訊きしたのは、なぜあなたを選んだのかという意味じゃありません。知りたいのは、なぜ精神科医の助けを求めたのかということです」

アバドンは微笑んだ。「ええ、わかります。穏便な形で質問をはぐらかそうとしたのですよ。それはわたしが論じるべきことではないもので」ことばを切る。「もっとも、わたしと語り合ったことをお兄さまがあなたに伏せていたのは少々解せません。その内容があなたの研究と密接にかかわってい

ることを考えると」

「わたしの研究と？」キャサリンは驚倒しかかった。兄がわたしの研究について話したって？

「先だってお兄さまはここへいらっしゃって、専門家としての意見をわたしにお尋ねになりました。あなたの研究所でなされつつある大発見の心理学的な影響についてです」

キャサリンは紅茶にむせそうになった。「ほんとうに？　そんなこと……信じられない」どうにか答を返した。ピーターは何を考えてるの？　精神科医にわたしの研究のことを話すなんて！　ふたりの決めた安全策には、キャサリンの研究内容についていっさい口外しないことも含まれている。しかも、それを発案したのはピーター自身だ。

「ミズ・ソロモン、むろんお気づきでしょうが、お兄さまはあなたの研究成果が公になった場合の先行きを強く案じておられます。世界規模で思潮の大変動が起こる可能性を懸念なさって……どんな波紋が生じうるかを心理学的な見地から話し合うために、わたしをお訪ねになりました」

「そう」キャサリンは言った。いまや紅茶を持つ手が小刻みに震えている。

「論じ合っているのは実にきびしい問題です。生命の大いなる神秘がついに解き明かされたら、人類のあり方はどうなるか？　信念だと思っていたものが……突然事実だと明確に証明されたら何が起こるか？　あるいは、作り話にすぎないと立証されたら？　答を出さずにおくのが最善だという問題も存在すると言えましょう」

キャサリンは自分の耳を疑ったが、それでも感情は抑えた。「ドクター・アバドン、申しわけないんですが、研究内容をくわしく話すのは控えさせてください。いまのところ何かを公表する計画はありません。成果はしばらく研究所に厳重に保管しておくつもりです」

「なるほど」アバドンは椅子の背にもたれ、しばし想念に浸った。「それはともかく、お兄さまにきょうもお越し願ったのは、きのう衰弱の兆候が見られたからです。そのような場合、患者さんには――」

「衰弱？」心臓が高鳴る。「神経が衰弱してるの？」苦悩のあまり弱っている兄の姿など、キャサリンには想像もできなかった。

アバドンはいたわるように手を伸ばした。「すみません、また不安にさせてしまいましたね。お詫びいたします。このようなわかりづらい状況では、答を知る資格があるとお思いになる気持ちも理解できます」

「資格があろうとなかろうと」キャサリンは言った。「わたしにとって兄は、たったひとり残された家族なの。兄のことをわたしよりもよく知る人間はいない。だから、いったい何があったのかを話してくだされば、力になれるかもしれない。あなたとわたしが求めるものは同じよ――ピーターにとって最善の道を探ること」

アバドンは長々と黙したあと、キャサリンの言い分を認めたのか、ゆっくりとうなずいた。やがて口を開く。「念のため申しますが、ミズ・ソロモン、もしもわたしが打ち明けるとしたら、それはお兄さまを助けるうえであなたのお知恵が役立つのではないかと願う一心でそうするまでのことです」

「もちろんよ」

アバドンは両肘(ひじ)を膝(ひざ)に載せて身を乗り出した。「ミズ・ソロモン、わたしはこれまでの診察を通して、お兄さまの心のなかに罪悪感との根深い葛藤(かっとう)があると感じていました。その件でお見えになったわけではないので、こちらから穿鑿(せんさく)したことは一度もありません。それでもきのう、さまざまな理由から、ついにお尋ねしたのです」キャサリンの目を見据える。「お兄さまは告白なさいました。意外

にも、堰を切ったように。思いも寄らない話をつぎつぎとなさいました……あなたがたのお母さまが亡くなられた夜の出来事の一部始終にいたるまで」

あのクリスマスから――もう十年になる。母がこの腕のなかで息を引きとった日から。

「お兄さまの話では、お母さまは自宅に押し入った強盗に襲われて命を落とされたということでした。その男はお兄さまが何かを隠していると信じこみ、それを求めて侵入したそうですね」

「そのとおりよ」

アバドンは探るような目を向けている。「お兄さまはその男を撃ち殺したとおっしゃいました」

「ええ」

アバドンは顎をなでた。「侵入者が何を探していたのかを覚えていらっしゃいますか」

キャサリンはこの十年間、その記憶を頭から追い払おうとむなしい努力をしてきた。「ええ、その男の要求ははっきりしていました。でもあいにく、なんの話をしているのか、わたしたちには理解できなくて。まったく心あたりがなかったんです」

「実は、お兄さまには心あたりがあった」

「なんですって？」キャサリンは体を起こした。

「きのうお聞きしたかぎりでは、侵入者が何を探しているのか、はっきりわかったそうです。それを手放したくなくて、理解できないふりをした、と」

「嘘よ。ピーターにわかったはずがない。男の要求はまるで意味をなさなかったのよ！」

「なるほど」アバドンは口を閉じ、いくつかメモをとった。「しかし、いま申しあげたとおり、お兄さまはたしかに知っていたとおっしゃいました。侵入者に協力してさえいれば、お母さまはいまも健

在だったにちがいない、と。その思いが罪悪感の源なのです」

キャサリンは首を左右に振った。「そんなばかな……」

アバドンは当惑顔で椅子に身を沈めた。「ミズ・ソロモン、あなたのご意見は大いに参考になりました。やはり、お兄さまは少々現実から遊離していらっしゃったらしい。実を申しますと、そうではないかと危惧していました。だからこそ、きょうもお越しを願ったんです。心に深い傷を残した記憶に関して、妄想めいたものが現れることは珍しくありません」

キャサリンはまたかぶりを振った。「ピーターは妄想するような人間じゃないわ、ドクター・アバドン」

「わたしもそう思います。ただ……」

「ただ？」

「ただ、強盗事件の話は序章であって……お兄さまがわたしに語った、長く現実離れした話のほんの一部分にすぎません」

キャサリンは椅子から体を乗り出した。「ピーターは何を言ったの？」

アバドンは悲しげな笑みを投げかけた。「ミズ・ソロモン、ひとつお尋ねします。お兄さまはこの件についてあなたと話し合われたことがありますか？　このワシントンDCに隠されていると信じるものについて……もしくは……失われた古の知恵という貴重な宝を守るうえで、自分が果たすはずの役割について」

キャサリンは口をあんぐりあけた。「いったいなんの話？」

ドクター・アバドンは長いため息をついた。「いまからお話しすることはいささか衝撃が大きすぎ

るかもしれません」間を置いて、目をじっと見る。「けれど、それについてご存じのどんなことでも教えてくだされば、計り知れないほどの助けになります」キャサリンのカップに手を伸ばす。「お茶のおかわりは？」

23

もうひとつの刺青。

ラングドンは動揺を隠せぬまま、ピーターの開かれた手のひらのそばにかがみ、握られた指の陰にあった七つの小さな記号の集まりを見つめた。

「数を表しているらしい」ラングドンは驚いて言った。「見覚えはありませんが」
「最初はローマ数字ですね」アンダーソンが言った。
「いいえ、ちがうと思います」ラングドンは指摘した。「〝I‐I‐I‐X〟というローマ数字は存在し

ません。7を表したければ〝V-I-I〟と書きます」

「残りはどうだい」サトウが尋ねた。

「よくわかりません。アラビア数字の〝8-8-5〟に似ていますが」

「アラビアだって？」アンダーソンが訊いた。「ふつう、の数字に見えますが」

「ふつうの数字はアラビア数字なんですよ」そのことを学生に説明する機会は多く、初期の中東文化が成しとげた科学的進歩に関する講義の準備もしてある。そうした進歩のひとつが現代の数体系であり、これは位取り記数法と〝0〟の発明においてローマ数字にまさっている。もちろん、講義の最後はこんなふうに締めくくることにしていた。ハーヴァードの新入生が大好きな飲み物――アルコール(alcohol)――の語源である〝アルクール(al-kuhl)〟という語を人類にもたらしたのもまたアラブの文化である、と。

ラングドンは腑(ふ)に落ちない思いで、手のひらの刺青を注意深く調べた。「〝8-8-5〟についても確信が持てません。直線の書き方が変です。数字ではないかもしれない」

「だとしたら何？」サトウが尋ねる。

「わかりません。刺青全体は……ルーン文字に似ていますね」

「というと？」

「ルーン文字のアルファベットは直線のみで構成されています。石に刻みこむのによく用いられました。曲線は彫りづらいですから」

「これがルーン文字だとしたら、その意味は？」

ラングドンはかぶりを振った。自分が読めるのは、ルーン文字の基本アルファベットであるフサルクのうち、三世紀にゲルマン人が用いたものだけだが、これはフサルクではない。「正直言って、ル

ーン文字だという確信はありません。専門家に鑑定を依頼すべきです。何十種類もの異なる形があるんです――ヘルシング、マンクス、点つきのスタングナー――」

「ピーター・ソロモンはフリーメイソンなんだろう？」

ラングドンは聞き流しかけてはっとした。「ええ、しかし、それが何か関係でも？」すでに立ちあがり、小柄なサトウを見おろす恰好になっている。

「こっちが訊きたいよ。ついさっき、ルーン文字のアルファベットは石に刻みこむために使われたとあなたは言ったけど、たしかフリーメイソンはもともと石工職人の集まりだったはずだね。なぜその話を持ち出したかと言うと、神秘の手とピーター・ソロモンとのつながりを部下に調べさせたところ、浮かびあがった接点はただひとつ」その発見の重大さを際立たせたいかのように、サトウは間を置いた。「フリーメイソンだ」

ラングドンは深く息をつき、ふだん学生たちに説くのと同じく、〝グーグル〟は〝調査〟の同義語ではない、と告げたい衝動と闘った。世界規模でキーワード検索を広くおこなうようになった昨今では、すべてがすべてとつながっているように感じられる。世界は日に日に密度を増すひとつの雑然とした情報網になりつつある。

ラングドンは抑えた口調を保った。「調査結果にフリーメイソンが現れたとしても驚きません。ピーター・ソロモンと無数の謎めいた挿話を結ぶ環がフリーメイソンなのは公然の事実ですから」

「そのとおり」サトウは言った。「いままでフリーメイソンの話題が出なかったことにも驚いていたんだよ。選ばれた少数が守り伝えた秘密の知恵。いかにもフリーメイソンらしいじゃないか」

「それはそうですが……薔薇十字団、カバラ教団、アルンブラドス派などなど、それらしい集団はい

くらでもありますからね」

「しかし、ピーター・ソロモンはフリーメイソン――それもかなり有力なフリーメイソンじゃないか。秘密にまつわる話をするなら、まずフリーメイソンを思いついて当然だよ。秘密が大好きな集団らしいから」

サトウの声から不信感が感じとれたが、ラングドンは同調するつもりがなかった。「フリーメイソンについて知りたければ、会員から直接聞くほうがはるかに賢明です」

「できるものなら、信頼できる人物から聞きたいね」

無知で無礼な言い草だ、とラングドンは思った。「念のために申しますが、フリーメイソンの理念の礎は誠実さと公正さです。だれよりも信頼に値する人々ですよ」

「そうではないという強力なる証拠を知ってるよ」

ラングドンはうんざりしてきた。その図像や象徴表現の豊かな伝統を長年研究してきた者として、ラングドンはフリーメイソンが世界じゅうで最も不当な中傷や誤解を受けてきた集団のひとつであることを知っていた。悪魔崇拝から世界統一政府の企てまで、ありとあらゆる疑いを向けられてきたフリーメイソンは、批判者にはいっさい反応しないという方針を貫いていて、そのせいで恰好の標的となっている。

「それはともかく」サトウが辛辣(しんらつ)な口調で言った。「またしても袋小路だよ、ミスター・ラングドン。あなたが何かを見落としているか……隠しているか……どちらかだと思うんだがね。問題の男に言わせれば、ピーター・ソロモン自身があなたを選んだわけだから」ラングドンに冷ややかな視線を浴びせる。「そろそろCIA本部へ場所を移して話さないかい。そのほうがうまくいく気がするよ」

サトウの脅しは功を奏さなかった。いまの発言の一部がラングドンの心に突き刺さったからだ。〝ピーター・ソロモン自身があなたを選んだ〟。それがフリーメイソンへの言及と相まって、異様な衝撃をもたらした。ラングドンはピーターの指にはめられたフリーメイソンの指輪へ目を向けた。それは本人が最も大切にしていたもののひとつで、双頭の不死鳥――フリーメイソンの英知を表す究極の神秘的象徴――をかたどったソロモン一族の家宝である。金の指輪が光にきらめき、思いがけぬ記憶を呼び覚ました。

ピーターを誘拐した男の不気味なささやきがよみがえり、ラングドンは息を呑んだ――〝ほんとうにわからないのか？　なぜおまえが選ばれたのかが〟。

その異様な瞬間、ラングドンの思考が一点に絞られ、霧が晴れた。

突然、自分がここで何を果たすべきかが明らかになった。

十マイル近く隔たった場所では、ストランド・パークウェイを南へ車を走らせるマラークの横で、独特の振動音が鳴った。きょうの強力な武器となった、ピーター・ソロモンのｉＰｈｏｎｅだ。発信者である、長い黒髪の魅力的な中年女性の画像が表示されている。

着信中――キャサリン・ソロモン

それを放置したまま、マラークは笑みを浮かべた。運命が自分をたぐり寄せている。

きょうの午後、キャサリン・ソロモンをわが家へおびき寄せた理由はひとつしかない。自分を利す

る情報を——たとえば、めざすもののありかを知るのに役立つ兄妹の秘密を——握っていないかと探るためだった。けれども、長年守りつづけたものについて、兄は妹に何も明かしていないにちがいない。

とはいえ、キャサリンからは別の話を聞き出すことができた。おかげで彼女は数時間命を長らえたわけだ。成果のすべてが一か所に集められ、研究所で厳重に鍵をかけて保管されている、とキャサリンは確言したのだ。

それを叩きつぶさなくてはならない。

キャサリンの研究は英知の新たな扉をいまにも開きつつあり、その扉がほんのわずかでも開かれると、まちがいなく多くの者が追随する。すべてが一変するのも時間の問題だ。そうはさせるものか。世界はこのまま変わることなく……無知の闇でさまようがいい。

iPhoneがビープ音を発し、キャサリンがボイスメールを残したことを知らせた。マラークはそれを再生した。

「ピーター、またわたしよ」気づかわしげな声。「どこにいるの？　ドクター・アバドンから聞いた話がいまも頭から離れないの……とっても心配よ。だいじょうぶ？　電話をちょうだい。研究所にいるから」

ボイスメールは終了した。

マラークはほくそ笑んだ。兄のことより自分自身の心配をしろ。車はスートランド・パークウェイからシルバー・ヒル・ロードへはいった。一マイル足らず進むと、右手の奥の暗闇のなかに、木立に囲まれたスミソニアン博物館支援センター(SMSC)のおぼろげな輪郭が現れた。周囲に鉄条網の高い柵がめぐらされている。

万全の警備体制？　マラークは忍び笑いを漏らした。この自分のために扉を開く者がいるというのに。

24

直感が波のようにラングドンに押し寄せた。

そうか、だから自分はここにいるのか。

ラングドンは〈ロタンダ〉の中央で棒立ちになったまま、いますぐ逃げ出したい強烈な衝動に駆られた……ピーターの手首からも、輝く金の指輪からも、サトウとアンダーソンの疑いのまなざしからも。それでも思いとどまり、肩に掛けた革のショルダーバッグをしっかり引き寄せて身を硬くした。早くここから出なくては。

何年か前の寒い朝の場面が目に浮かび、ラングドンは歯を食いしばった。場所は自宅のあるマサチューセッツ州ケンブリッジ。午前六時のことだ。ハーヴァードのプールで毎朝の日課をこなしたあと、ふだんどおり教室へ行った。敷居をまたぐと、いつものチョークとスチーム暖房のにおいがした。そのまま教卓へ向かいかけたが、二歩目ではたと立ち止まった。

ひとつの人影が教卓でラングドンを待っていた。鷲（わし）を思わせる鋭い顔立ちに王さながらの威厳をたたえた、灰色の目の上品な紳士だ。

「ピーター？」ラングドンは度肝を抜かれて目を大きく見開いた。

ピーター・ソロモンのにこやかな笑みが、部屋の薄暗い照明に白く照らし出された。「おはよう、

ロバート。驚いたかい」穏やかだが力強い声だ。

ラングドンは友に駆け寄って、熱い握手を交わした。「碧色（へきしょく）の名門イェールの御仁が、まだ夜も明けやらぬ時分に、深紅のわがキャンパスで何をしてるんですか」

「敵陣の背後に潜入して隠密（おんみつ）行動にいそしんでいるのさ」ソロモンは笑いながら言った。ラングドンの引きしまった胴まわりを指さしてつづける。「毎日泳いでいるだけあるな。いい体つきだ」

「あなたに年寄りじみた気分を味わわせたくてね」ラングドンはからかった。「お会いできてうれしいですよ、ピーター。いったいどうしたんですか」

「ちょっとした出張だよ」ソロモンは閑散とした教室を見渡した。「こんなふうにひょっこり訪ねてすまない、ロバート。だが、数分しか時間がなくてね。実はきみに……折り入って話がある。頼み事をしたいんだ」

こんなことははじめてだった。一介の大学教授が、あらゆるものを持ち備えた男のために何をしてやれるというのか。「なんでも言ってください」ラングドンは答えた。大の恩人の手助けが少しでもできるなら、これほどうれしいことはない。ピーターの幸運な人生が数々の悲劇にも見舞われてきたことを思えばなおさらだった。

ソロモンが声を落とした。「できれば、あるものを預かってもらえないかと思ってね」

ラングドンは目をくるりとまわした。「まさかヘラクレスじゃないでしょうね」以前、ソロモンが旅行するというので、体重が百五十ポンドもあるマスチフ犬のヘラクレスの世話を引き受けたことがあった。ラングドンの家にいるあいだ、犬はお気に入りの革製嚙（か）み具が恋しくなったらしく、書斎でちょうどよい代用品を探しあてた――羊皮紙に手書きの飾り文字で記された十七世紀の装飾聖書だ。

そんなわけで、ただの〝いたずら犬〟と呼ぶのでは物足りない気がしてならなかった。

「これでも、いまだに代わりの品を探しているんだぞ」ソロモンはきまり悪そうに笑った。

「いいんですよ。ヘラクレスに宗教の味を堪能してもらえてよかった」

ソロモンは愉快そうに笑ったが、どこか落ち着かないふうだった。「ロバート、きょう来たのは、わたしにとってきわめて貴重なものをきみに保管してもらいたいと考えたからだ。しばらく前に相続したものなんだが、家や職場に置いておくのでは安心できなくなってしまってね」

ラングドンは急に不安を覚えた。ピーター・ソロモンの住む世界で〝きわめて貴重〟だというなら、なんであれ恐ろしく高価なものにちがいない。「貸し金庫という手はないんですか」あなたの一族はアメリカの半数の銀行の株を保有しているのでは？

「手続きの書類やら銀行員やらがかかわってくるからな。それよりは、信頼できる友人に頼みたいんだ。きみの口の堅さはよく知っている」ソロモンはポケットに手を入れて小さな包みを取り出すと、ラングドンに手渡した。

大げさな前置きから考えて、ラングドンはもっと立派なものを想像していた。目の前にあるのは小さな真四角の箱で、各辺が三インチほどだった。色あせた茶色の包み紙にくるまれ、縒りひもで結んである。小さいわりに重いので、中身は石か金属だろう。ほんとうにこれを？　手のなかで箱を逆さにしてみると、大昔の詔書よろしく、印章の刻まれた封蠟で縒りひもがていねいに固定されているのがわかった。印章の柄は双頭の不死鳥で、胸に数字の33が記されている。フリーメイソンの最高位階を表す伝統的な象徴だ。

「おやおや」ラングドンは顔をゆがめて苦笑した。「ピーター、あなたはフリーメイソンのロッジの

聖なるマスターであって、教皇じゃないんですよ。指輪で封印することもないでしょうに」

ソロモンは自分の金の指輪に目を落とし、愉快そうに笑った。「包みを封印したのはわたしではないよ、ロバート。曾祖父だ。一世紀ほど前になる」

ラングドンは顔をあげた。「なんですって？」

ソロモンは薬指を立ててみせた。「もとはと言えば、このフリーメイソンの指輪は曾祖父のものだった。やがて祖父のものになり、父のものになり、それからわたしのものになったんだ」

ラングドンは箱を目の前に掲げた。「ひいおじいさんが一世紀前にこれを包んで、その後だれもあけなかったと？」

「そうだ」

「しかし……なぜ？」

ソロモンは微笑んだ。「しかるべき時が来ていないからだよ」

ラングドンは目をまるくした。「しかるべき時？」

「ロバート、妙に聞こえるだろうが、これについては何も知らないに越したことはない。とにかく、これをどこか安全なところに置いてくれ。そして、わたしが預けたことはだれにも漏らさないよう頼む」

恩師の瞳がいたずらっぽく輝きはしないかと、ラングドンはじっと見つめた。ソロモンには芝居がかったところがあり、自分をかつごうとしているのかもしれない。「ピーター、まさか、これでフリーメイソンの古の秘密だかなんだかを託されたと思わせて、入会する気にさせようという魂胆じゃないでしょうね」

「フリーメイソンは勧誘をしないんだよ、ロバート。知ってのとおりだ。それに、きみに入会する気

がないことは前にも聞いたからな」

　そのとおりだった。ラングドンはフリーメイソンの理念や象徴主義に大いに敬意を払っているものの、秘儀参入はしまいと心に決めていた。秘密厳守の誓いは、フリーメイソンについて学生と論じる妨げになるだろう。ソクラテスがエレウシスの秘儀に正式に参加するのを拒んだのも、まったく同じ理由からだ。

　謎の小箱とフリーメイソンの封印をながめているうちに、当然の質問をせずにはいられなくなった。

「フリーメイソンの仲間に預けることはできないんですか」

「そうだな、直感が働いて、外部に保管するほうが安全に思えたとだけ答えておこう。それから、包みが小さいからといって軽く見ないでくれよ。父のことばが正しければ、そこにはとてつもない力を秘めたものがはいっている」ソロモンはことばを切った。「一種の護符だ」

　護符だって？　そもそも護符とは魔力を帯びたもののことだ。古くから、幸運を呼び寄せたり、悪霊を祓(はら)ったり、儀式に用いたりするために使われた。「ピーター、護符が中世のあいだに廃れたことは当然ご存じですね？」

　ソロモンは辛抱強くラングドンの肩に手を置いた。「どう思っているかは想像がつくよ、ロバート。きみとは長い付き合いだし、その懐疑的な姿勢は学者としての大きな強みのひとつだ。同時に、最大の弱点でもあるがね。話を信じろと言っても無駄なのは先刻承知だから……わたしを信頼してくれとしか言えない。この護符が力を備えていると言うわたしを、とにかく信頼してそのまま受け入れてもらいたい。この護符は混沌(こんとん)から秩序を生み出す力を持ち主にもたらすらしい」

　ラングドンはただ目を瞠るしかなかった。〝混沌から秩序(オルド・アブ・カオ)〟という発想は、フリーメイソンの大原

則のひとつだ。とはいえ、どんな力であれ、護符が与えるなどという考えはばかげているし、まして、混沌から秩序を生み出す力をもたらすはずがない。

「この護符は――」ソロモンがつづけた。「悪の手に渡れば大変な脅威になる。まずいことに、力のある者たちが奪いたがっていると思われる節があるんだよ」その目はかつて見たことがないほど真剣だった。「しばらくのあいだ、きみにこれを守ってもらいたい。いいだろうか」

その日の夜、ひとりになったラングドンはキッチンのテーブルで包みを手にしつつ、中身はいったい何かと想像をめぐらせた。結局、ピーターの単なる気まぐれだと決めつけて、書斎の壁の金庫に入れ、やがてすっかり忘れてしまっていた。

そう……けさまでは。

南部訛(なま)りの男からのあの電話があるまでは。

「ああ、教授、危うく忘れるところでした！」ワシントンDCまでの行程をこまごまと説明したあと、秘書を名乗る男は言った。「もうひとつ、ミスター・ソロモンからのご依頼がありました」

「というと？」すでにラングドンの頭は、引き受けたばかりの講演のことでいっぱいだった。

「ミスター・ソロモンからのご伝言をここに預かっております」ピーターの筆跡を懸命に判読しているのか、男はたどたどしく読みはじめた。「〝ロバートに頼んでくれ……何年も前に預けたもの……封印された小さな包みを持ってきてもらいたい、と〟」ことばを切る。「なんのことか、おわかりでしょうか」

壁の金庫に長らく入れてある四角い包みを思い出し、ラングドンは不思議な気分になった。「ええ、たしかに。わかりますよ」

「では、お持ちくださいますか」

「もちろんです。持っていくとピーターに伝えてください」

「すばらしい」男は安堵したようだった。「今晩の講演には、どうか気楽にお臨みください。道中お気をつけて」

家を出る前、ラングドンは指示どおり、金庫の奥から包みを引き出してショルダーバッグに入れた。いまこうして連邦議会議事堂で立ちつくしながら、ただひとつ確信できることがあった。自分がみごとに期待を裏切ったと知って、ピーター・ソロモンは恐れおののくだろう。

25

なんと、キャサリンの言ったとおりね。いつものことだけど。

トリッシュ・ダンは、目の前のプラズマ・スクリーンに現れてきた検索スパイダーの結果を呆然と見つめた。何も見つかるはずがないと思っていたのに、十数件のヒットがあり、まだ増えそうだった。

特に一件はずいぶん期待できそうだ。

トリッシュは資料室へ向けて声を張りあげた。「キャサリン？　これはご覧になったほうがいいですよ！」

今回のような検索スパイダーを使うようになって二年ほどになるが、今夜の結果には面食らった。数年前なら、こんな検索はすぐに行き詰まったにちがいない。ところが、いまや世界じゅうの検索可能なデジタル資料の量は、まさしくなんでも見つかるまでにふくれあがっている。信じられないことに、キーワードのひとつはトリッシュが一度も聞いたことのない単語だったが……検索ではそれさえ

も探しあてていた。

キャサリンが制御室に飛びこんできた。「何が見つかったの？」

「候補がぞろぞろと」トリッシュはプラズマ・スクリーンを指さした。「どの文書にも、おっしゃっていたキーワードがそっくりそのまま出てきます」

キャサリンは耳に髪をかけて、結果の一覧に目を通した。

「まだ喜んじゃだめですよ」トリッシュは言い添えた。「見つかった文書のほとんどは、まずまちがいなくお探しのものではありませんから。いわゆるブラックホールというやつです。ほら、ファイルの容量を見てください。とんでもなく大きいでしょう？　何百万通ものEメールを圧縮したアーカイブとか、百科事典の全集とか、何年も稼動している公開掲示板とか、そういったたぐいのものです。この手のファイルは容量が大きくて内容が雑多なせいで、検索キーワードになりうることばがいくつも含まれているので、そばを通りかかった検索エンジンがみんな吸いこまれてしまうんですよ」

キャサリンは一覧の上のほうにある項目を指さした。「あれなんかどう？」

トリッシュはにっこりした。キャサリンは一歩先んじていて、一覧のなかでも際立って容量の小さいファイルに早くも目をつけている。「さすがですね。ええ、いまのところ、それが唯一まともな候補です。これだけ小さいファイルだと、せいぜい一ページぐらいしかないでしょう」

「開いてみて」キャサリンが張り詰めた口調で言った。

たった一ページの文書にキャサリンのあげた奇妙な検索文字列がすべて含まれているとは、トリッシュにはとうてい信じられなかった。ところが、クリックして文書を開くと、それらの語がたしかに並んでいた……はっきりと、すぐ目につく形で。

キャサリンはプラズマ・スクリーンから目を離さずに歩いてきた。「この文書は……抜粋なの？」

トリッシュはうなずいた。「ようこそ、デジタル文書の世界へ」

すでに自動抜粋表示は、デジタル文書を提供する際の慣例となっている。サーバー側がユーザーに全文の検索を許してはいるものの、文書のごく一部――いわば予告編――しか公開しない場合に使われる手法で、検索されたキーワードとそのすぐ前後しか表示されない。サーバー側は、テキストの大部分を伏せることで著作権の侵害を避けうる一方、ユーザーの興味をそそるメッセージも発することができる。こちらにはお探しの情報がありますが、残りも見たければ料金をいただきます、というわけだ。

「見てのとおり」トリッシュは大半が伏せられたページをスクロールしながら言った。「ここにはあなたが書き出したキーワードが全部はいっています」

キャサリンは黙したまま抜粋をながめた。

トリッシュはキャサリンが目を通すまで少し待ってから、またスクロールしてページの先頭にもどった。キャサリンのキーワードはすべて太字で強調され、興味を引くための前後数語がいっしょに表示されている。

……と、それは**地下**の秘密の場

の経緯度がワシントンDCの
どこかを
……
へとつづく古の門を発掘した
……
どうやらピラミッドには危険な
……
に、この刻まれた
シンボロンを解読して

これが何についての文書なのか、トリッシュにはまったく見当がつかなかった。それに、〝シンボロン〟というのはいったいなんだろう？

意気ごんだキャサリンがプラズマ・スクリーンへと一歩迫った。「どこの文書なの？　書いたのはだれ？」

トリッシュはすでにそれを調べはじめていた。「ちょっと待ってくださいね。いま探ってますから」

「だれが書いたのかをなんとしても知りたいの」キャサリンは高ぶった声で言った。「ぜったいに全部読まなくちゃ」

「やってはいるんですが……」トリッシュはキャサリンの口調の激しさにたじろいで言った。

妙なことに、ファイルのある場所は通常のウェブアドレスではなく、数字だけのＩＰアドレスで示されていた。「このＩＰの正体を暴けなくて」トリッシュは言った。「ドメイン名が出てこないんです。あ、待って」端末ウィンドウを起動する。「経路追跡（トレースルート）をしてみます」

トリッシュは、制御室のコンピューターとこの文書の保存されているコンピューターとのあいだの各中継点（ホップ）にエコー要求をするコマンドを入力した。

「追跡開始」そう言ってコマンドを実行する。

トレースルートはきわめて敏速で、一瞬にしてネットワークデバイスの長いリストがプラズマ・スクリーンに現れた。トリッシュは順に目を通していった……下へ……下へ……いくつものルーターやスイッチを経由して……

ちょっと、これ、どういうこと？　文書の保存されたサーバーにたどり着く前に追跡が止まっていた。こちらのエコー要求は、どういうわけか、応答を返さずに呑みこんでしまうネットワークデバイ

スに突きあたっている。「トレースルートがブロックされたようです」そんなことってありうるの？

「もう一度試して」

トリッシュはあらためてトレースルートを実行したが、結果は同じだった。「だめですね。行き止まりです。この文書は追跡不可能なサーバーにあるんでしょう」トリッシュは行き止まりになる手前のいくつかのホップを確認した。「でも、DCの界隈にあるのはまちがいありませんよ」

「ほんとう？」

「驚くほどのことでもありません」トリッシュは言った。「このスパイダープログラムは地理的に螺旋を描いて外へ向かっていきますから、最初のほうの結果はかならず地元なんです。それに、検索文字列のひとつは〝ワシントンDC〟ですし」

「〝WHOIS〟検索はどう？」キャサリンが提案した。「あれならドメインの所有者がわかるんじゃない？」

高尚とは言いがたいが、悪くない思いつきだ。トリッシュは〝フーイズ〟のデータベースへ移動して、このわかりにくい数字の羅列が現実のドメイン名と一致することを願いつつ、問題のIPに関する情報を検索した。すでに苛立ちはおさまり、好奇心が頭をもたげている。さあ、文書の持ち主はだれ？　すぐさま〝フーイズ〟の結果が出て、一致なしと表示され、トリッシュは落胆して両手をあげた。「このIPアドレスは存在しないようですよ。なんの情報も見つかりません」

「ないはずがないわ。ついさっき、そのIPに保存されている文書が検索で出てきたじゃない！」

むろん、そうだ。しかし、文書の持ち主はどうしても身元を明かしたくないらしい。「お答えしようがありませんね。システム追跡は専門じゃないんで、わたしの手には負えません。ハッキング技術

のある人を呼びたいとおっしゃるなら話は別ですけど」

「だれか心あたりはある？」

トリッシュは振り向いて、上司の顔をまじまじと見た。「キャサリン、ただの冗談ですよ。名案とは思えません」

「でも、可能なんでしょう？」キャサリンは腕時計を見た。

「ええ、まあ……年じゅうおこなわれていますけどね。技術的にはむずかしくありませんから」

「知り合いはいる？」

「ハッカーのですか？」トリッシュはぎこちなく笑った。「前の職場にいた人の半分はそうでしたけど」

「信頼できる人は？」

まさか本気なの？　戯れ半分にはまったく見えなかった。「ええ、はい」トリッシュはあわてて答えた。「頼めそうな人をひとり知っています。前の職場のシステム・セキュリティの専門家で、筋金入りの大ベテランです。付き合ってくれってうるさくて、それには困りましたけど、性格はよくて信頼できます。フリーでも仕事を受けていますよ」

「極秘でやってくれるかしら？」

「相手はハッカーですよ。秘密ならお手のものでしょう。それが仕事なんですから。でも、簡単なことでも最低千ドルは――」

「その人に電話してちょうだい。早く結果が出たら報酬をその倍にすると伝えて」

トリッシュはどうも気が進まなかった。キャサリン・ソロモンがハッカーを雇うのを手伝うせいな

のか、それとも、小太りで赤毛のメタシステム分析者がデートの誘いをことわるなんて信じられないといまだに思っていそうな男に電話をするせいなのか、自分でもよくわからない。「ほんとうにいいんですか？」

「資料室の電話を使って」キャサリンが言った。「非通知でかけられるから。それと、わかってると思うけれど、わたしの名前は出さないでね」

「了解しました」トリッシュはドアへ向かいかけたが、キャサリンのｉＰｈｏｎｅの着信音が聞こえて立ち止まった。運がよければ、いま届いたテキストメッセージの内容しだいで、このいやな仕事から逃げることができるかもしれない。キャサリンが白衣のポケットからｉＰｈｏｎｅを取り出して画面を凝視するのを、トリッシュは見守った。


キャサリン・ソロモンは、ｉＰｈｏｎｅに表示された名前を目にして安堵がこみあげるのを感じた。

やっと来た。

ピーター・ソロモン

「兄からのテキストメッセージだわ」キャサリンはちらりとトリッシュを見やった。

トリッシュは期待のこもった表情を浮かべている。「まずはお兄さまに尋ねてみてはどうですか……ハッカーに連絡する前に」

プラズマ・スクリーンの不完全な文書に目を向けると、ドクター・アバドンの声が耳によみがえっ

た。〝ワシントンDCに隠されているとお兄さまがお考えのものですが……見つけられます〟。もはやキャサリンは何を信じればよいかわからなくなっていた。とはいえ、この文書はピーターが取り憑かれたらしいばかげた思いつきの正体を知る手がかりとなる。

キャサリンは首を横に振った。「やっぱり、どこのだれが書いたのかを知りたいわ。電話してちょうだい」

トリッシュは渋い顔でドアへ向かった。

ピーターがドクター・アバドンに打ち明けた話の謎をこの文書が解いてくれるかどうかはともかく、少なくともひとつの謎は解明された。自分がプレゼントしたiPhoneのテキストメッセージ機能を、兄がようやく使えるようになったのだから。

「それと、マスコミに伝えてね」キャサリンはトリッシュの背中に声をかけた。「たったいま、あの偉大なピーター・ソロモンがはじめてテキストメッセージを送るのに成功したって」

SMSCから道路を隔てた向かいにあるショッピング・モールの駐車場で、マラークはリムジンの脇に立って脚を伸ばしながら、かかってくる予定の電話を待っていた。雨はやみ、雲間から冬の月が顔をのぞかせはじめている。三か月前の秘儀参入において、テンプル会堂の天窓から自分を照らしていたのと同じ月だ。

今夜は世界が別のものに見える。

待っているあいだにまた腹が鳴った。二日間の断食は苦しかったが、準備のためには欠かせなかった。古の流儀とはそういうものだ。ほどなく、すべての肉体的な苦痛はとるに足りなくなる。

マラークは冷たい夜気に包まれながら、皮肉にも自分を小さな教会のすぐ前に立たせた運命のいたずらを笑わずにいられなかった。スターリング歯科と雑貨店のあいだにちっぽけな聖域がある。

〈主の栄光の家〉。

窓を見ると、教義が掲げられていた――〝わたしたちは、イエス・キリストが聖霊により宿り、処女マリアより生まれ、真の人にして神であることを信じます〟。

マラークは微笑んだ。そう、イエスはまぎれもなくその両方――人であり、神でもある。だが、処女降誕は神性を生じさせる上で不可欠なものではない。それは別の話だ。

携帯電話の着信音が夜気を切り裂き、脈が速まった。鳴っているのはマラーク自身のもの――きのう買った安物の使い捨て電話だ。発信者表示が、待ちわびていた電話だと告げている。

近距離電話か。マラークはぼんやり考えながら、シルバー・ヒル・ロードを隔てた向こうをながめた。薄暗い月明かりに照らされて、入り組んだ屋根の輪郭が木々の頂越しに見える。マラークは電話を開いた。

「ドクター・アバドンですが」声を低くして答える。

「キャサリンです」女の声が言った。「兄からやっと連絡がありました」

「それを聞いて安心しましたよ。お兄さまのご様子は？」

「いま研究所へ向かっているそうです」キャサリンが言った。「実は、あなたにも来ていただいたらどうかと兄が言うんですが」

「なんですって？」マラークはとまどいを装った。「そちらの……研究所へ？」

「あなたを深く信頼しているにちがいありません。研究所に人を招くなんて、けっしてなかったこと

ですから」

「わたしが居合わせるほうが話を進めやすいとお考えなのかもしれませんね。でも、お邪魔になるのでは？」

「兄がお迎えすると言うのですから、どうかいらっしゃってください。それに、兄はわたしとあなたの両方にあれこれ説明したいと言っていますし、わたしも事のいきさつを一から知りたいので」

「なるほど、わかりました。研究所はどこにあるのですか」

「スミソニアン博物館支援センターです。場所はおわかりになります？」

「いいえ」マラークは駐車場からその建物を見つめて言った。「実は、いま車に乗っていましてね。カーナビゲーションが使えます。所番地は？」

「シルバー・ヒル・ロード四二一〇番地です」

「わかりました。待ってください、いま入力します」マラークは十秒待ってから返事をした。「ああ、これはいい。どうやら思っていたよりも近くです。GPSによると、ここからほんの十分くらいのところらしい」

「まあ、よかった。守衛門に連絡して、いらっしゃることを伝えますね」

「ありがとうございます」

「では、のちほど」

マラークは使い捨て電話をポケットに入れ、SMSCへ視線を移した。自分で自分を招くのは失礼にあたるのか？　マラークは笑みをこぼしながら、ピーター・ソロモンのiPhoneを引っ張り出し、何分か前にキャサリンへ送ったテキストメッセージに見入った。

メッセージを聞いたよ。何も問題ない。忙しい日だった。ドクター・アバドンの予約はうっかり忘れていた。この件についてだまっていてすまない。あれこれと事情があってね。いま研究所に向かっている。できればドクター・アバドンにも同席してもらいたい。心から信頼できる人物だ。ふたりにいろいろ話したいことがある。——ピーター

そのとき、案の定、ソロモンのｉＰｈｏｎｅが鳴ってキャサリンからの返信が届いた。

ピーター、送信の成功、おめでとう! 無事でよかった。ドクター・Aと話したけど、研究所に来てくれるって。じゃあ、あとで! ——K

マラークはソロモンのｉＰｈｏｎｅをつかんで身をかがめ、リムジンの前輪と路面のあいだにはさんだ。この電話はよく働いてくれたが、そろそろ探知不能にすべきだ。マラークは運転席に乗りこむと、ギアを入れてゆっくりと車を前進させ、ｉＰｈｏｎｅの砕ける鋭い音を聞いた。

車をもとの位置へもどし、かなたに浮かぶＳＭＳＣの輪郭を見やった。あと十分。ピーター・ソロモンの広大な保管庫には三千万点を超える宝がおさまっているが、今夜自分が来たのは、最も貴重なふたつの宝を消し去るためだ。

キャサリン・ソロモンのすべての研究成果。

そして、キャサリン・ソロモン本人だ。

26

「ラングドン教授」サトウが言った。「幽霊でも見たような顔をしているが、だいじょうぶかい」

ラングドンはショルダーバッグを肩まで引きあげて、上に手を置いた。そんなことをしたところで、中の四角い包みを隠せるはずがない。顔が青ざめているのが自分でも感じられた。「その……ピーターのことが気がかりで」

サトウは首をかしげ、いぶかしげな目をラングドンに向けた。

不意に、今夜サトウが闖入(ちんにゅう)したのは、ソロモンから託されたこの小箱の包みのせいではないかという疑念が湧き起こった。ピーターは警告していた──悪の手に渡れば大変な脅威になる、力のある者たちが奪いたがっている、と。なぜＣＩＡが護符のはいった小箱などをほしがっているのか、ラングドンには想像もつかなかった。護符の正体さえわからない。〝混沌(オルド)から(・アブ・)秩序(カオ)〟だと？

サトウが探るような黒い瞳を光らせて歩み寄った。「何かひらめいたんじゃないか？」

こんどは汗が噴き出しているのを感じた。「いいえ、そういうわけでは」

「何を考えてる」

「ええ、ただ……」ことばが見つからず、ラングドンは口ごもった。包みがあることを明かす気はないが、このままＣＩＡへ連行されるとなると、途中でバッグを調べられるのはまちがいない。「実は……」ラングドンは出まかせを言った。「ピーターの手に彫られた数字について、別の考えがあります」

サトウの顔つきからは何も読みとれなかった。「ほう？」サトウはそう言って、ようやく着いた鑑

識班への対応からもどったばかりのアンダーソンにちらりと目を向けた。

ラングドンは唾を呑みこんで、床の手首の脇に身をかがめた。この場を切り抜けられそうな説明が頭に浮かぶだろうか。おまえは教師だぞ、ロバート――即興でどうにかしろ！　なんらかの妙案を思いつくことを祈りつつ、最後にもう一度、七つの記号の組み合わせに目を注いだ。

だめだ。さっぱりだ。
すぐれた直観像記憶を持つラングドンは、頭のなかの象徴百科事典を一巡したが、指摘できそうな点はひとつしか見つからなかった。それは、先刻から気づいていたものの、ありえまいと思っていたことだった。しかし、いまはとにかく考える時間を稼ぐほかない。
「そう」ラングドンは口を開いた。「象徴学者がシンボルや暗号を解読する場合、方向性の誤りに最初に気づくのは、複数の象徴言語を用いた解釈に頼らざるをえなくなったときです。たとえば、さっきはこれがローマ数字とアラビア数字の組み合わせだという話になりましたが、二種類の象徴言語を使うのは説得力がありませんね。ローマ数字とルーン文字の組み合わせだというのも同様です」

サトウは腕を組み、「つづけろ」とでも言いたげに眉を吊りあげた。

「一般に、コミュニケーションはひとつの言語でおこなわれ、複数の言語を同時に使うことはありません。したがって、象徴学者が字句を扱うとき最初におこなうのは、単一の言語体系で字句全体にあてはまるものを見つけ出すことです」

「で、その単一の体系がわかったと？」

「ええ、そうとも言えますし……ちがうとも言えます」点対称のアンビグラムを多く扱った経験から、ラングドンは複数の角度から見て意味をなす象徴があることを学んでいた。今回の場合、ひとつの言語で七つの記号すべてに意味を見いだす方法はたしかにある。「この手首を少し動かせば、ひとつの言語におさまります」不気味なことに、いまからする動作は、ピーターを拉致した男が引用したヘルメス文書の格言とぴったり符合していた――〝上のごとく、下もしかり〟。

寒気を覚えつつ、ラングドンは手を伸ばして、ピーターの手首が固定された木の台をつかんだ。ゆっくりと台をひっくり返し、伸ばされたピーターの指がまっすぐ下を示すようにする。とたんに手のひらの図柄が姿を変えた。

「この角度から見ると」ラングドンは言った。「X－I－I－Iは意味のあるローマ数字、13になります。そして、残りの文字もローマ字として読みとれます――〝SBB〟と」こんなことを言っても冷ややかに肩をすくめられるだけだと思っていたが、アンダーソンが表情を一変させた。

「SBBだと？」アンダーソンは大声で訊き返した。

サトウがアンダーソンに顔を向けた。「わたしの勘ちがいでなければ、この議事堂でよく見かける記号表示だと思うけど」

アンダーソンは青ざめていた。「そうです」

サトウはぞっとするような笑みを浮かべて、アンダーソンにうなずいた。「部長、ちょっと来て。ふたりだけで話したいんだ」

サトウ局長とアンダーソン部長が声の届かぬところにいるあいだ、ひとり残されたラングドンは当惑していた。いったいどうなってる？　それに、SBB－XIIIというのは？


アンダーソン部長は、いまや事態が異常の極に達したと思わずにはいられなかった。あの手首がSBB13と読めるだと？　部外者がSBBのことを……ましてやSBB13のことを聞き知っていたとは驚きだった。ピーター・ソロモンの人差し指は、見た目どおりに上を示しているのではなく……むしろ正反対の方向を示しているらしい。

サトウ局長に連れられて、トマス・ジェファーソンの銅像のそばの静かな一角まで行くと、局長が言った。「部長。SBB13の正確な場所を知ってるんだね」

「もちろんです」

「中に何があるかわかるのかい」

「いいえ、見てみないことには。もう何十年も使われていないはずです」

「とにかく、いまからあけてもらおう」

アンダーソンは、職場での行動を他人に指図されることに不快を覚えた。「局長、それはおそらく差し障りがあります。まずは割りあて表を確認しませんと。ご存じのとおり、下層階のほとんどは個人用の執務室や保管室です。警備規則によれば、立ち入りは――」

「ＳＢＢ13を解錠しなさい」サトウは言った。「あけないなら、ＣＩＡの保安局に連絡して、破城槌（はじょうつい）を持ったチームを派遣させる」

アンダーソンは長々とサトウを凝視していたが、やがて無線機を引っ張り出して口もとにあてた。

「アンダーソンだ。ＳＢＢの鍵をあけたいから、だれかよこしてくれ。五分後に現場で落ち合う」

応答の声は困惑しているようだった。「部長、ＳＢＢとおっしゃいましたか？」

「ああ。ＳＢＢだ。すぐにだれかを頼む。それと、懐中電灯が要る」アンダーソンは無線機をしまった。激しい鼓動を感じていると、サトウがさらに迫り、いっそう声を落として話しかけてきた。

「部長、時間がないんだよ」サトウはささやいた。「すみやかにＳＢＢ13へ連れていってくれないか」

「はい、局長」

「もうひとつ頼みたいことがある」

不法侵入だけじゃ足りないのか？　アンダーソンはサトウに抗議できる立場にはないが、〈ロタンダ〉にピーター・ソロモンの手首が置かれてからほんの数分で現れたことや、この機に乗じて連邦議

会議事堂の私用区域への立ち入りを要求していることを納得できずにいた。今夜のサトウは先手を打つのがあまりにも早く、まるで何が待ち受けているかを知っているかのようだ。

サトウは部屋の反対側にいる教授をしぐさで示した。「ラングドンの肩のバッグだけど」

アンダーソンはちらりと目を向けた。「あれが何か？」

「入館するとき、そちらの部下がX線検査をしたんだね」

「当然です。鞄のたぐいはすべて検査装置に通します」

「その画像を見たい。中に何があるかを知りたいんだ」

ラングドンが今晩ずっと肩にかけているバッグを、アンダーソンは見やった。「ですが……直接尋ねたほうが簡単では？」

「わたしの指示に何か不明な点でも？」

アンダーソンはふたたび無線機を引っ張り出し、その要請を部下に伝えた。サトウはアンダーソンにブラックベリーのアドレスを教え、X線画像が見つかりしだい、部下からEメールで送るよう求めた。アンダーソンはしぶしぶ承諾した。

切断された手首を回収していた鑑識班は、それを議事堂警察に引き渡す予定だったが、サトウはそこへ行って、CIA本部の自分のチームへ直接届けるよう命じた。アンダーソンはもはや抗う気力もなかった。日本製の小型蒸気ローラーに押しつぶされてしまった。

「それから、その指輪もよこして」サトウは鑑識班に声をかけた。

鑑識班の主任が異議を唱えかけたが、踏みとどまった。ピーターの手から金の指輪をはずして透明な採取袋に入れ、それを手渡す。サトウは上着のポケットに滑りこませ、それからラングドンへ顔を

向けた。

「出発だよ、教授。持ち物を忘れないように」

「どこへ行くんですか」ラングドンが尋ねた。

「ミスター・アンダーソンについていけばいい」

ああ、そうだ、とアンダーソンは胸の中で言った。ただし、見失うなよ。SBBは議事堂内の一区域だが、訪れる者はほとんどない。そこへ行くには、小さな執務室が並ぶ入り組んだ迷宮と、〈クリプト〉のさらに下に埋もれたせまい通路を抜けなくてはならない。エイブラハム・リンカーンの末息子タドは、そこで迷子になって死にかけたことがあった。アンダーソンは、サトウが思いどおりに事を運べば、ラングドンも似た運命をたどるのではないかと思いはじめていた。

27

システム・セキュリティ専門家のマーク・ズビアニスは、複数のことを同時に処理できるのをかねてから誇りにしていた。いまは柔らかいマットに腰を据え、テレビのリモコン、コードレス電話、ノートパソコン、携帯情報端末(PDA)、チーズスナックのはいった大きなボウルをそばに置いていた。一方の目を消音したレッドスキンズの試合に、もう一方の目をノートパソコンに向けながら、ブルートゥースで接続したヘッドセットで、一年以上音沙汰(おとさた)のなかった女と話しているところだった。

プレーオフの晩に電話してくるとは、さすがトリッシュ・ダンだよ。

元同僚のトリッシュは、人付き合いがますます下手になったらしく、よりによってレッドスキンズ

の試合中に頼み事をしてきた。軽く昔話をしてズビアニスのジョークを懐かしがったあと、トリッシュは本題にはいった。DC界隈にあるセキュアサーバーのものと思われる謎のIPアドレスの正体を突き止めようとしているらしい。サーバーには小さなテキスト文書があり、それを閲覧したい……あるいは、少なくともだれの文書なのかを知りたいという。

頼む相手はまちがっていないがタイミングが悪すぎる、とズビアニスは答えた。するとトリッシュはコンピューター愛好家を持ちあげる美辞麗句を並べ立て——ほとんどが事実だと思えたが——いつの間にかズビアニスは、得体の知れないIPアドレスをノートパソコンに入力させられていた。

その数列をひと目見たとたん、不安になった。「トリッシュ、このIPの形式はふつうじゃないぞ。まだ一般に公開されてさえいないプロトコルで書かれてる。たぶん、政府の諜報(ちょうほう)機関か軍だ」

「軍？」トリッシュが笑い声をあげた。「だいじょうぶ。ついさっき、このサーバーから抜粋文書を引き出したけど、どう見ても軍の話じゃなかったもの」

ズビアニスは端末ウィンドウを開いて、トレースルートを試した。「そっちのトレースルートは途切れたって言ったよな」

「そう、二度ともね。同じホップだった」

「こっちもだ」ズビアニスは診断用のプローブを呼び出して作動させた。「で、なんだってこのIPにそんなにご執心なんだ」

「デリゲーターでこのIPにある検索エンジンを動かして、抜粋文書をひとつ引っ張ってきたんだけど、その全文をどうしても読みたいの。お金を払ってもかまわない。IPの所有者もアクセスの方法もまったくわからなくて」

ズビアニスはモニターを見て眉をひそめた。「本気で知りたいのか？　いま診断を実行してるところだが、このファイアウォールのコーディングは……けっこうやばそうだぞ」

「だから報酬をはずむんじゃない」

ズビアニスは考えた。相手はこの簡単な仕事に大金を約束している。「ひとつ訊かせてくれ、トリッシュ。なんでそこまで入れこんでるんだ」

トリッシュはひと呼吸置いた。「友達に頼まれたのよ」

「さぞ特別な友達なんだろうな。男か」

「女よ」

ズビアニスは忍び笑いをして口を閉じた。はいはい、わかったよ。

「ねえ」トリッシュが苛立った口調で言った。「このIPの正体を突き止められる？　どうなの？」

「ああ、やれるよ。そう、それに、きみの言いなりになるのもわかってる」

「どのくらいかかりそう？」

「そうかからないさ」ズビアニスはキーを叩きながら言った。「十分ばかりあれば、向こうのネットワーク上のコンピューターにはいりこめるはずだ。様子がわかったら電話する」

「とっても助かる。ところで、元気にしてた？」

いまごろそんなことを訊くのか？「トリッシュ、頼むよ。プレーオフの晩に無茶な注文をして、そのうえ、長話をはじめようってのか？　おれにこのIPをハッキングしてもらいたいのか、どうなんだ」

「ありがとう、マーク。感謝してる。電話、待ってるから」

「十五分だ」ズビアニスは電話を切ると、チーズスナックのボウルをつかみ、試合の音量をあげた。

まったく、女ってやつは。

28

どこへ連れていこうというんだ？

ラングドンはアンダーソンとサトウとともに議事堂の地下深くへ進みながら、一段おりるごとに心拍が速まるのを感じていた。〈ロタンダ〉の西の柱廊玄関から出発して大理石の階段をくだった三人は、大きく折り返して広い戸口を抜け、〈ロタンダ〉の真下に位置する名高い空間に足を踏み入れた。

議事堂の地下聖堂――〈クリプト〉。

上の階より空気が重く、ラングドンはすでに閉所恐怖症を起こしかけていた。低い天井と間接照明のせいで、頭上にひろがる石床を支えるのに必要な四十本のドーリア式円柱がいかにも太く頑丈に見える。

落ち着け、ロバート。

「こちらです」アンダーソンはすばやく歩を進め、広い円形の空間を左へ曲がった。

ありがたいことに、この地下聖堂に遺体は眠っていない。あるのはいくつかの彫像と、議事堂の模型と、国葬で使う木製の棺台(ひつぎだい)がかつて保管されていた低い隙間だけだった。一行はそこも足早に通り過ぎ、その昔永久(とわ)の炎が燃えていた床の真ん中に、四つの頂点を持つ大理石の方位盤が横たわっているのには目もくれなかった。

アンダーソンは気ぜわしげで、サトウはまたしてもブラックベリーに没頭している。議事堂内で

日々交わされる政府関係の幾多の通話を支援するために、この建物では携帯電話の電波を増幅して隅々にまで行き渡らせている、とラングドンは聞いたことがある。

〈クリプト〉を斜めに横切った三人は、薄暗いロビーに出た。そこから、廊下や行き止まりが複雑に入り組むなかを曲がりながら進んでいく。雑然たる通路にはいくつもの戸口があり、それぞれに識別番号がついていた。右へ左へと蛇行しつつ、ラングドンはドアの番号を読んでいった。

S154……S153……S152……

これらのドアの奥に何があるのか見当もつかないが、少なくとも一点についてははっきりした。ピーター・ソロモンの手のひらに彫られた刺青の意味だ。SBB13というのは、連邦議会議事堂の地下のどこかにあるドアの番号を指しているらしい。

「ドアの向こうには何があるんですか」ラングドンはショルダーバッグを脇腹に引き寄せつつ尋ねた。ソロモンの小さな包みの中身は、SBB13と記されたドアとなんらかの関係があるのだろうか。

「執務室や保管室です」アンダーソンが言った。「個人用のね」そう付け加えて、サトウへ目をやる。

サトウはブラックベリーから顔をあげさえしない。

「ずいぶん小さいですね」ラングドンは言った。

「物置をよくした程度のものがほとんどですが、それでもワシントンで一、二を争う人気の不動産ですよ。ここは初期の議事堂の心臓部で、二階上に旧上院会議場があります」

「それで、SBB13というのは」ラングドンは尋ねた。「だれの執務室ですか」

「だれのでもありません。SBBは立入禁止の保管区で、わたしとしても、いったいなぜ――」

「アンダーソン部長」サトウがブラックベリーから顔をあげずにさえぎった。「話はいい。案内だけ

して」

　アンダーソンは口を固く閉じて黙々と先頭を歩きつづけ、種々の貸し倉庫が並ぶ壮大な迷宮を進んでいった。ほとんどすべての壁に、左右の両方向を指す矢印がついていて、この通路網のどこにめざす区画があるのかを教えているのを、ラングドンは見てとった。

　Ｓ142からＳ152……

　ＳＴ1からＳＴ70……

　Ｈ1からＨ166と、ＨＴ1からＨＴ67……

　自分ひとりでここから抜け出す道を見つけるのはまず無理だろう。ここは迷路以外の何物でもない。部屋番号の頭につくＳとＨが、建物の上院(セネット)側にあるか、下院(ハウス)側にあるかを表していることだけはわかった。ＳＴやＨＴの表示がある区域は、アンダーソンが〝テラス階〟と呼ぶ場所にあるらしい。

　だが、まだＳＢＢが現れる気配はない。

　やがて三人は、カードキーを差す箱のついた重厚な鉄の防護ドアの前にたどり着いた。

ＳＢ

　ラングドンは目的地が近いのを感じた。

　アンダーソンがカードキーに手を伸ばしたが、サトウの指示を受け入れがたいらしく、そこでためらった。

「部長」サトウが促した。「夜通し、こうしてるわけにはいかないんだよ」

アンダーソンは気重げにカードキーを差した。鉄扉が解錠される。アンダーソンが押しあけ、三人は奥のロビーへ踏み入った。背後で重厚なドアが閉じる音がする。

ここで何を目にするのか、ラングドンは確たる予想をしていたわけではないが、いま見える光景でないことだけはたしかだった。下へ向かう階段が眼前にある。「まだ下へ?」立ち止まって言った。「〈クリプト〉よりも下の階があるんですか」

「そうです」アンダーソンが言った。「SBは〝上院側地下(セネット・ベースメント)〟の略称です」

ラングドンはうなった。上等だよ。

29

SMSCの木深い通用路を近づいてくるヘッドライトが、この一時間ではじめての来訪者の登場を告げていた。守衛はやむなくポータブルテレビの音量をさげ、スナック菓子をカウンターの下に隠した。なんとも間が悪い。ちょうどレッドスキンズが先制攻撃を成功させようとしているところで、見逃したくなかった。

車が近づいてきて、守衛は手もとのメモ帳にある名前を確認した。

ドクター・クリストファー・アバドン。

ついさっきキャサリン・ソロモンが警備部門に電話をかけてきて、この来訪者がまもなく着くと伝えたところだった。この医師が何者かは知らないが、ずいぶん腕が立つらしい。黒のストレッチ・リムジンでご到着なのだから。長くつややかな車が守衛所の脇にゆっくりと止まり、運転席の色つきの

ウィンドウが音もなくおりた。

「こんばんは」運転手が制帽を少し掲げて挨拶した。頭を剃りあげた、がっしりした体格の男だ。ラジオでフットボールの試合を聞いている。「ドクター・クリストファー・アバドンをお連れしています。ミズ・キャサリン・ソロモンとお約束があるそうで」

守衛はうなずいた。「身分証をご呈示ください」

運転手は驚いたようだった。「すみません、ミズ・ソロモンが事前にご連絡くださったのでは？」

守衛はうなずきながら、テレビにちらりと目をやった。「ええ、それでも来訪者の身分証をスキャナーで読みとって記録を残さなくてはいけないんです。申しわけありませんが、規則なので。ドクターの身分証を拝見できますか」

「もちろんです」運転手はすわったまま後ろを向き、遮音ガラスの仕切り越しに小声で何やら言った。その隙に、守衛はまた試合へ視線を走らせた。レッドスキンズがハドルを解きかけている。つぎのプレーの前にこのリムジンを通してしまいたいものだが。

運転手は前へ向きなおり、たったいま仕切り越しに預かったらしい身分証を差し出した。

守衛はそれを受けとって、すばやく装置にかけた。ワシントンDCの運転免許証に、カロラマ・ハイツ在住のクリストファー・アバドンと記されている。青いブレザーにネクタイをして、胸に絹のポケットチーフを入れた金髪のハンサムな紳士の写真。いったいどこのどいつが、ポケットチーフなんか身につけて自動車局へ出向くんだ？

テレビからくぐもった歓声が聞こえ、守衛が振り向くと、レッドスキンズの選手が天を指さしてエンドゾーンで踊っているのが見えた。「見逃しちまったか」守衛はぼやきながら窓へ向きなおった。

「ありがとうございます」運転手に免許証を返して言った。「手続きはすみました」

リムジンが通り過ぎると同時に、守衛はリプレイが流れることを祈りつつテレビへ目をもどした。

曲がりくねった通用路でリムジンを走らせながら、マラークは頬がゆるむのを抑えられなかった。ピーター・ソロモンの秘密の博物館を突破するのはたやすいものだった。さらに愉快なことに、マラークがソロモンの私的な空間に侵入するのは、この二十四時間で二度目になる。ゆうべも同じようにしてソロモンの自宅を訪ねていた。

ピーター・ソロモンはワシントンDC郊外のポトマックに壮麗な屋敷を持っているが、多くの時間を市内にある〈ドーチェスター・アームズ〉の高級ペントハウスで過ごしていた。大富豪向けのたいがいの物件と同じく、その建物も要塞そのものだ。高い壁。守衛門。来訪者名簿。警備つき地下駐車場。

昨夜マラークは、まさにこのリムジンでこの守衛所に乗りつけ、剃りあげた頭から運転手の制帽を少し掲げて、朗々たる声で伝えた。「ドクター・クリストファー・アバドンをお連れしました。ミスター・ピーター・ソロモンからご招待を受けています」ヨーク公の到着を告げるような口調で言った。

守衛は記録を調べ、アバドンの身分証を確認した。「ええ、たしかにお待ちですね」ボタンを押して門を開いた。「ミスター・ソロモンはペントハウスにお住まいです。右端のエレベーターをお使いくださるよう、お客さまにお伝えください。最上階まで直通です」

「ありがとう」マラークは制帽のつばに軽く手をふれて車を進めた。

蛇行しつつ駐車場の奥まで行き、防犯カメラがないかを入念に調べた。ひとつもない。どうやらこの住人は、車上荒らしをする手合いでも、監視されるのをありがたがる手合いでもないらしい。

マラークはエレベーター付近の暗い一隅に車を停めて、客席とのあいだの仕切りをさげ、その上をすり抜けてリムジンの後部へ移動した。客席に移ると、すぐに制帽を脱ぎ、金髪のかつらをかぶった。上着とネクタイを整え、鏡を見て、化粧が落ちていないかをたしかめる。どんな危険も冒す気はなかった。特に今夜は。

どれほどこの機会を待ちわびたことか。

数秒後、マラークは最上階専用エレベーターに乗りこんだ。エレベーターは音もなく軽やかにのぼっていく。ドアがあくとそこは瀟洒（しょうしゃ）なロビーで、早々と主人が出迎えていた。

「ドクター・アバドン、ようこそいらっしゃいました」

広く知られた灰色の瞳（ひとみ）を見つめながら、マラークは胸の高鳴りを覚えた。「ミスター・ソロモン。お会いくださってありがとうございます」

「ピーターと呼んでください」ふたりは握手を交わした。マラークはソロモンの手を握りながら、その手にはめられたフリーメイソンの金の指輪を見た。この手がかつて自分に銃を向けたのだ。遠い過去からささやき声が聞こえてきた——〝引き金を引いたら、おまえを永遠に呪ってやる〟。

「中へどうぞ」ソロモンは優雅な居間へといざなった。居間の巨大な窓から、ワシントンＤＣの高層建築群のすばらしい輪郭が一望できる。

「紅茶を蒸らす香りがしますね」マラークは居間の手前で言った。

ソロモンは感じ入ったようだった。「両親がいつもお客さまをお茶でもてなしていましてね。それを受け継ぎました」ソロモンはマラークを中へ導いた。居間の暖炉の前には茶を淹（い）れる道具が一式用意されている。「ミルクと砂糖は？」

「要りません」

ソロモンはまたしても感じ入ったようだった。「純粋主義者ですね」ふたりぶんのカップに紅茶を注ぐ。「話し合いたいことがあるとおっしゃいましたね。慎重を要する問題で、内密でないと話せない事柄だとか」

「ありがとうございます。お時間を割いてくださって感謝しております」

「わたしたちはすでにフリーメイソンの兄弟ですよ。強い絆(きずな)で結ばれているこのわたしにできることがあれば、言ってください」

「まずは、数か月前に、第三十三位階の栄誉をお与えくださったことにお礼を申しあげます。自分にとっては実に意義深いことでした」

「それは何よりです。ただ、わたしひとりの決断ではないことはどうぞお忘れなく。最高会議の投票で決まるのですから」

「もちろんです」おそらくピーター・ソロモンは反対票を投じたであろう、とマラークは想像したが、あらゆる物事と同じく、フリーメイソンにおいても金が物を言う。マラークは自分のロッジで三十二位階に昇格したわずか一か月後に、フリーメイソンのグランド・ロッジの名義で慈善事業に数百万ドルの寄付をした。この無私無欲の行動ゆえに、目論見(もくろみ)どおり、マラークは最高の第三十三位階に早々に招かれることになった。とはいえ、まだなんの秘密も教わっていない。

〝すべては第三十三位階で明らかにされる〟と昔からささやかれているにもかかわらず、マラークは自分の探求に役立ちそうな新たな秘密を何ひとつ聞かされていなかった。もっとも、そんなことは端(はな)から期待していない。フリーメイソンの輪のなかには、さらに小さな輪が幾重にも存在する。自分の

秘儀参入は目的を果たした。〈テンプルの間〉でかつて類のないことが起こり、マラークはあの場にいた全員をしのぐ力を手に入れた。もうおまえたちの流儀には従うものか。

「お気づきでしょうか」マラークは紅茶をひと口飲んで言った。「わたしたちは何年も前に顔を合わせているんですよ」

ソロモンは驚いた顔をした。「ほんとうですか？　気づきませんでした」

「ずいぶん昔のことですからね」それに、自分の本名はクリストファー・アバドンではない。

「申しわけない。頭が老いてきた証拠ですね。どういう知り合いだったのか、教えてください」

マラークはこの世のだれよりも憎む男にもう一度だけ微笑みかけた。「覚えていらっしゃらないとは残念だ」

流れるような動作でポケットから小さな装置を出し、前へ突き出して相手の胸に強く押しつけた。青い閃光(せんこう)とともにスタンガンの鋭い放電音が発せられ、百万ボルトの電流がピーター・ソロモンの体を駆け抜けた。苦痛に息を呑(の)む声がする。ソロモンの目は大きく見開かれ、体は椅子のなかで動きを失った。マラークは立ちあがって相手を見おろし、傷ついた獲物の前で垂涎(すいぜん)するライオンの気分を味わった。

ソロモンは息苦しそうにあえいでいる。

獲物の目に恐怖が浮かぶのを見たマラークは、偉大なるピーター・ソロモンが縮みあがる姿を目にした者がこれまでに何人いたのかと夢想した。この光景をあと数秒堪能(たんのう)することにし、紅茶を飲みながら、相手の息が整うのを待った。

ソロモンは身を震わせながら、どうにか口を開いた。「な……なぜ？」ようやくことばが漏れた。

「なぜだと思う？」マラークは問いかけた。

ソロモンは心底とまどっているようだった。「ほしいのは……金か？」

金だと？　マラークは笑い声をあげ、紅茶をもうひと口飲んだ。「フリーメイソンには何百万ドルもくれてやった。金になど用はない」英知を求めてきたというのに、こいつは金を差し出すのか。

「では何が……望みだ」

「おまえは秘密を隠している。今夜はそれを明かしてもらおう」

ソロモンは懸命に顔をあげ、マラークの目を見ようとした。「なんの……ことだ」

「嘘はたくさんだ！」マラークは怒鳴りつけ、体の動かぬ相手の鼻先に迫った。「このワシントンに何が隠されているかは知っている」

ソロモンの灰色の瞳は光を失わなかった。「なんの話かさっぱりだ」

マラークはもう一度紅茶に口をつけてから、カップをコースターに置いた。「十年前にも似たことを言ったな。おまえの母親が死んだ夜だ」

ソロモンは大きく目を瞠(みは)った。「きさま……」

「母親は死なずにすんだはずだ。要求したものをおまえが渡してさえいれば……」

記憶がよみがえったらしく、ソロモンの顔は恐怖と驚きでゆがんだ。

「忠告したはずだ」マラークは言った。「引き金を引いたら、おまえを永遠に呪ってやるとな」

「しかし、あのとき――」

マラークは腕を伸ばし、もう一度ソロモンの胸にスタンガンを押しあてた。ふたたび青い閃光が散り、ソロモンはぐったりと力を失った。

マラークはスタンガンをポケットにもどし、平然と紅茶を飲みほした。飲み終えると、モノグラムの刺繍(ししゅう)されたリネンのナプキンで口を拭(ふ)き、獲物を見おろした。「さあ、出発だ」

ソロモンの体は動かなかったが、目は見開かれ、爛々(らんらん)としていた。

マラークは身をかがめ、相手の耳にささやいた。「いまから行く場所では真実のみが許される」

マラークはそれ以上ひとことも発さず、モノグラムのナプキンをまるめてソロモンの口に押しこんだ。それから、ぐったりした男を広い肩にかつぎあげ、専用エレベーターへ向かった。出ていく途中、玄関ホールのテーブルからソロモンのｉＰｈｏｎｅと鍵束(かぎたば)をつかみとった。

今夜、おまえはすべてを打ち明けることになる、とマラークは胸のなかで言った。その昔、おれを殺そうとした理由もな。

30

ＳＢ。

上院側地下(セネット・ベースメント)か。

階段を足早に一歩おりるごとに、閉所への恐怖がロバート・ラングドンを強烈に締めつけた。建物の土台へ近づくにつれて空気が重くなり、換気などされていないように感じられた。このあたりの壁は、石と黄色の煉瓦(れんが)が不規則に組み合わさってできている。

サトウ局長は歩きながらブラックベリーに何やら打ちこんでいる。その棘々(とげとげ)しい態度から、ラングドンは自分が疑われているのを察していたが、いまや逆の疑念が芽生えつつあった。自分が今夜ここ

にいることをどうやって知ったのか、サトウはいまだに明かしていない。国家の安全保障にかかわる問題だって？　古の神秘と国家の安全保障になんの関係があるのか、ラングドンはまったく見いだせなかった。そもそも、いまの状況自体が理解しがたかった。

ピーター・ソロモンが自分に護符を託し……妄想に取り憑かれた異常者が自分をだましてその護符を議事堂に持ってこさせ……それを用いて神秘の門を解き放てと要求し……その門がおそらくSBB13と呼ばれる部屋にある。

どうもよくわからない。

ラングドンは歩を進めながら、刺青で神秘の手に変えられたピーターの手首の残像を脳裏から消し去ろうとつとめた。むごたらしい絵図にピーターの声が重なる――〝古の神秘が生んだ話の多くは作り事だよ、ロバート……だからといって、古の神秘そのものが虚構とはかぎらない〟。

謎めいた象徴や歴史をふだんから研究しているにもかかわらず、ラングドンは古の神秘や、神への変身の確約についてどう解釈すべきか、絶えず葛藤を覚えてきた。

歴史上の文献には、古代エジプトの神秘学派から生じたらしい秘密の英知が時代を越えて継承されてきたことを示す明白な証拠が残されている。この知識は一度地下にもぐり、ルネッサンス期のヨーロッパでふたたび姿を現した。おおかたの説によれば、それは〝見えざる大学〟という謎めいた通称を持つヨーロッパ随一の科学の頭脳集団――ロンドン王立協会――に属する一部の科学者に委ねられたという。

ほどなく、この隠された〝大学〟は、世界のとびきり優秀な頭脳を――アイザック・ニュートン、フランシス・ベーコン、ロバート・ボイル、さらにはベンジャミン・フランクリンの頭脳までも――

集めた専門家集団になった。現代の〝同志〟の名簿もけっして見劣りしない——アインシュタイン、ホーキング、ボーアといった面々だ。こうした偉大な科学者たちは、いずれも人類の知性を目覚ましく前進させたが、このような進歩がもたらされたのは、〝見えざる大学〟の秘蔵する古の英知に彼らがふれたことがきっかけだと主張する者もいる。ラングドンはそれが事実だとは考えていないが、そこで異常なほど多くの〝神秘的な成果〟があげられてきたのもたしかだった。

一九三六年に発見されたアイザック・ニュートンの秘密の文書は、ニュートンが古代の錬金術と神秘の英知の研究に激しい情熱を注いでいたことをつまびらかにして、全世界に衝撃を与えた。そこにはロバート・ボイルに宛てた肉筆の手紙も含まれており、内容は、自分たちが知りえた神秘の知識について〝高度の沈黙〟を守るよう促すものだった。〝これを広めれば、世界に甚大なる被害を及ぼさずにはいられない〟とニュートンは述べている。

この異様な警告の意味は、今日でも議論されている。

「教授」サトウが唐突にブラックベリーから顔をあげて言った。「なぜ自分が今夜ここにいるのかわからないということだけど、ピーター・ソロモンの指輪の意味を説明するぐらいはできるんじゃないか」

「やってみましょう」ラングドンはわれに返って言った。

サトウは採取袋を出して、ラングドンに手渡した。「じゃあ、指輪の絵柄について説明して」

ラングドンは閑散とした通路を歩きながら、見覚えのある指輪を観察した。台座に彫られているのは〝混沌から秩序(オルド・アブ・カオ)〟と記された旗をつかむ双頭の不死鳥で、その胸には数字の33があしらわれている。

「数字の33をつけた双頭の不死鳥は、フリーメイソンの最高位を表す紋章です」厳密に言えば、この栄えある位階は、上位儀礼であるスコティッシュ・ライトだけに存在する。とはいえ、フリーメイソ

ンの儀礼や位階はあまりにも複雑で、それをここでサトウにくわしく語る気はなかった。「つまるところ、第三十三位階は、卓越したフリーメイソンのひと握りの人間にのみ与えられる名誉位階です。ほかの位階はひとつ前の位階を首尾よくまっとうすれば手にはいりますが、第三十三位階への昇格は制限されています。勧誘されるのを待つしかありません」

「では、ピーター・ソロモンがその選ばれた中枢に属することを、あなたは知っていたと？」

「もちろんです。会員であることは秘密でもなんでもありませんから」

「で、ピーター・ソロモンは最高幹部なのかい」

「ええ、現在はそうですね。ピーターは、アメリカのスコティッシュ・ライトの理事会である第三十三位階最高会議の議長です」スコティッシュ・ライトの本部――テンプル会堂――を訪ねるのは、いつもの楽しみだった。これは古典様式の傑作で、象徴で満たされた装飾はスコットランドのロスリン礼拝堂に匹敵する。

「教授、輪の部分に字が彫られているのが見えるね。〝すべては第三十三位階で明らかにされる〟と読める」

ラングドンはうなずいた。「フリーメイソンの伝承でよく扱われる主題ですね」

「それはつまり、最高の第三十三位階までのぼり詰めたフリーメイソンには、何か特別なことが知らされるということ？」

「ええ、伝承ではそうですが、おそらく現実はちがうでしょうね。いつの時代にも、フリーメイソンの最高階級の選ばれし少数だけに大いなる秘密がひそかに知らされるという、陰謀論めいた憶測がありました。真実はそれほど劇的ではないと思いますよ」

　ピーター・ソロモンはよく冗談で、フリーメイソンに貴重な秘密が存在することをほのめかしたが、ラングドンは、自分をその気にさせてさりげなく仲間に誘う単なる戯れと見なしてきた。しかし悪いことに、今夜の出来事は冗談でもなんでもない。また、いまショルダーバッグのなかにある包みの保管をラングドンに頼みこんだときのピーターの態度にも、ふざけたところは微塵もなかった。

　ピーターの金の指輪がはいったビニール袋を、ラングドンは暗澹たる思いでながめた。「局長」サトウに尋ねる。「これはわたしが持っていてもかまいませんか」

　サトウが顔を向けた。「なぜ？」

「ピーターにとってかけがえのないものなので、今夜自分の手で渡したいんです」

　サトウは疑わしげだった。「その機会があることを祈ろう」

「ありがとうございます」ラングドンは指輪をポケットにしまった。

「まだ訊きたいことがある」迷宮の奥深くへ急ぎながら、サトウが言った。「部下の話では、〝第三十三位階〟や〝門〟という語をフリーメイソンとの関連で調べると、ピラミッドについて言及したものが文字どおり何百と出てくるというんだが」

「それも不思議なことじゃありませんよ」ラングドンは言った。「エジプトのピラミッド労働者は現代の石工の先駆けですし、ピラミッドをはじめ、エジプトの題材はフリーメイソンの象徴表現では非常によく見られます」

「何を象徴してるんだい」

「元来、ピラミッドは啓示の象徴です。古代の人々が地上界から解き放たれ、天へと、黄金の太陽へと、そしてついには啓示の究極の源へとのぼっていく力を象徴した建築物ですよ」

サトウは少し待ってから言った。「それだけ？」

それだけかって？　ラングドンはたったいま、歴史上最も優美な象徴のひとつについて、決定的な説明をしたはずだった。人がおのれを向上させ、神の域へと飛躍するための建物だ、と。

「部下によると」サトウは言った。「今夜の件はそれとは別のこととのつながりがずっと強いらしい。このワシントンにある特定のピラミッドに関して有名な伝説がある――それも、フリーメイソンと古の神秘に縁のあるピラミッドだというんだが」

サトウがなんの話をしているのかに気づいたラングドンは、これ以上の時間の無駄を避けるべく、その説を強く否定した。「その伝説はわたしも知っていますが、完全な作り話ですよ。フリーメイソンのピラミッドの伝説は、ワシントンＤＣで最も長く語り継がれているもののひとつで、おそらく合衆国国璽のピラミッドがその発端です」

「なぜいままでだまっていたんだ」

ラングドンは肩をすくめた。「なんの根拠もないからです。いま言ったように、作り事にすぎません。フリーメイソンにまつわる多くの伝承のひとつですよ」

「しかし、その伝承は古の神秘と直接結びつくんじゃないのかい」

「そういう伝承ならいくらでもありますよ。古の神秘は、歴史を越えて生き残った無数の伝説のもとになっていますから。テンプル騎士団、薔薇十字団、イルミナティ、アルンブラドス派――例をあげればきりがありませんが、こうした秘密の守護者によって守られた強力な英知についての伝説は、どれもみな古の神秘を基盤にしています……フリーメイソンのピラミッドはその一例にすぎません」

「なるほど」サトウが言った。「で、その伝説は実のところ、なんと伝えているんだ」

ラングドンは二、三歩歩きながら考え、それから答えた。「わたしは陰謀論の専門家ではありませんが、神話学を学んではいます。そこでは、おおむねこんなふうに説明されます。古の神秘——つまり、失われた古来の英知は、長きにわたって人類の最も神聖な宝とされ、世の至宝の常として、注意深く庇護されてきました。この英知の真の力を理解した賢者たちは、その恐るべき潜在力を畏怖するようになります。この知識がしかるべき心得のない者の手に落ちれば、破滅的な結果を招きかねません。強力な道具は諸刃の剣になりえますからね。そこで、古の神秘を守り、ひいては人類全体を守るために、初期の賢者たちは秘密の友愛会を作りました。その友愛組織のなかで、しかるべき手ほどきを受けた者のみが英知を共有し、賢者から賢者へと伝承したわけです。歴史を振り返ればこの神秘を究めた人々の名残が見つかると、いまもおおぜいが信じています……魔法使いや魔術師や祈禱師の物語のなかに」

「で、フリーメイソンのピラミッドは？」サトウが尋ねた。「そこにどうかかわるって？」

「そうですね」ラングドンは遅れないように歩を速めて言った。「そのあたりで歴史と神話が混ざりはじめます。一説によると、ヨーロッパでは十六世紀までにこうした秘密の友愛組織のほとんどが消滅したそうですが、この大半は激化した宗教的迫害によるものです。フリーメイソンは、古の神秘を守り伝える最後の生き残りとなったと言われています。いつの日か自分たちが先達と同じように死に絶えたら、古の神秘は永遠に失われてしまうとフリーメイソンが恐れたのも無理はありません」

「ピラミッドは？」サトウがもう一度促した。

ラングドンはその話に差しかかるところだった。「フリーメイソンのピラミッドの伝説は実に単純です。それによると、フリーメイソンは未来の世代へ向けてこの大いなる英知を守り伝える責任を果

たすため、大要塞に隠すことに決めたとされます」伝説に関する記憶を懸命に掻き集めて言う。「あえて言いますが、これもすべて神話のたぐいですよ。しかし、伝えられるところでは、フリーメイソンは秘密の英知を旧世界から新世界、つまりこのアメリカに移したといいます。この地が宗教的圧制から自由でありつづけると期待したからですね。そして、難攻不落の要塞――隠されたピラミッド――を造りました。この英知が伝える恐るべき力を全人類が使いこなせる日が訪れるまで、そうやって古の神秘を守ろうとしたんです。言い伝えによれば、フリーメイソンは大いなるピラミッドにおさめられた貴重な宝の象徴として、光り輝く純金の冠石をピラミッドの上に載せました。貴重な宝とは、人間の能力を最大限まで引き出す――すなわち、神格化をもたらす――古の英知です」

「たいした物語だな」サトウは言った。

「そうですね。フリーメイソンはありとあらゆる途方もない伝説の犠牲者です」

「そんなピラミッドがあるとは自分でも信じていないようじゃないか」

「もちろん信じていませんよ」ラングドンは答えた。「建国当時のフリーメイソンが、どんな種類にせよ、ピラミッドを建造したと示す証拠は見あたりませんし、ましてワシントンDCではありえません。隠されたピラミッドと言っても、失われた古来の英知をすべておさめた規模のものを隠すのは至難の業でしょう」

ラングドンの記憶では、伝説はフリーメイソンのピラミッドが何をおさめているかを――古代の文書なのか、オカルトの書物なのか、科学上の発見なのか、あるいはそれよりはるかに謎めいた何かなのかを――くわしくは説明していないが、そこに秘められた貴重な情報が巧みに暗号化され、最も知慮のある者だけが理解できると伝えているのはたしかだった。

「いずれにせよ」ラングドンは言った。「この物語は、われわれ象徴学者が〝原型融合型〟と呼ぶ部類にはいります。ほかの古典的な伝説を混ぜ合わせ、有名な神話から多くの要素を借りているんですから、まちがいなく作り物です。けっして史実ではありません」

学生に原型融合について教えるとき、ラングドンはおとぎ話を例にあげる。おとぎ話は何世代にもわたって語り継がれ、時を経るうちに誇張され、互いにいくつもの要素を貸し借りし合ったため、どれも同じ類型的要素——純潔な乙女、ハンサムな王子、難攻不落の要塞、大きな力を持つ魔法使い——が登場する均質化された教訓物語になった。おとぎ話を通じて、この〝善〟対〝悪〟の原始の戦いが子供時代にわれわれの心に植えつけられる。マーリンと妖姫(ようき)モルガン、聖ジョージと龍、ダヴィデとゴリアテ、白雪姫と魔女、さらにはルーク・スカイウォーカーとダース・ベイダーの戦いもそうだ。

アンダーソンにつづいて角を曲がり、短い階段をおりながら、サトウは頭を掻いて言った。「ひとつ訊きたいんだよ。わたしの勘ちがいでなければ、ピラミッドはかつて神秘の門とされ、死んだファラオがそこから神のもとへのぼっていたはずだが？」

「そのとおりです」

サトウは突然立ち止まるや、ラングドンの腕をつかみ、驚きと不信の半ばする顔でにらみつけた。「それなのに、ピーター・ソロモンを監禁した男が秘密の門を見つけろと言ったとき、伝説に出てくるフリーメイソンのピラミッドの話だとは思いもしなかったというのかい」

「どんな名で呼んだとしても、フリーメイソンのピラミッドはおとぎ話ですよ。まったくの空想です」

サトウは一歩踏み出し、煙草くさい息がラングドンの鼻を突いた。「教授、あなたの考えはわかったけど、捜査を進めるうえで、このつながりは無視できないね。秘密の知識へ通じる門だろう？　わ

たしの耳には、あなただけが解き放てるとその男が言い張っている門は、まさにそれのことだとしか聞こえないよ」

「でも、わたしにはとても信じられ――」

「そんなことはどうだっていい。あなたが何を信じるかはともかく、その男はおそらくフリーメイソンのピラミッドが実在すると信じている。それを認めたらどうなんだい」

「そいつは異常者ですよ！　ひょっとしたら、ＳＢＢ13が、失われた古来の英知をすべておさめた巨大な地下ピラミッドへの入口だとさえ信じているかもしれない！」

サトウが完全に足を止めた。目は怒りで燃えている。「今夜ぶつかった危機はおとぎ話じゃないんだよ、教授。まぎれもない現実だ」

ふたりのあいだに冷たい沈黙が流れた。

「局長」アンダーソンが口を開き、十フィート先の別の防護ドアを指した。「もうまもなくですが、どうなさいますか」

サトウはようやくラングドンから視線をそらし、そのまま進むようアンダーソンに合図をした。

ふたりはアンダーソンにつづいて防護ドアを抜け、せまい通路へ出た。ラングドンは左右を見まわした。おい、冗談だろう？

これまでに見たこともないような長い廊下がそこにあった。

31

トリッシュ・ダンは、〈キューブ〉の明るい光のもとから真っ暗闇の虚空へと足を踏み出しながら、いつものようにアドレナリンが湧きあがるのを感じた。いましがたSMSCの正面ゲートから、キャサリンの客のドクター・アバドンが来館したので〈ポッド5〉まで案内されたし、と連絡があった。あらかた好奇心から、トリッシュはその役を買って出た。これから迎えるその客についてキャサリンが多くを語らなかったので、トリッシュは興味津々だった。なんでも、ピーター・ソロモンが厚い信頼を寄せている人物らしい。ソロモン兄妹が〈キューブ〉へ部外者を招き入れたことは一度もなかった。今回がはじめてだ。

うまく案内できるといいけど、と思いつつ、トリッシュは冷たい闇のなかを進んだ。研究所へ向かう経路のせいでキャサリンのVIPを怯（おび）えさせるのだけは避けたかった。だれにとっても、あの初体験ほどこわいものはない。

トリッシュがそれをはじめて体験したのは一年ほど前のことだ。仕事の申し出を受け入れ、非開示の契約書に署名したのち、キャサリンに連れられてSMSCの研究所を見にきた。ふたりは〝大通り〟を端から端まで歩き、〈ポッド5〉と記された金属のドアの前に着いた。研究所が隔離された場所にあることはキャサリンから事前に聞かされていたが、ドアが開いたとき目に飛びこんできたのは、まったく予想もしていないものだった。

何もない空間。

キャサリンは敷居をまたぎ越し、漆黒の闇を数フィート進んでから、トリッシュを手でいざなった。

「だいじょうぶ。迷子にはならないから」

トリッシュはスタジアムほどもある真っ暗な虚空をさまよう自分の姿を想像し、それだけで汗ばむ

のを感じた。

「進路を知らせる誘導システムがあるの」キャサリンは床を指さした。「とんでもなく原始的だけど」

トリッシュは目を細めて粗いコンクリートの床を見た。暗すぎて見分けるのにしばらくかかったが、細長いカーペットが一直線に敷かれていた。道路のように伸びて、闇のなかへと消えている。

「足で見るのよ」キャサリンは言い、前を向いて歩きだした。「あとをついてきて」

キャサリンの姿が闇に呑まれ、トリッシュは恐怖を噛み殺してあとを追った。こんなの、正気じゃない！　カーペットの上を何歩も進まないうちに、〈ポッド5〉のドアが背後で閉まり、かすかな光の名残さえも消し去った。脈が激しく打つのを感じながら、トリッシュは足もとのカーペットの感触に全神経を集中させた。勇を鼓して柔毛の上を数歩だけ進んだところで、右足の外側が硬いコンクリートにあたった。驚きのあまり、考える間もなく左へ方向を修正し、両足を柔らかいカーペットの上にもどす。

前方の闇でキャサリンの声がしたが、ことばはすぐさま無音の奈落に呑みこまれていく。「人間の体ってすごいわね」キャサリンは言った。「感覚入力をひとつ奪われたら、瞬時にしてほかの感覚がそれを補うんだもの。いま、あなたの足はまさに、もっと鋭敏になろうと感度を調整しているのよ」

それは何よりね、とトリッシュは思い、ふたたび進路を正した。

あまりにも長く感じられる時間、ふたりは無言のまま歩いた。「まだだいぶ遠いんですか？」トリッシュはとうとう尋ねた。

「あと半分ぐらいよ」キャサリンの声がますます遠のいて聞こえる。

トリッシュは懸命に気を静めつつ速度をあげたが、広大な闇に吸いこまれそうだった。一ミリ前も

見えやしない！「キャサリン？ 通路の終わりはどうやって知るんです？」

「いまにわかるって」キャサリンは言った。

それが一年前のことで、今夜もまた、トリッシュは虚空のなかを、上司の客をロビーまで出迎えるべく逆方向へ歩いていた。足もとのカーペットの織地が急に変わり、出口まであと三ヤードだと知らせた。熱烈な野球ファンのピーター・ソロモンに言わせると、〝ウォーニング・ゾーン〟（フェンスが近いことを外野手に知らせる帯状の部分）だ。トリッシュは立ち止まってカードキーを取り出すと、壁を手探りして突起したスロットを見つけ、それを差しこんだ。

ドアが音を立てて開く。

ＳＭＳＣの通路の頼もしい照明に目を細めた。

どうにか……きょうもたどり着けた。

人気のない通路を歩きながら、トリッシュはいつしか、保護されたネットワーク上で見つかった奇妙な抜粋文書に思いを馳せていた。古の門？ 地下の秘密の場？ あの謎めいた文書のありかを、マーク・ズビアニスはうまく探しあててくれるだろうか。

制御室では、キャサリンがプラズマ・スクリーンの柔らかな光のなかにたたずんで、先刻行きあたった得体の知れない文書に見入っていた。キーワードの部分を抽出したいま、その文書は兄がドクター・アバドンに語った突飛な伝説にまつわるものだという確信がいっそう募っていた。


……と、それは**地下**の秘密の場……

……の経緯度が**ワシントンDC**のどこかを……

……へとつづく**古の門**を発掘した……

……どうやら**ピラミッド**には危険な……

……に、この**刻まれたシンボロン**を解読して……


残りの部分をなんとしても読みたい、とキャサリンは思った。

しばらくながめたのち、プラズマ・スクリーンの電源を落とした。このディスプレイは多量のエネルギーを消費するため、燃料電池の液体水素を無駄にしないためにも、いつも電源を切るようにしている。

そのまま見守っていると、キーワードがゆっくりとぼやけ、小さな白いドットになってスクリーンの中央に漂ったあと、ついに消えた。

キャサリンは研究所へと引き返した。ドクター・アバドンがそろそろ着くので、手厚く応対しなくてはと思った。

32

「もう着きます」ラングドンとサトウを案内しながら、アンダーソンが言った。議事堂の東側地下の全長を貫くその通路は、果てしなくつづいていそうに見える。「リンカーンの時代には、ここの床は土のままで、ネズミだらけだったんですよ」

ラングドンは床にタイルが張られたことに感謝した。ネズミは苦手だ。不ぞろいな足音が薄気味悪

く反響するなか、三人は長い通路を歩きつづけた。壁にはドアが並び、閉まっているものもあるがほとんどは半開きだ。この階の部屋の多くは使用されていないらしい。ドアに記された数字が順に小さくなり、もう少しで尽きかけているのにラングドンは気づいた。

ＳＢ４……ＳＢ３……ＳＢ２……ＳＢ１……

一行は何も記されていないドアの前を過ぎたが、数字がふたたび大きくなりはじめたところで、アンダーソンが急に足を止めた。

ＨＢ１……ＨＢ２……

「失礼」アンダーソンは言った。「行きすぎました。こんな下の階へはめったに来ないもので」

一行は数ヤード後ろの古い金属のドアまで引き返した。そこが通路の中央――上院側地下(SB)と下院側地下(HB)を分かつ中心点――であることを、ラングドンはすでに承知していた。よくよく見れば、そのドアにも表示があるのだが、刻まれた文字が薄ぼけて読みとりにくくなっていた。

SBB

「ここです」アンダーソンは言った。「鍵がすぐに届きますよ」

サトウが眉根(まゆね)を寄せ、腕時計をたしかめた。

ラングドンはＳＢＢの表示に目をやって、アンダーソンに尋ねた。「ここは中間地点なのに、なぜ上院側を示しているんですか」

アンダーソンは困惑顔で言った。「どういう意味でしょう?」

「SBBと書いてありますね。〝下院(ハウス)〟のHではなく、Sではじまってる」

アンダーソンはかぶりを振った。「SBBのSは〝上院(セネット)〟の頭文字ではありません。これは――」

「部長？」遠くから声が響いた。ひとりの警備官が鍵を掲げて通路を走ってくる。「申しわけありません、お待たせして。SBBへの入場鍵ですが、元鍵が見つからないんです。これは非常用の保管箱から持ってきた合い鍵でして」

「元鍵が行方不明だって？」アンダーソンは驚いた声で言った。

「紛失したものと思われます」警備官は息を切らして答えた。「こんな下まで来たいという人は久しくいませんでしたから」

アンダーソンは鍵を受けとった。「SBB13の部屋鍵もないのか」

「あいにく、SBBのどの部屋の鍵もまだ見つかっていません。いまマクドナルドが探しています」

警備官は無線機を取り出して話しかけた。「ボブか？　いま部長のところにいる。SBB13の鍵の件で何か進捗(しんちょく)は？」

空電音が鳴り、応答が返ってきた。「ないこともないな。妙なんだよ。コンピューターを導入してからはなんの入力もないし、紙の記録でも、SBBの保管室はすべて、二十年以上前に空にされたきり、だれも使っていない。いまは全室が未使用空間として記載されている」そこで間(ま)があった。「SBB13以外は」

アンダーソンは無線機を奪いとった。「アンダーソンだ。SBB13以外というのはどういうことだ」

「それがですね」上階の部下が返答した。「SBB13は手書きで〝個人使用〟というメモがあったん

です。ずいぶん昔のものですが、建築監ご自身が署名をなさっていますね」

〝建築監〟というのは、単に議事堂を設計した者ではなく、運営している者を指すことをラングドンは知っていた。ビルの経営者と同じく、議事堂建築監に任命された者は、建物の維持管理と修復、警備、職員の雇用、事務所の割りあてなど、ありとあらゆる業務を担う。

「妙なことに……」部下はさらに言った。「建築監のメモには、この個人用スペースはピーター・ソロモンのために取り置くこと、とありまして」

ラングドンとサトウとアンダーソンは驚きの視線を交わした。

「おそらく」部下はつづけた。「SBBへの入場鍵も、SBB13の部屋鍵も、ミスター・ソロモンがお持ちなのではないでしょうか」

ラングドンは自分の耳が信じられなかった。ピーターが議事堂の地下に個室を持っていたって？秘密の多い男だとはつねづね思っていたが、これにはさすがに度肝を抜かれた。

「わかった」アンダーソンは不愉快そうに言った。「なんとしてもSBB13に入室したいから、部屋鍵の捜索をつづけてくれ」

「承知しました。ご依頼のデジタル画像についても、いま――」

「ありがとう」アンダーソンは通話ボタンを押して、相手の話をさえぎった。「頼みたいことはそれだけだ。そのファイルは、入手できしだいサトウ局長のブラックベリーに送るように」

「了解」無線は切れた。

アンダーソンは眼前の部下に無線機を返した。

部下は青写真のコピーを取り出して渡した。「SBBはグレーで表示されています。SBB13には

×印をつけておきましたので、難なく見つかるはずです。かなりせまい区画ですし」

アンダーソンは礼を言い、その部下が急いで立ち去ると同時に青写真に注意を向けた。それを横からのぞき見たラングドンは、あまりにも多くの小部屋が連邦議会議事堂の下で異様な迷宮を形作っていることに驚愕（きょうがく）した。

アンダーソンは青写真をしばらく注視したのち、うなずいて、それをポケットに突っこんだ。そしてＳＢＢと表示されたドアのほうを向き、鍵を持ちあげたが、あけてよいものかどうかと迷っているようだった。ラングドンも同様にためらいを覚えた。ドアの向こうにあるものは見当もつかないが、ピーターがこの下に何を隠したのであれ、人目に――けっして――ふれさせたくないものだったのはたしかだ。

サトウが咳（せき）払いをし、アンダーソンはその意図を察した。深く息を吸って、鍵を差しこみ、まわそうと試みた。動かない。ほんの一瞬、ラングドンは合わない鍵だったのではないかと希望をいだいた。しかし、二度目には鍵がまわり、アンダーソンはドアをあけた。

重いドアがきしみながら奥へ開き、湿った空気が通路へ注ぎこむ。

ラングドンは闇をのぞきこんだが、何も見えなかった。

「教授」アンダーソンは電灯のスイッチを手で探りながらラングドンを振り返った。「さっきの質問にお答えすると、ＳＢＢのＳは〝上院（セネット）〟の頭文字ではありません。ＳＢが〝サブ〟の略なんです」

「サブ？」ラングドンは混乱して言った。

アンダーソンはうなずき、ドアのすぐ内側のスイッチをつけた。一灯だけの電球がともり、漆黒の闇へとおりていく急傾斜の階段を照らした。「ＳＢＢとは、議事堂の地下二階（サブベースメント）のことです」

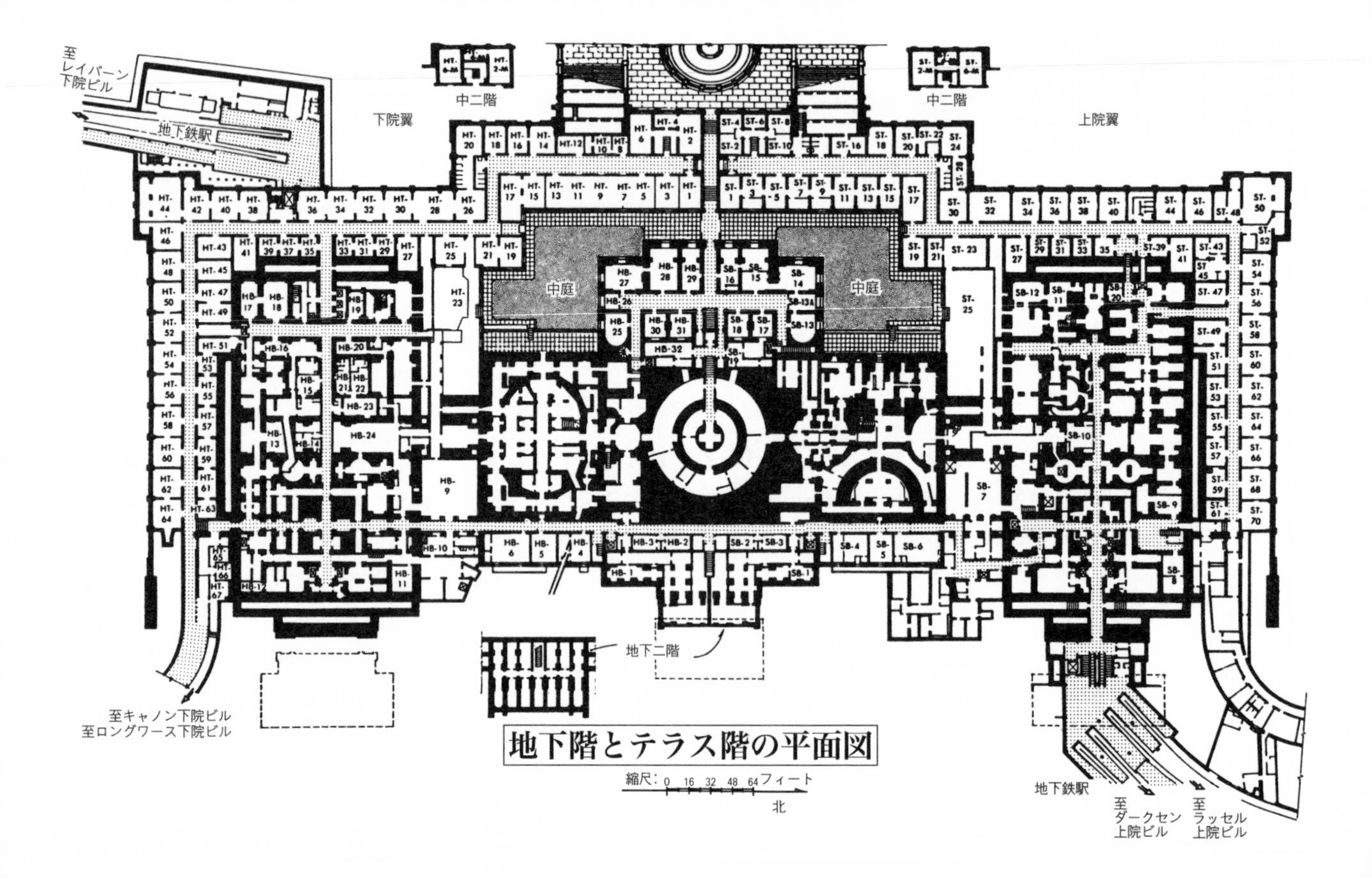

地下階とテラス階の平面図

33

システム・セキュリティ専門家のマーク・ズビアニスは、マットに体を深く沈めつつ、ノートパソコンの画面に表示された情報をにらんでいた。

いったいなんだ、このアドレスは？

そこに侵入しようにも、トリッシュの見つけた不可解なＩＰアドレスの正体を暴こうにも、自慢の最強のハッキング・ツールはまったく役に立たない。十分が過ぎたが、ズビアニスのプログラムは依然として、ネットワークのファイアウォールにむなしく攻撃をつづけている。突破できる望みは薄い。これじゃ、吹っかけすぎと言われてもしかたないな。別の手でいこうとツールを取り替えかけたとき、電話が鳴った。

おいおい、トリッシュ、こっちからかけるって言ったろ。ズビアニスはテレビのフットボール中継の音声を消して応答した。「もしもし」

「ミスター・マーク・ズビアニスですか」男の声が尋ねた。「ワシントン、キングストン・ドライブ三五七番地の？」

電話の向こうではいくつものくぐもった話し声が響いている。プレーオフの最中に電話セールス？正気かよ。「さては、アンギラ島一週間の旅でもあたったか？」

「いいえ」ユーモアのかけらもない答が返ってきた。「こちらは中央情報局（CIA）のシステム・セキュリティ担当です。なぜわれわれの機密データベースのひとつに侵入を試みておられるのか、お聞かせ願え

ますか」

議事堂の地下にひろがる観光センターでは、警備官のヌニェスが毎晩の習慣どおり入館口を施錠してまわっていた。広々とした大理石の床を歩いて奥へもどりながら、ヌニェスは軍払いさげのコートを着た刺青の男のことを考えた。

あんな男を入館させて、あすもここで働いていられるだろうか。

エスカレーターのほうへ向かっているとき、やにわに外のドアを強打する音がしたので振り返った。入館口を見やると、年配のアフリカ系アメリカ人の男が外にいて、手のひらでガラスを叩きながら、中へ入れろと身ぶりで訴えていた。

ヌニェスは首を横に振り、腕時計を指し示した。

男はまたもドアを叩いたのち、明かりの下へ一歩踏み出した。青いスーツを完璧に着こなし、白いものの交じる髪は短く刈ってある。ヌニェスの脈が速まった。まさか。遠くからでも、男が何者なのか見分けがついた。ヌニェスはあわてて入館口へもどり、ドアを解錠した。「失礼しました。さあ、中へどうぞ」

ウォーレン・ベラミー――議事堂建築監――が館内へ足を踏み入れ、慇懃にうなずいてヌニェスに謝意を示した。身のこなしがしなやかで軽く、まっすぐな姿勢と射貫くようなまなざしには、周囲のあらゆるものを統べる人間特有の自信が満ちている。これまで二十五年にわたって、ベラミーはこの連邦議会議事堂の監督者として君臨してきた。

「何かご用でしょうか」ヌニェスは尋ねた。

「ああ、そうなんだ」ベラミーは歯切れよく明晰にことばを発した。北東部のアイビーリーグの大学の出身のせいか、その発声法はきわめて厳格で、イギリス人かと疑うほどだ。「今晩、ここで事件があったと聞いてね」ひどく気づかわしげに言う。

「はい、さようです。それが――」

「アンダーソン部長はどこかね」

「CIA保安局のサトウ局長と下の階におられます」

ベラミーはいぶかしげに目を見開いた。「CIAがここに?」

「はい。サトウ局長は事件が起こってまもなく到着されました」

「なぜだ」ベラミーは問いかけた。

ヌニェスは肩をすくめた。おれに訊きにいけとでも?

ベラミーは脇目も振らずエスカレーターへ向かっていった。「いまどこにいる?」

「下の階へ向かわれたところです」ヌニェスは急いであとを追った。

ベラミーは不審そうな顔で振り返った。「下へ? なぜ?」

「よくわかりません――無線で聞いただけなので」

ベラミーはさらに足を速めていた。「ふたりのところへいますぐ案内してくれ」

「承知しました」

駆け足で進みながら、ヌニェスはベラミーの指に大ぶりの金の指輪がはまっているのに気づいた。

ヌニェスは無線機を引っ張り出した。「建築監が向かっていらっしゃると部長に知らせます」

「いや」ベラミーの目が鋭く光った。「知らせなくていい」

すでに今夜いくつか大きなミスをしていたが、建築監が館内にいることをアンダーソン部長に伝え損ねたら、まちがいなく自分の首が飛ぶとヌニェスは思った。「建築監」おずおずと言う。「アンダーソン部長はきっとお聞きに――」

「わたしがミスター・アンダーソンの雇い主なのは承知だな？」ベラミーは言った。

ヌニェスはうなずいた。

「ならば部長は、きみがわたしの意向に従うことを望むはずだ」

34

トリッシュ・ダンはSMSCのロビーに到着し、目をあげるなり一驚した。そこで待っていた客は、この建物によく出入りする、フランネルのシャツを着たいかにも学究肌の面々――人類学や海洋学や地質学その他の科学者たち――とは似ても似つかなかった。それどころか、注文仕立てのスーツを鮮やかに着こなしたドクター・アバドンは、貴族の風格さえ漂わせている。長身で身幅が広く、よく焼けた顔とていねいに梳かしつけた金髪は、研究よりも享楽に慣れ親しんだ印象を与える。

「ドクター・アバドンでいらっしゃいますか」トリッシュは言い、手を差し出した。

男は当惑の表情を見せつつも、トリッシュのふっくらした手を大きな手のひらで包んだ。「失礼ですが、あなたは？」

「トリッシュ・ダンです。キャサリンの助手をしています。あなたを研究所までお連れするよう言いつかりまして」

「ああ、そうでしたか」男はすでに笑みを浮かべていた。「お目にかかれて光栄です、トリッシュ。とまどったように見えたなら申しわけない。今夜ここにはキャサリンしかいないと思っていたもので」ホールのほうを指し示す。「では、おまかせします。道案内をよろしく」

男の立ちなおりは早かったが、トリッシュはその目に浮かんだ落胆の色に気づいていた。さっきキャサリンがドクター・アバドンのくわしい説明を避けたのも、何やら疑わしく思えてくる。もしかして、新しい恋のお相手？　キャサリンは私生活についていっさい語らないが、この訪問者は魅力的で身なりもいいし、キャサリンより若いとはいえ、同じ富と特権の世界に身を置く人物にちがいない。だが、ドクター・アバドンが今夜の訪問の成り行きをどう思い描いていたのであれ、トリッシュの同席は予定外のことだったらしい。

ロビーのセキュリティ・ゲートで、守衛がイヤフォンをあわててはずしたが、レッドスキンズの試合の実況はしっかり漏れ聞こえた。守衛はドクター・アバドンを相手に、金属探知機による所持品検査と一時入館バッジの発行という来訪者向けの手続きをはじめた。

「どっちが勝ってます？」ドクター・アバドンが気さくに声をかけ、ポケットから携帯電話と鍵束とライターを出した。

「スキンズが三点リードしてます」早くつづきを聞きたそうに守衛は言った。「すごい試合ですよ」

「ミスター・ソロモンがもうじきお見えになるの」トリッシュは守衛に言った。「いらっしゃったら、研究所へ来てくださるよう伝えてくれる？」

「わかりました」守衛はふたりを見送りながら、感謝をこめたウィンクをした。「教えてくださってどうも。さぼってないふりをしますよ」

トリッシュのいまのことばは、守衛にとって役立つ予告であるだけでなく、キャサリンとのふたりきりの夜を邪魔するのが自分だけではないことをドクター・アバドンに知らせるものでもあった。

「それで、キャサリンとはどういうお知り合いなんですか」トリッシュは謎めいた客を見あげて尋ねた。

ドクター・アバドンは含み笑いをした。「ああ、話せば長くなります。ある件にいっしょに取り組んでいましてね」

なるほどね、とトリッシュは思った。わたしはお呼びじゃないってわけ。

「みごとな施設ですね」堂々たる通路を歩きながら周囲を見まわして、アバドンは言った。「ここへ来るのははじめてなんです」

一歩進むごとにその朗らかな口調に熱がこもり、すべてを満喫しようとしているのがトリッシュにも感じとれた。通路のまばゆい照明のおかげで、顔の日焼けが化粧による偽物らしいこともわかった。なんだか妙だ。それでもトリッシュは、静閑な通路を歩きながら、ＳＭＳＣの目的と役割、各種ポッドとその収蔵物についてかいつまんで説明した。

アバドンは感心しているふうだった。「途方もない貴重品の宝庫ですね。至るところに守衛がいてもおかしくないくらいだ」

「その必要はないんです」トリッシュは言い、高い天井に並んだ魚眼レンズの列を指し示した。「警備はすべて自動化されています。通路の隅々までの映像が常時休みなく記録されていますし、ここは施設の背骨にあたるんです。どのポッドへもかならずこの通路から、カードキーと暗証番号を使って入室するようになっています」

「監視カメラを有効活用しているわけだ」

「縁起でもないですけど、まだ一度も盗難に遭ったことはありません。といっても、ここは賊に狙われるたぐいの博物館じゃありませんけどね——絶滅した花だとか、イヌイットのカヤックだとか、巨大イカの死骸（しがい）なんて、闇市場ではほとんどお声がかからないでしょうし」

ドクター・アバドンは小さく笑った。「ごもっともです」

「ここの保安上の最大の脅威はネズミと虫なんです」館内への害虫の侵入を防ぐため、ＳＭＳＣのごみはすべて冷凍されていることや、二重壁に囲まれた〝死の地帯（デッド・ゾーン）〟と呼ばれる生存不能区画が建物全体を鞘（さや）のように包んでいることをトリッシュは説明した。

「すばらしい」アバドンは言った。「それで、キャサリンとピーターの研究所はどこに？」

「〈ポッド５〉です」トリッシュは言った。「この通路の突きあたりにあります」

アバドンは急に足を止め、まわれ右をして小窓の前に立った。「これは！　驚いたな！」

トリッシュは笑った。「ええ、あれが〈ポッド３〉です。別名が〝酒浸り区画（ウェット・ポッド）〟」

「酒浸り？」アバドンは言い、ガラスに顔を押しつけた。

「三千ガロン以上の液状エタノールが使われているんです。さっき巨大イカの死骸と言ったのを覚えていらっしゃいます？」

「あれがイカ？」ドクター・アバドンは目をまるくして、しばしガラスから顔を振り向けた。「ばかでかいな！」

「雌のダイオウイカです」トリッシュは言った。「体長は四十フィートを超えますよ」

ドクター・アバドンはイカの姿に魅了されて、窓から目が離せない様子だった。トリッシュは一瞬、

ペットショップにいる子犬に手をふれたくて店の窓に張りつく小さな男の子を思い浮かべた。五秒経っても、まだ名残惜しそうに窓の向こうを見つめている。

「はいはい、わかりました」トリッシュはついに言い、笑いながらカードキーを差して暗証番号を打ちこんだ。「さあどうぞ。イカをお見せしましょう」

薄暗い〈ポッド3〉の内部へ足を踏み入れるなり、マラークは壁を見渡して監視カメラがないかと探した。キャサリンの小太りの助手は、室内に並ぶ標本についてしゃべりはじめている。マラークは聞いていなかった。巨大イカなど、どうでもよい。いま興味があるのは、暗く閉ざされたこの空間を利用して、予期しなかった障害を排除することだけだ。

35

議事堂の地下二階へおりていく木の階段は、ラングドンが体験したことのないほど傾斜が急なものだった。呼吸が速まり、肺が締めつけられる。地下の空気は冷えびえとして湿っぽく、数年前にこれと似た階段をくだってヴァチカンの共同墓地(ネクロポリス)へ向かった記憶が、否応(いやおう)なく脳裏をかすめた。〝死者の都市〟だったな。

前にはアンダーソンがいて、懐中電灯を片手に先導していく。後ろからはサトウが迫り、小さな手でときおり背中を押してくる。これでも精いっぱい進んでいるんだ。ラングドンは深く息を吸い、両脇の壁の圧迫感を無視しようとつとめた。肩の外側にはほとんどゆとりがなく、ショルダーバッグが

壁をこすっている。

「鞄は上に置いてくればよかったのに」背後でサトウが言った。

「だいじょうぶです」ラングドンは答えた。この鞄から目を離す気は毛頭ない。ピーターから預かった小箱を頭に描いたが、それが議事堂の地下二階にある何かとどう関係するのか、見当もつかなかった。

「あとほんの数段です」アンダーソンが言った。「もう着きますよ」

暗がりへ下降してきた一行は、ひとつきりの電球の光が届かないところまで来ていた。ラングドンは最後の一段をおり、足の下が土なのを感触で知った。まるで『地底旅行』だな。サトウもつづいて階段をおりきった。

アンダーソンはすでに電灯を掲げ、周囲を調べている。ここは地下二階というより、階段と直角に交わる狭隘な通路にすぎなかった。アンダーソンが左から右へと懐中電灯を動かしたので、通路の全長がせいぜい五十フィートほどで、小さな木の扉が両側に並んでいるのがラングドンの目にも見てとれた。扉と扉の間隔から考えて、ひとつの部屋の間口は十フィート以上ではありえない。

アクミ社のトランクルームとドミティッラの地下墓地の融合か、とラングドンは思った。アンダーソンが青写真を確認している。地下二階を表す小さな区画に、SBB13の位置を示す×印がある。十四の納骨室からなる霊廟——納骨室が七つずつ向かい合ったもの——と瓜ふたつの見取り図だ、と感じずにはいられなかった。いまおりてきた階段のある区画を除くと、全部で十三だ。

連邦議会議事堂の下にちょうど十三の収納室が眠っていると知ったら、アメリカじゅうの〝十三の陰謀〟論者が実地調査に乗り出すのではないかとラングドンは思った。合衆国国璽には、十三個の星、十三本の矢、十三段のピラミッド、十三本の縞(しま)のある盾、十三枚のオリーブの葉、十三個のオリーブの実、十三文字からなるふたつの標語〝ANNUIT COEPTIS〟(神はわれらの企(くわだ)てに与せり)と〝E PLURIBUS UNUM〟(多より一を生ず)などが描かれていて、そこに陰謀のにおいを嗅(か)ぎとる者は少なくない。

「やはり使われていないようですね」アンダーソンが言い、懐中電灯を目の前の部屋へ向けた。どっしりした木の扉が大きく開く。ひと筋の光が照らし出したのは、間口十フィート、奥行き三十フィートほどの、行き止まりの廊下のようなせまい石造りの小部屋だった。室内には二、三の朽ち果てた木箱と皺(しわ)だらけの包装紙があるだけだ。

アンダーソンは扉にはめこまれた銅のプレートを照らした。緑青が覆っているが、古い表示は判読できた。

SBB Ⅳ

「SBB4か」アンダーソンが言った。

「SBB13はどれ？」サトウが尋ねた。地下の冷気のなか、口から漏れる息がかすかに漂う。

アンダーソンは通路の南端へ光を向けた。「あちらです」

ラングドンはせまい通路をのぞきこみ、この寒さのなかでさえ軽く汗ばむのを感じて身をすくめた。

一行はせせこましく並んだ扉の前を進んだ。どの部屋も見た目は同じで、扉は半開きのまま長年放置されているようだ。突きあたりに達すると、アンダーソンが右を向き、懐中電灯を持ちあげてその部屋のなかをのぞこうとした。しかし、電灯の光は重い木の扉にさえぎられた。

他の部屋とちがって、その扉は閉じられている。

扉の形状はほかとそっくり同じだった――重い蝶番(ちょうつがい)も、鉄の取っ手も、緑色の錆(さび)に覆われた銅のプレートも。そのドアプレートには、ピーターの手のひらに刻まれていた七つの文字が並んでいる。

SBB XIII

頼むから施錠されていてくれ、とラングドンは思った。

サトウが躊躇(ちゅうちょ)なく命じる。「あけてみて」

アンダーソンは不安げにしながらも手を伸ばし、重い鉄の取っ手をつかんで押しさげようとした。

微動だにしない。こんどは懐中電灯で、頑丈そうな旧式のキープレートと鍵穴を照らした。

「マスターキーを試して」サトウは言った。

アンダーソンはさっき階段上のドアをあけた入場鍵を取り出したが、まったく形が合わなかった。

「わたしの考えちがいでなければ」サトウは皮肉な口調で言った。「非常時に備えて、警備部門はすべての場所へ進入できるようにしておくのが筋じゃないのかい」

アンダーソンは大きく息を吐き、サトウを振り返った。「ですから、わたしの部下がいま部屋鍵を探していますが――」

「錠を撃ち抜きなさい」サトウは取っ手の下のキープレートを顎（あご）で示した。

ラングドンの鼓動が一気に速まった。

アンダーソンは緊張気味に咳払いをした。「いえ、部屋鍵の情報を待ちます。鍵を壊して進入するようなことは承服しかね――」

「ＣＩＡに対する捜査妨害で投獄されるほうがましだと？」

アンダーソンは愕然とした。長くためらったあと、不承不承サトウに懐中電灯を手渡し、ホルスターのスナップをはずす。

「待て！」もはや傍観していられなくなり、ラングドンは言った。「考えてくれ。ピーターはこの扉の向こうにあるものを見せまいとして、右手を失いさえしたんだ。ほんとうにこんなことをしていいのか？　この扉をあけるのは、テロリストの要求に従うのも同然じゃないか」

「ピーター・ソロモンを救いたいんだろう？」サトウは言った。

「それはそうだが――」

「だったら、拉致犯の要求どおりにしたほうがいい」

「古の門を開けと？　ここがその門だというのか」

サトウはラングドンの顔に光をあてた。「教授、ここに何があるかなど、わかるはずがない。収納室であれ、古代のピラミッドへの秘密の入口であれ、わたしはあけるつもりだよ。どうかね？」

ラングドンはまぶしさに目を細め、ついにうなずいた。

サトウは懐中電灯をさげ、扉の古めかしいキープレートをふたたび照らした。「部長。さあ早く」

なおも気の進まない顔つきで、アンダーソンは不安げに鍵穴をながめ、ことさらゆっくりと銃を抜いた。

「まったく、もう！」サトウは小さな手を突き出して銃を奪いとった。空になったアンダーソンの手のひらに懐中電灯を押しつける。「あなたが照らしなさい」そう言って、訓練を積んだ人間らしい自信に満ちた手つきで銃を構え、すばやくセイフティを解除して錠に狙いをつけた。

「やめろ！」ラングドンは叫んだが、遅きに失した。

銃声が三度とどろく。

ラングドンは鼓膜が破れたかと思った。この女、頭がおかしいのか？　せまい場所での発砲で耳が聞こえなくなった。

アンダーソンも見るからに動揺していた。破壊された扉を照らす手が小刻みに震えている。

錠の機構はいまや見る影もなく、周囲の板は砕け散っていた。錠がはずれ、扉は半開きになっている。

サトウは銃を持った手を伸ばし、グリップで扉を軽く押した。扉が奥の闇に向かって大きく開く。

ラングドンは中をのぞきこんだが、暗くて何も見えなかった。このにおいはなんだ？　暗闇から強烈な異臭が漂ってくる。

アンダーソンが足を踏み入れ、ざらついた土の床を電灯で照らして注意深く奥へ向けていった。この部屋もほかにたがわず細長い。両脇の角張った石壁が古代の監房の雰囲気を醸し出している。だが、このにおいは……

「何もありませんね」アンダーソンは言い、さらに先まで光を移動させた。やがて、床の端が見えると、光を上に向けて突きあたりの壁を照らした。

「なんだ、あれは！」アンダーソンは叫んだ。

それを目にした全員が跳びすさった。

ラングドンは信じられない思いで、部屋の奥のくぼみを見つめた。

恐ろしいことに、何かがこちらを見つめ返している。

36

「いったいなぜ……」ＳＢＢ13の入口で、アンダーソンは懐中電灯を取り落としそうになりながら一歩退（しりぞ）いた。

ラングドンもたじろいだ。サトウも同じで、この夜はじめて肝をつぶしているように見えた。

サトウは奥の壁に銃を向け、もう一度光をあてるようアンダーソンに合図した。アンダーソンが懐中電灯を掲げる。奥の壁へ近づくにつれて光の筋はほの暗くなったが、命のない眼窩（がんか）から三人を見つ

め返す不気味な白い顔面を照らし出すにはじゅうぶんだった。

人間の髑髏。

部屋の奥の壁際に置かれた壊れそうな木の机に、それは載っていた。髑髏の横には人間の脚の骨が二本と、ほかの品々が——年代物の砂時計と、クリスタルガラスのフラスコと、一本の蠟燭と、白い粉のはいった二枚の小皿と、一枚の紙とが——祭壇を思わせる体裁で配されている。机のかたわらには、死に神が持つような三日月刃の恐ろしげな大鎌が立てかけてある。

サトウが室内へ進み入った。「さて……ピーター・ソロモンは想像以上に多くの秘密をかかえていたようだね」

アンダーソンはうなずき、サトウの後ろを慎重に歩いていった。「収納室の奥の骸骨——まさに秘密のなかの秘密ですね」懐中電灯を持ちあげ、がらんとした部屋の残りの部分を見渡す。「それに、このにおい！」鼻に皺を寄せて言う。「なんのにおいだろう」

「硫黄ですよ」ラングドンはふたりの背後で淡々と答えた。「机の上に小皿が二枚あるはずです。右の皿には塩、左の皿には硫黄がはいっています」

サトウは振り返り、不信の目を向けた。「そんなことがいったいなぜわかる？」

「これとそっくりな部屋が世界じゅうにありますから」


その一階上では、警備官のヌニェスが議事堂建築監のウォーレン・ベラミーに付き添って、東側地下の全長を貫く長い通路を歩いていた。そのとき、足もとで三発のくぐもった銃声がたしかに響いたとヌニェスは感じた。嘘だろう？

「地下二階への扉があいているな」ベラミーが言い、通路の先で半開きになったままの扉を見やった。

まったくおかしな晩だよ、とヌニェスは思った。あの下へおりるやつなんか、いるはずがない。

「何事かたしかめましょう」と言って、無線機に手を伸ばす。

「もう仕事にもどれ」ベラミーは言った。「ここからはひとりでいい」

ヌニェスは逡巡（しゅんじゅん）した。「ほんとうですか？」

ウォーレン・ベラミーは足を止め、ヌニェスの肩に力強く手を載せた。「わたしはここで二十五年働いているんだ。どこへなりと行けるさ」

37

マラークはこれまでの人生で気味の悪い場所をいくつか目のあたりにしてきたが、〈ポッド3〉の異様な世界をしのぐものは皆無に近かった。〝酒浸り区画（ウェット・ポッド）〟か。その巨大な空間はまるで、気が変になった科学者が〈ウォルマート〉を占拠して、すべての通路や棚にありとあらゆる形や大きさの標本瓶を詰めこんだかのような観を呈していた。そこは現像用の暗室のように、安全灯の薄赤い靄（もや）に包まれている。その明かりは棚板の下から発せられ、上に並ぶエタノール入りの容器を柔らかく照らしていた。防腐剤の放つ薬品臭が吐き気を催させる。

「このポッドには二十万以上の種が保存されています」小太りの助手が説明している。「魚類、齧歯（げっし）類、哺乳（ほにゅう）類、爬虫（はちゅう）類」

「みんな死んでいますよね？」マラークは怯えたふうを装って尋ねた。

助手は笑った。「ええ、ええ。全部立派に死んでいます。白状すると、わたしも働きだしてから六か月は、ここへはいる気になれなくて」

それはマラークにも納得できた。どこを見ても、死んだ生物――サンショウウオ、クラゲ、ネズミ、昆虫、鳥、そして何やら得体の知れないほかの生物――の標本瓶だらけだ。このコレクションだけではまだ不気味さが足りないと言わんばかりに、紫外線に弱い標本群を保護するための薄赤い安全灯がこの空間に巨大な水族館の趣を加えている。訪れた者は、どこからか寄り集まった命なき生物たちに、暗がりからじっと見つめられている気分になる。

「あれはシーラカンス」助手はプレキシガラスの大型容器を指さして言った。あれほど醜い魚をマラークはいまだかつて見たことがない。「恐竜とともに絶滅したと考えられていましたが、かなり前にアフリカ大陸沖で捕獲され、スミソニアンに寄贈されたんです」

それはよかったな、とマラークはほとんど聞き流しながら思った。壁の監視カメラを探すのに忙しかった。見つけたのは入口の扉に向けられたものが一台だけ――抜け道がおそらくほかにないことを考えれば、驚くにはあたらない。

「そしてこちらが、あなたのお目当ての……」さっき小窓から見ていた巨大な水槽へと、助手はマラークをいざなった。「当館にある最長の標本」そう言って、賞品の新車を見せるクイズ番組の司会者よろしく、醜悪な生物のほうへ仰々しく腕を差し向ける。「ダイオウイカです」

その水槽は、側面を下にしたガラスの電話ボックスをいくつか継ぎ合わせたような外観をしていた。長く透明なプレキシガラスの棺（ひつぎ）のなかで、おぞましい白さの、形の定まらない生物が浮遊している。ふくらんだ袋状の頭とバスケットボールほどもある目を見て、マラークは言った。「これを見たらシ

ーラカンスが美形に思えますね」

「いまライトをつけますから」

助手は水槽の長い蓋を開いた。エタノールの臭気が立ちのぼるなか、水槽に手を伸ばして液面のすぐ上にあるスイッチを押す。底の全面に連なる蛍光灯がともった。巨大な頭と、朽ちかけた触腕と、鋭利な歯のある吸盤を持つ、すべらかな塊――ダイオウイカはいまや誇らしげに輝いている。

助手は、ダイオウイカがいかにしてマッコウクジラを格闘で負かすかという話をはじめた。

そのおしゃべりはマラークの耳を素通りしていた。

いましかない。


トリッシュ・ダンは〈ポッド3〉にいるとかならず軽い不安に襲われたが、たったいま全身を貫いた怖じ気はふだんとちがっていた。

腹の底からの、生まれながらの感覚。

無視しようとしたが、それは急速に勢いを増し、深く爪を立ててくる。不安の源は特定できないものの、もうこの場を去るべきだと本能がはっきり告げている。

「さて、イカはこれくらいにして」トリッシュは言い、水槽へ手を伸ばして照明を消した。「そろそろキャサリンのところへ行ったほうが――」

口に大きな手のひらが強く押しつけられ、頭が後ろへ引っ張られた。上体が力強い腕に包みこまれ、岩のように硬い胸に釘づけにされる。一瞬、トリッシュは衝撃で感覚を失った。

それから、恐怖が訪れた。

男はトリッシュの胸の前をまさぐってカードキーをつかみ、荒々しく下へ引っ張った。首の後ろに鋭い痛みが走り、ストラップがちぎれる。カードキーが足もとの床に落ちる。トリッシュは暴れ、身をひねって逃れようとしたが、男の体格と力にはとうてい敵わなかった。叫ぼうにも、口は手できつくふさがれたままだ。男は身をかがめて耳もとに顔を寄せ、小声で言った。「口から手を離しても叫ぶんじゃないぞ。いいな？」

トリッシュは大きくうなずいた。肺が必死に空気を求めている。息ができない！

男が口から手を離すと、トリッシュはあえぎ、深く息を吸いこんだ。

「放して！」息を切らして言った。「いったいなんのつもり？」

「暗証番号を教えろ」

トリッシュはすっかり動転していた。キャサリン！　助けて！　この男はいったい何者？「守衛に見つかるわよ！」監視カメラの視野の外にいることをじゅうぶん知りつつも、そう言った。それに、どうせだれも見ていやしない。

「暗証番号を言え」男はまた言った。「おまえのカードキーに合う番号だ」

身も凍る恐怖に胃腸が波立つのを感じながら、トリッシュは思いきり体をよじって一方の腕を引き抜き、振り向いて男の目に爪を立てた。指が肌にあたり、頬を掻きむしる。引っ掻いた肌に、四本のどす黒い筋ができた。そのとき、肌の黒い縞が血ではないのに気づいた。男は化粧をしており、引っ掻いたところが剝げ落ちて、その下に隠れていた黒っぽい刺青が露出していた。

なんなの、この怪物は？

人間とは思えぬ力で男はトリッシュを反転させ、体を持ちあげて、開いたままの水槽の上に押しや

った。顔の真下にエタノールがある。強烈な臭気が鼻を刺す。

「暗証番号はなんだ」男は繰り返した。

目が焼けるように痛み、すぐ下の液体に沈むイカの白い肉塊が見えた。

「言え」男はトリッシュの顔を液面へさらに近づけた。「番号は?」

喉が焼けつきそうだ。「0804!」息も絶えだえに声を絞り出す。「放して! 0804よ!」

「もし嘘だったら?」男は言い、さらに顔を押しさげた。いまや髪がエタノールに浸かっている。

「嘘じゃない!」トリッシュは言い、咳きこんだ。「八月四日! わたしの誕生日よ!」

「ありがとう、トリッシュ」

力強い両手がトリッシュの頭をがっちりとつかみ、圧倒的な力で水槽の液体に顔を押しこんだ。すさまじい痛みに目が焼かれる。男はさらに強く押し、首まですっかりエタノールのなかに沈めた。イカの肉厚の頭部に自分の顔が押しつけられるのをトリッシュは感じた。

全身の力を振り絞って激しく抗い、背中を反らせて頭を水槽から出そうとした。だが力強い手はびくとも動かない。

息がつづかない!

トリッシュは沈んだまま、懸命に目と口を閉じていた。肺の激痛をこらえつつ、息をしたいという猛烈な衝動と闘う。だめ! 口をあけちゃだめ! しかし吸入を求める反射がついにそれを制した。

口が勢いよく開き、渇望する酸素を吸いこもうと肺が急激に拡張する。エタノールが怒濤のごとく口のなかへ押し寄せる。薬液が喉から肺へと一気に流れこみ、トリッシュは想像を絶する苦痛に見舞われた。情け深くも、それは数秒つづいただけで、世界が暗転した。

マラークは水槽のかたわらに立ち、ひと息ついて周囲の乱れを確認した。

息絶えた女は、まだエタノールに顔を沈めたまま、水槽のへりにだらりと寄りかかっている。それを見て、マラークはかつて自分が手に掛けたもうひとりの女をふと思い出した。

イザベル・ソロモン。

遠い昔。別の人生。

マラークはいま、女の弛緩（しかん）した死体を見おろしていた。肉づきのよい腰をつかんで、自分の両脚で高く押しあげ、イカの水槽のなかへ押しこむ。トリッシュ・ダンは頭からエタノールの液中へ滑りこんだ。体の残りの部分も徐々に落ちていく。ゆっくりと波紋が消え、女の体は巨大な海の生物の上に力なく浮かんだ。衣服が重みを増すにつれ、少しずつ沈んで闇に融（と）けていく。やがて、トリッシュ・ダンの体はダイオウイカの上に横たわった。

マラークは手をぬぐってプレキシガラスの蓋を閉め、水槽を封じた。

〈ウェット・ポッド〉に新しい標本が加わったぞ。

床からトリッシュのカードキーを拾いあげ、ポケットに滑りこませた。０８０４だな。

ロビーでトリッシュを見たときは、面倒なことになるかと案じた。しかしそこで、あの女のカードキーと暗証番号を保険にすればいいと思いついた。キャサリンのデータ保管室の警備がピーター・ソロモンがにおわせたほど堅固だとしたら、解錠させるのに少々手こずるのではないかと懸念されたが、いまはもう自分のキーを持っている。キャサリンを服従させる手間が省けたと思うと愉快だった。

マラークはまっすぐ身を起こし、小窓に映った自分の姿を見て、化粧が台なしになっているのに気

づいた。もはやそんなことは問題になるまい。キャサリンがすべてを悟るころには、何もかも手遅れだろう。

38

「この部屋はフリーメイソンと関係があるのかい」サトウは尋ね、髑髏から向きなおって暗闇でラングドンを見据えた。

ラングドンは静かにうなずいた。「〈自省の間〉と呼ばれています。フリーメイソンがおのれの死すべき運命を深く考えられるように設けた、冷厳で禁欲的な場所です。避けがたい死について瞑想することで、フリーメイソンは人生のはかなさにまつわる貴重な視点を得るんですよ」

サトウは得心のいかない様子で、異様な空間を見まわした。「これが瞑想のための部屋だと？」

「そう言ってかまいません。こうした部屋にはかならず同じ象徴群――髑髏、交差した骨、大鎌、砂時計、硫黄、塩、白紙、蠟燭などなどが配されています。そういった死の象徴が、地上での生をいかにまっとうすべきかと熟考を促すんです」

「まるで死の祭壇だな」アンダーソンが言った。

それはある意味で的を射ているとも言える。「わたしの象徴学の受講生の大半も、最初はそういう見方をしますよ」〈自省の間〉の美しい写真が載ったベリズニャックの『フリーメイソンの象徴』を、ラングドンはしばしば学生たちに読ませていた。

「で、その学生たちは」サトウが尋ねた。「フリーメイソンが髑髏と大鎌のそばで瞑想するのを気味

が悪いとは思わないのかい」

「気味の悪さにかけては、キリスト教徒が十字架に磔にされた男の足もとで祈るのも、ヒンドゥー教徒がガネーシャと呼ばれる四本腕の象の前で詠唱するのも、いい勝負ですよ。あらゆる偏見は、その文化特有の象徴を誤解することから生じるんです」

サトウは講釈を聞く気はないと言いたげに顔をそむけた。さまざまな品の置かれた机へ歩み寄る。アンダーソンが懐中電灯で行く手を照らそうとしたが、光が弱まりはじめていた。電灯の尻を叩くと、少し明るさがもどった。

三人でせまい部屋の奥へ進むにつれ、硫黄の刺激臭がラングドンの鼻孔にひろがった。地下二階は湿気が多いため、小皿の硫黄の分解が進んでいるのだろう。サトウが机にたどり着き、髑髏やいっしょに置かれた品々を見おろした。アンダーソンがそばに立ち、弱まりかけた懐中電灯の光でどうにか机を照らす。

サトウは机上のものを残らず調べ、腰に両手をあててため息をついた。「このがらくたはいったい何？」

この部屋にあるものはどれも慎重に選ばれて配置されていることをラングドンは知っていた。「変化の象徴です」そう言って、閉塞感を覚えながらも机の前のふたりに歩み寄る。「カプト・モルトゥーム——すなわち髑髏は、腐敗による人間の最後の変化を象徴し、いつかはかならず肉がそげ落ちることを暗示しています。硫黄と塩は、錬金術においては変化を促す触媒です。砂時計は、変化をもたらす時の力を表します」火のともっていない蠟燭を指さす。「そしてこの蠟燭は、無知なる眠りから人類を目覚めさせる原初の火——啓蒙の光による変化を意味しています」

「じゃあ……あれは？」サトウは部屋の隅を指して尋ねた。

壁に立てかけられた大鎌に、アンダーソンが懐中電灯の弱々しい光を振り向けた。

「たいていの人が考えるような、死の象徴ではありません」ラングドンは言った。「実のところ、大鎌は〝自然の実り〟を表す変化の象徴です――大地の恵みを刈りとるためのものですから」

サトウとアンダーソンは沈黙に陥った。この風変わりな空間にどうにか意味を見いだそうとしているらしい。

ラングドンの望みはこの場から抜け出すことだけだった。「この部屋が異様に感じられるのはわかりますが、見るべきものは何もありません。ほんとうに型どおりなんです。フリーメイソンのロッジの多くに、ここそっくりな部屋があります」

「でも、ここはフリーメイソンのロッジじゃない！」アンダーソンが言い張った。「ここは連邦議会議事堂です。わたしの持ち場にいったいなぜこんな部屋があるのか、ぜひ知りたい」

「一部のフリーメイソンは、オフィスや自宅にこういう瞑想用の部屋を設けます。珍しいことじゃありません」ラングドンの知り合いのボストンに住む心臓外科医も、手術に臨む前に死について黙考できるよう、執務室のクロゼットを〈自省の間〉に改造している。

サトウが困惑の面持ちで言った。「つまり、ピーター・ソロモンはここへおりてきて、死について黙想していたと？」

「それはどうでしょうね」ラングドンは率直に言った。「この建物で働くフリーメイソンの同胞たちに安らぎの場を提供するために、ここを設けたのかもしれません。物質社会の混沌（こんとん）からしばし逃れて癒し（いや）を得る場……有力な議員たちが国民生活を左右する決断をくだす前に深く内省する場として」

「うるわしいご意見だね」サトウは皮肉な口調で言った。「でも、国家の指導者たちが大鎌や髑髏のある小部屋で祈ることを、国民は快く思わないんじゃないか」

そう、残念ながらね、とラングドンは思った。戦争へ突き進む前に死の意味について熟考する指導者がもっと増えれば、世界はまったくちがったものになるだろうに。

サトウは唇を引き結び、部屋の四隅を入念に調べた。「人骨だの薬入りの皿だののほかにも、かならず何かあるはずだよ、教授。あなたははるばるマサチューセッツ州から、ほかでもないこの部屋まで、おびき出されたんだから」

持参した四角い包みがこの部屋とどうかかわるのか、いまだに解せぬまま、ラングドンはショルダーバッグを脇にかかえていた。「あいにくですが、ここには不自然なものは何ひとつありません」ようやくピーター本人の捜索に取りかかれるのではないかと願いつつ言う。

アンダーソンの懐中電灯の光がまたちらつき、サトウが苛立ちもあらわに振り返った。「まったく、どこまで役立たずなんだい」ポケットに手を突っこんでライターを取り出すと、親指で擦って火をつけ、机に一本だけ置かれた蠟燭に近づける。芯が小さな音を立ててから火をとらえ、おぼろな光がせまい空間にひろがった。長い影が石の壁に伸びる。炎が強まるにつれ、予期せぬ光景が三人の前に立ち現れた。

「見てください！」アンダーソンが指さして言った。

蠟燭の光のなか、消えかけた文字の並びが見えた――奥の壁に七つの大文字が走り書きされている。

VITRIOL

「〝硫酸〟なんて、妙なことばを選んだものだね」サトウが言った。蠟燭の光が文字の上に身の毛のよだつ髑髏のシルエットを投じている。

「あれは頭文字をつなげた語ですよ」ラングドンは言った。「こうした部屋の奥の壁にたいがい書かれている、フリーメイソンの瞑想時のマントラを略したものです。ウィシタ・インテリオラ・テラエ、レクティフィカンド・インウェニエス・オクルトゥム・ラピデム」

サトウは感嘆に近いまなざしをラングドンに向けた。「意味は？」

「大地の内を訪れよ、そして精留をなさば隠されし石が現れん」

サトウの目が鋭くなった。「隠されし石というのは、隠されたピラミッドと何か関係があるのかい」

ラングドンはその比較に気乗りがせず、肩をすくめた。「ワシントンに隠されたピラミッドにまつわる空想を楽しむ人たちなら、そう、〝隠されし石〟こそ石のピラミッドだと主張するでしょうね。〝賢者の石〟を引き合いに出す面々もいるかもしれない。永遠の命をもたらしたり、鉛を金に変えたりすると錬金術師が信じた物質です。エルサレム神殿の奥に隠された石造りの〝至聖所〟や、イエスから岩を意味する名を授かった聖ペテロの隠された教えのことだと言い張る手合いもいるでしょう。さまざまな伝承が〝隠されし石〟に独自の解釈を加えていますが、それが力と知恵の源であるという点は共通しています」

アンダーソンが咳払いをした。「ソロモンが拉致犯に嘘をついた可能性もあるのでは？　ここに何かがあるとほのめかして……実は何もない、というように」

ラングドンも同じことを考えていた。

なんの前ぶれもなく、隙間風を受けたかのように蠟燭の炎がまたたいた。つかの間暗くなり、すぐに輝きを取りもどす。

「変だな」アンダーソンが言った。「階上の扉を閉められたんじゃなきゃいいんですが」部屋の外へ出ていき、通路の暗闇に向かって叫ぶ。「だれかいるのか？」

ラングドンはそれに注意を払わなかった。急に奥の壁が気になり、視線を引きつけられていた。いまのはなんだ？

「あれを見た？」壁を警戒の目でにらみつつサトウが尋ねる。

ラングドンはうなずいた。脈が速まっている。いま見えたのはなんだ？

ほんの数秒前、エネルギーのさざ波が走ったかのように、奥の壁がかすかに揺らいで見えたのだ。

アンダーソンは室内へもどりかけていた。「だれもいませんね」はいってくるとき、もう一度壁が揺らいだ。「うわっ！」と叫んで跳びすさる。

三人ともしばし無言で立ちすくみ、一様に奥の壁を見つめていた。ラングドンはまたも悪寒を覚えながらも、何が起こっているのかに気づいた。おそるおそる手を伸ばし、指先で壁の表面に触れる。

「これは壁じゃない」

アンダーソンとサトウは奥へ進んで目を凝らした。

「帆布だ」ラングドンは言った。

「しかし、ふくらんでいた」サトウが即座に言った。

そう、なんとも奇妙なふくらみ方だ。ラングドンはていねいに表面を観察した。帆布は蠟燭の光を妙な具合に屈折させている。その布は、部屋の奥へ……壁面の向こうへふくらんでいるのだ。

ラングドンは指をそっと伸ばし、帆布を押してみた。驚愕のあまり、手を引っこめた。穴がある！

「それをどけて」サトウが命じた。

ラングドンの心臓はいまや早鐘を打っていた。ふたたび手を伸ばして帆布の幕の端をつかみ、ゆっくりと片側へ寄せた。その奥に隠されていたものを信じられない思いで見つめる。

そんなばかな。

サトウとアンダーソンも呆然(ぼうぜん)と立ちつくし、壁の穴に見入っていた。

ようやく、サトウが口を開いた。「われらがピラミッドと対面できたようだね」

39

ロバート・ラングドンは奥の壁の開口部を見つめた。帆布の幕の後ろに隠れる形で、真四角の穴があけられている。大きさは三フィート四方ほどで、煉瓦をいくつか取り除いて造ったらしい。暗がりのなかでは、つづきの間へ通じる窓かとしばし錯覚した。

そうでないことはすでに明らかだ。

開口部の向こうはほんの二、三フィートで壁に突きあたる。粗造りの小戸棚といった趣の穴を見て、ラングドンは博物館の小像展示用の壁龕(へきがん)を思い出した。ちょうどそこにおさまる小さなものがひとつ置いてある。

高さ九インチぐらいの、硬い花崗(かこう)岩を削って造形した品だ。蠟燭の光を浴びて、磨き抜かれた四つのなめらかな面が優美な輝きを放っている。

ラングドンはなぜそんなものがここにあるのか理解できなかった。石のピラミッド？

「その驚きようからすると」サトウが満足げに言った。「これは〈自省の間〉にかならず、ある、ものじゃないわけだね」

そのとおりだとラングドンは身ぶりで示した。

「なら、ワシントンに隠されたフリーメイソンのピラミッドの伝説について、さっきの説を訂正したいんじゃないかい」悦に入った口調がさらに勢いを増す。

「局長」ラングドンは即座に切り返した。「この小さなピラミッドは、フリーメイソンのピラミッドではありません」

「すると、議事堂の地下深くにあるフリーメイソン幹部の密室で、隠されたピラミッドに行きあたったのは、ただの偶然だとでも？」

ラングドンは目をこすり、考えをまとめようとつとめた。「このピラミッドは、伝説にあるものとは少しも似ていません。フリーメイソンのピラミッドは、純金を鍛造した冠部を持つ巨大なものと伝えられているんです」

それに、ラングドンに言わせれば、この小さなピラミッド――頂上の平らなもの――は、真のピラミッドですらなかった。冠部がなければ、象徴としてはまったくの別物になる。〝未完成のピラミッド〟として知られるその象徴は、人間が最大限に能力を発揮するにはたゆまぬ積み重ねが欠かせないことを暗示するものだ。あまり気づかれていないが、その図柄は世界じゅうに広く流布した印刷物に用いられていて、数は二百億枚を超える。〝未完成のピラミッド〟は、流通するすべての一ドル紙幣の裏を飾り、真上に浮かぶまばゆい冠石を辛抱強く待ち受けている。それは、アメリカの国家と国民

の双方が、まっとうすべき使命やなすべき仕事をまだまだ果たしていないと伝える象徴である。

「それをこっちにおろして」サトウはピラミッドを指してアンダーソンに言った。「もっとよく見たいから」そして、なんら畏怖することなく髑髏や交差した骨を脇へ押しやり、机の上に場所を作った。

ラングドンは、霊廟の神聖を穢(けが)す墓泥棒の一味になった心地がしはじめていた。

アンダーソンがラングドンの前へ出て、壁のくぼみに手を伸ばし、大きな手でピラミッドの両側を押さえた。苦しい体勢のためにほとんど持ちあげることができず、ピラミッドを手前へ引きずって木の机に落とす。鈍い音が響く。そこで一歩さがって、サトウに場所を譲った。

サトウは蠟燭をピラミッドのそばへ移し、磨かれた表面を仔細(しさい)に観察した。ゆっくりと小さな指を這(は)わせ、平らな頂面を、つづいて側面を隅々まで調べる。両手でピラミッドを包んで背面にもふれたのち、落胆のていで顔をしかめた。「教授、フリーメイソンのピラミッドは秘蔵の知恵を守るために造られたとさっき言ったね」

「伝説ではそうです」

「じゃあ、仮にピーター・ソロモンの拉致犯が、これぞフリーメイソンのピラミッドだと信じたとしたら、ここにものすごい情報があると思うはずだね」

ラングドンは苛立ちながらうなずいた。「ええ、たとえそれを見つけたとしても、読むことはできないでしょうけどね。伝説によると、ピラミッドにこめられた知恵は暗号化され、判読できないようになっています……最もふさわしい人間以外には」

「というと?」

怒りを抑えつつ、ラングドンは淡々と答えた。「いつの世でも、伝説の宝は相手の資格を試すこと

で守られています。〝王の剣〟の伝説において、剣の刺さった岩は、その恐るべき力を使いこなせる胆力を身につけたアーサー王以外には剣を渡しません。フリーメイソンのピラミッドも同じ考えに基づいています。この場合は知恵こそが宝であり、それは得るにふさわしい者だけが読める暗号化された言語——不完全な謎めいたことばで記されたと言われているんです」

サトウの唇にかすかな笑みがよぎった。「あなたが今夜ここへ呼ばれた理由は、それではっきりしたよ」

「なんですって？」

サトウは落ち着き払ったしぐさで、机の上のピラミッドを百八十度回転させた。四つ目の面がいま、蠟燭の光に照らされている。

ラングドンは驚きの目でそれを見つめた。

「どうやら」サトウは言った。「あなたこそふさわしい者だとだれかが考えたらしいね」

40

トリッシュは何を手間どってるの？

キャサリン・ソロモンはもう一度腕時計をたしかめた。研究所までの風変わりな経路のことをドクター・アバドンに予告し忘れていたとはいえ、あの暗闇のせいでふたりがこんなに遅くなるとは思えなかった。もうとっくに着いているはずなのに。

キャサリンは出口まで歩き、鉛張りのドアを押しあけて虚空を見やった。しばらく耳を澄ましたが、

何も聞こえない。

「トリッシュ？」呼んだ声が闇に呑みこまれた。

静寂。

キャサリンは腑に落ちない思いでドアを閉め、携帯電話を取り出してロビーに連絡した。「キャサリンよ。トリッシュはそこにいる？」

「いいえ」ロビーの守衛は言った。「お客さまといっしょに十分ほど前にそちらへ向かわれました」

「ほんとうに？　まだ〈ポッド5〉へ入室してもいないようなんだけど」

「お待ちください。調べます」守衛の指がコンピューターのキーボードを叩く音がする。「そうですね。ミズ・ダンのカードキーの記録によると、まだ〈ポッド5〉のドアをあけておられません。最後は八分ほど前に……〈ポッド3〉へ入室されています。お客さまに道々ちょっとした案内でもなさってるんじゃないでしょうか」

キャサリンは眉根を寄せた。そうかもね。少々意外な知らせではあったが、トリッシュが〈ポッド3〉に長居をするとは思えない。あそこはひどいにおいがする。「ありがとう。兄はもう着いたかしら」

「いいえ、まだお見えになってません」

「そう、ご苦労さま」

電話を切るなり、キャサリンは急に鋭い戦慄を覚えた。不安で体が硬直したが、それも一瞬のことだった。先刻ドクター・アバドンの家に足を踏み入れたときにも、まさにこんな胸騒ぎがしたものだ。お粗末ながら、あのとき、女の直感ははずれていた。みごとに。

心配ないわ、とキャサリンは心に言い聞かせた。

41

ロバート・ラングドンは石のピラミッドを凝視した。ありえない。

「古の暗号化された言語」サトウは目をあげずに言った。「さあ、これならあてはまる？」

新たに見せられたそのなめらかな表面には、十六個の記号の組み合わせがくっきりと刻みつけられていた。

隣では、ラングドン自身の衝撃を鏡に映したかのように、アンダーソンが口をあんぐりとあけている。宇宙人のキーパッドでも目にしたかのような顔つきだ。

「教授」サトウは言った。「読めるんだろう？」

ラングドンは振り向いた。「なぜそう思うんですか」

「ここへ呼ばれた張本人だからだよ。あなたは選ばれた。刻まれているのはなんらかの暗号のようだし、あなたの評判を考えても、これを解読するために呼ばれたのはまちがいあるまい」

ラングドンもそれは認めざるをえなかった。ローマとパリでの事件のあと、ファイストスの円盤、ドラベッラへの暗号、ヴォイニッチ手稿など、歴史に残る未解読の暗号を解く手助けをするよう、絶え間なく請われつづけてきたからだ。

サトウは刻印を指でなぞった。「この図形の集まりの意味を教えて」

図形じゃない、とラングドンは思った。これは記号の集まりだ。どんな言語かはすぐにわかった。十七世紀に作り出された暗号だ。これの解き方なら熟知している。

「局長」ラングドンはためらいがちに言った。「このピラミッドはピーターの私有物ですよ」

「私有物だろうがなんだろうが、あなたがワシントンへ呼ばれた理由がこの暗号なら、選択の余地はないんだよ。どう読むのかを知りたい」

ブラックベリーが大きな着信音を鳴らしたので、サトウはポケットから引っ張り出してしばし受信メールを読んだ。連邦議会議事堂内部のワイヤレス・ネットワークがこれほど地下深くまで届いていることに、ラングドンは驚いた。

サトウは小さくうなり、眉(まゆ)をあげてラングドンにぎこちない視線を向けた。

「アンダーソン部長」サトウは振り返って言った。「内密に話がある。ちょっとこっちへ」アンダーソンに合図して、廊下の漆黒の闇へといっしょに姿を消す。ピーター・ソロモンの〈自省の間〉に揺らめく蠟燭(ろうそく)の光のなかに、ラングドンはただひとり残された。

アンダーソン部長は、この夜がいつ終わりに行き着くのかと案じていた。〈ロタンダ〉に切断された手首？　地下に死の聖堂？　石のピラミッドに珍妙な刻印？　ともあれ、レッドスキンズの試合など、もはやどうでもよくなっていた。

サトウに従って廊下の暗がりへ出て、懐中電灯をつけた。光は弱いが、ないよりはましだ。サトウは数ヤード歩き、ラングドンの目の届かないあたりで足を止めた。

「これを見て」小声で言い、ブラックベリーを差し出す。

アンダーソンはそれを受けとり、ディスプレイのまぶしさに目を細めた。そこに白黒の画像が映し出されている——サトウへ送るよう自分が頼んだ、ラングドンのショルダーバッグのX線画像だ。この手の画像の常として、高密度のものほど白く見える。そのバッグには、ほかよりも格段に明るいものがひとつはいっていた。きわめて密度が高いらしく、ぼんやりと見える雑多なもののなかで、きらびやかな宝石のように光を放っている。その形は見まちがいようがなかった。

これを今晩ずっと持ち歩いていたのか？　アンダーソンは驚いてサトウに目を向けた。「ラングドンはなぜこのことを言わなかったんでしょうか」

「実にいい質問だね」

「この形……偶然とは思えません」

「ああ」サトウの語気には怒りが混じっている。「わたしにも思えない」

通路から聞こえたかすかな音をアンダーソンの耳がとらえた。はっとして、黒々とした廊下の先へ懐中電灯を向ける。消え入りそうな光が浮かびあがらせたのは、開いた扉が並ぶ無人の廊下だけだった。

「おい」アンダーソンは言った。「だれかいるのか？」

静寂。

サトウは何も聞こえなかったらしく、いぶかしげな顔をしている。

アンダーソンはもう一度耳を澄ましたあと、いまの疑念を頭から振り払った。とにかく、ここを出なくては。


蠟燭のともる小部屋で、ラングドンは鋭く彫られたピラミッドの刻印にひとりで指を走らせていた。メッセージの意味を知りたい気持ちはあるが、これ以上ピーター・ソロモンのプライバシーを侵害するのはためらわれる。そもそも、なぜあの異常者がこんな小さなピラミッドに興味を持つというのか。

「ひとつ問題があるんだよ、教授」背後でサトウの声が大きく響く。「いま新しい情報がはいってね。あなたの嘘はもうたくさんだ」

振り返ると、ブラックベリーを手にしたサトウが、目に炎を宿して勢いよく歩いてきた。面食らったラングドンはアンダーソンに目で助けを求めたが、そちらは冷厳な顔つきで扉の前を固めている。サトウはラングドンの正面に立ち、ブラックベリーを鼻先に突きつけた。

ラングドンがうろたえながらもディスプレイを見ると、ぼんやりとしたネガフィルムのような、白黒の反転した写真が映っていた。雑然と物が散らばった印象を受けるなかで、ひとつだけがとりわけ明るい光を放っている。中心から離れたところで傾いているが、それはまさしく先端のとがった小さなピラミッドだった。

小型のピラミッド？　ラングドンはサトウを見た。「これはなんですか」

そのことばはサトウを焚きつけるばかりだった。「知らないふりをするつもり？」

ラングドンはかっとなった。「ふりなんかしていない！　生まれてこのかた、こんなものは見たことがないんだ！」

「ふざけるんじゃない！」サトウはぴしゃりと言い、その声で黴(かび)くさい空気を切り裂いた。「そのバッグに入れて夜通し持ち歩いているじゃないか！」

「そんな――」ラングドンは言いかけて口ごもった。肩にかけたバッグへゆっくりと視線をおろす。そしてまたブラックベリーに目を向けた。なんと……あの小箱が？　画像を凝視する。こんどはわかった。ぼんやりとした立方体と、そのなかの四角錐(すい)。ラングドンは呆然(ぼうぜん)としつつも、映っているのが自分のバッグと、ピーターの謎めいた箱形の包みだと悟った。あの箱は中空で、小さなピラミッドがおさまっていたわけだ。

　何か言おうと口をあけたが、ことばが出なかった。思いがけない新事実に出くわして、肺から空気が抜けていくのがわかる。

　単純で、強烈な、まぎれもない事実。

　なんということだ。ラングドンは机に置かれた先端のない石のピラミッドを見返した。頂部は平らになっていて――断面は小さな正方形だ――欠落した部分が最後の断片を意味ありげに待ち受けている。その一片がおさまれば、未完成のピラミッドが真のピラミッドに変わる。

　ラングドンはいまになって、自分が運んできたちっぽけなピラミッドが、実はピラミッドではないと気づいた。これは〝冠石〟だ。その刹那(せつな)、なぜ自分だけがこのピラミッドの謎を解けるのかもわかった。

　自分は最後の一片を持っている。

　そしてこれはまさに……護符だ。

ピーターが箱のなかに護符がはいっていると告げたとき、ラングドンは笑ったものだ。いまでは友の正しさが信じられる。このちっぽけな冠石は護符だが、魔術めいたものではなく、ずっと古いたぐいのものだ。魔術的な意味合いを与えられるよりはるか昔、護符(タリスマン)には〝完成〟という別の意味があった。ギリシャ語で〝完全〟を意味する〝テレスマ〟から生じたこのことばは、他のものを補って完成させる物質や概念を表していた。仕上げの材料というわけだ。冠石は、未完のピラミッドを完成の象徴に変えるという意味でも、究極の護符だと言える。

ラングドンはいまや不気味な収束感を覚え、きわめて奇妙なひとつの事実を受け入れざるをえないと感じていた。大きさを別にすれば、ピーターの〈自省の間〉にあったこの石のピラミッドは、伝説のフリーメイソンのピラミッドにどこか似たものへと、少しずつ変貌(へんぼう)しつつある気がしてならない。

X線を受けた冠石の画像の白さから考えて、これは金属製だろう。それもかなり高密度の金属だ。純金かどうかは知る由もないし、そのことをあれこれ考える気もない。このピラミッドは小さすぎる。暗号の解読は簡単すぎる。そして……やめてくれ、どれもただの伝説のはずじゃないか。

サトウは目をそらさなかった。「聡明(そうめい)な人間にしては、今夜はばかげたことをしたものだね、教授。諜報(ちょうほう)機関の局長に向かって嘘をつくなんて。CIAの捜査を故意に妨害するつもり？」

「時間をもらえれば、説明しますよ」

「CIAの本部で頼むよ。さしあたって、拘束させてもらおう」

ラングドンの体がこわばった。「まさか本気じゃないだろうな」

「正真正銘の本気だよ。事の重大さをはっきりと告げたのに、あなたは協力しないほうを選んだ。このピラミッドの刻印について、さっさと解説してしまうことを強く勧めるよ。でないと、本部に着く

ころには……」サトウはブラックベリーを掲げ、石のピラミッドの刻印に近づけて写真を撮った。「ＣＩＡの専門家に先を越される」

ラングドンは言い返そうと口をあけたが、すでにサトウは戸口に立つアンダーソンに顔を向けていた。「部長」サトウは言った。「石のピラミッドをラングドンのバッグに入れて運んで。身柄の拘束はわたしがやるから。よかったらその銃をちょうだい」

アンダーソンは無表情のまま、肩掛け式のホルスターをはずして小部屋へはいってきた。サトウは銃を受けとるなり、ラングドンへ銃口を向けた。

ラングドンは悪夢を見ている気分でそれを見守った。こんなことがあるはずがない。

アンダーソンが近づいてきて、ラングドンの肩からショルダーバッグを奪い、机の前まで持っていって椅子の上に置いた。ファスナーをあけて口をひろげたあと、机から重い石のピラミッドを持ちあげて、メモ帳や小箱のはいったそのバッグへと移した。

突然、廊下で何かがこすれる音がした。戸口に黒っぽい人間の輪郭が現れ、部屋へ跳びこんできてすばやくアンダーソンの背後に迫った。アンダーソンが振り返る間もなく、謎の人物は瞬時に身をかがめ、アンダーソンの背中に肩から体あたりを食らわせた。アンダーソンは前方へ吹っ飛んで、頭を石壁のくぼみの角に打ちつけた。倒れて机に突っ伏した勢いで、骨や装飾品が飛び散る。砂時計が床にぶつかって粉々に割れる。蠟燭は床に転げ落ちてもなお燃えていた。

混乱のなかで、サトウがよろけながら銃を掲げたが、侵入者は置いてあった大腿骨をつかんで振りまわし、その肩に叩きつけた。サトウが痛みで絶叫してあとずさり、銃を取り落とす。侵入者はその銃を蹴飛ばして、ラングドンに向きなおった。細身で背の高い、気品あるアフリカ系アメリカ人の男

だ。これまでに会ったことはない。

「ピラミッドを持って！」男は命じた。「ついてくるんだ！」

42

ラングドンに先立って議事堂地下の迷路を進んでいくアフリカ系アメリカ人は、かなり地位の高い人物に見えた。その初対面の紳士は、脇道も奥まった部屋もすべて知りつくしているばかりか、行く手に立ちはだかる扉という扉をあけられる鍵束(かぎたば)を持っているようだ。

ラングドンはその後ろについて、不慣れな階段をすばやく駆けあがっていった。のぼるにつれ、ショルダーバッグの革のストラップが肩にきつく食いこんでくる。石のピラミッドはあまりに重く、ストラップが切れるのではないかと不安だった。

ここ数分は理屈をはさむ余地もなく、本能だけで動いていた。この見知らぬ男を信じろと直感が告げている。サトウの手から自分を救い出すにとどまらず、危険を冒してまでもピーター・ソロモンの謎のピラミッドを――その正体がなんであれ――守ろうとしている。男の動機はいまだに解せないが、その手にすべてを物語る金色のきらめきがあることにラングドンは気づいていた。双頭の不死鳥と、数字の33――フリーメイソンの指輪だ。この男とピーター・ソロモンは親しい友人以上の関係にある。フリーメイソンの最高位階に属する兄弟だ。

ラングドンは男に従って階段をのぼりきり、また別の廊下へはいって、標識のないドアから業務用の通路へ出た。備品箱やごみ袋のあいだを縫って進み、向きを変えて通用口を抜けたとたん、思いも

寄らない世界が開けていた——豪華な映画館か何かのようだ。自分より年長と思われる男に導かれて脇の通路をあがり、大きなドアから外へ出ると、そこに光に満ちた広々とした空間があった。ラングドンはようやく、さっき入館した観光センターへもどってきたことに気づいた。

あいにく、そこに警備官もいた。

鉢合わせた瞬間、三人とも足を止め、互いに見つめ合った。先刻X線検査装置の横にいた若いヒスパニック系の警備官だった。

「ヌニェス警備官」アフリカ系アメリカ人の男が言った。「だまってついてくるんだ」

警備官は心もとない様子だったが、何も訊き返さずに従った。

この男は何者だ？

三人は観光センターの南東の隅へと急いだ。そこには小さなロビーがあり、重たげな扉の前を数本のオレンジ色のパイロンがふさいでいた。扉はマスキングテープで封印され、センターの外で何が起ころうとも中へは持ちこませまいとしているのがわかる。男は手を伸ばし、テープを剝がした。それから、鍵束を指で繰りつつ、警備官に話しかけた。「アンダーソン部長が地下二階にいる。怪我をしているかもしれない。様子を見てきてくれないか」

「はい、わかりました」ヌニェスの顔には驚きと困惑が混在している。

「何より大切なことを言おう。きみはわたしたちを見なかった」男は鍵を見つけて束からはずし、頑丈そうなデッドボルト錠に差しこんだ。鋼鉄の扉を引きあけ、鍵を警備官に投げてよこす。「わたしたちが出たらこの扉を施錠するんだ。テープはできるかぎり貼りなおせ。鍵はポケットに入れて、だれにも何も言うな。部長にもだ。わかったか、ヌニェス警備官」

警備官は貴重な宝石を託されたかのように、鍵へ目を落とした。「了解しました」

男は急いで扉を抜け、ラングドンもあとにつづいた。背後から、警備官が重厚な錠を締め、マスキングテープを貼りなおす音が聞こえた。

「ラングドン教授」工事中とおぼしき現代的な外観の廊下を足早に歩きながら、男は言った。「わたしの名はウォーレン・ベラミー。ピーター・ソロモンは親友だ」

ラングドンはその堂々たる風格の男を驚きの目で見た。ウォーレン・ベラミーだって？　議事堂建築監に会うのはははじめてだが、その名はもちろん知っていた。

「ピーターはきみを高く買っているよ」ベラミーは言った。「こういう恐ろしい状況で会う成り行きになったのが残念だ」

「ピーターはむごい目に遭っています。手が……」

「知っている」ベラミーはきびしい声で言った。「あいにくだが、それは事のほんの一端にすぎない」

明かりのついた廊下はそこで途切れ、通路は唐突に左へ折れていた。どこへ通じるのかわからないが、その先にひろがるのは漆黒の闇だった。

「ちょっと待て」ベラミーは言い、かたわらの電気室へと姿を消した。もつれ合った太いオレンジ色の延長コードがそこから這い出して、廊下の暗闇へとつづいている。ベラミーが室内を引っ掻きまわすあいだ、ラングドンは待っていた。延長コードに電気を送るスイッチが見つかったらしく、行く手が急に明るく照らされた。

ラングドンは目を瞠るばかりだった。

ワシントンＤＣはローマと同じく、秘密の通路や地下トンネルが張りめぐらされた街だ。目の前の

通路は、ヴァチカンからサンタンジェロ城へと通じる小道（パセット）のトンネルを思い起こさせた。暗く、長く、細い。だが、古のパセットとちがって、この通路は現代風で、まだ完成していない。ここは狭小な工事区画で、あまりにも長いため、幅が徐々にせばまって遠くで消え入りそうな気がする。明かりと言えば、途切れ途切れに配された工事用電球しかなく、トンネルの信じがたいほどの長さを際立たせるばかりだった。

ベラミーはすでに通路の先へ向かおうとしていた。「ついてくるんだ。足もとに気をつけて」

ラングドンはこのトンネルがどこへ出るのかと思案しながら、ベラミーのあとを追った。

そのころマラークは〈ポッド3〉を出て、ＳＭＳＣの寂寞（せきばく）とした中央通路を〈ポッド5〉へと歩を速めていた。トリッシュのカードキーを握りしめ、低い声で「0、8、0、4」と口ずさむ。

同時に、別のことも脳裏を駆けめぐっていた。議事堂からたったいま緊急のメッセージを受けとったところだった。情報提供者が不測の事態に出くわしたらしい。とはいえ、その知らせも捨てたものではない。いまやロバート・ラングドンはピラミッドと冠石の両方を持っている。予期せぬ事態にも出くわしたものの、重要な駒がそろうべき位置にそろった。まるで今夜の出来事が運命そのものに導かれ、マラークの勝利を確たるものにするかのようだった。

43

ラングドンはウォーレン・ベラミーの軽快な歩調に遅れをとらぬよう、長いトンネルをひとことも

交わさず突き進んでいった。いまや議事堂建築監は先刻よりもはるかに躍起になって、サトウからこの石のピラミッドを遠ざけようとしているように見える。ラングドンは自分の想像を大きく超えた何かが起こっているのを徐々に理解しつつあった。

ＣＩＡ？　議事堂建築監？　第三十三位階のフリーメイソンふたり？

ラングドンの携帯電話の着信音が空気を切り裂いた。上着から電話を出し、不審に思いながら応答した。「もしもし」

聞き覚えのある不快なささやき声が言った。「教授、思わぬ連れができたそうだな」

凍りつくような寒気（さむけ）が走る。「おい、ピーターはどこだ！」ラングドンのことばはトンネルの閉ざされた空間に反響した。かたわらからウォーレン・ベラミーが気づかわしげな一瞥（いちべつ）を投げ、歩きつづけろと合図する。

「心配は無用だ」声は答えた。「言ったとおり、安全な場所にいる」

「ピーターの手首を切り落としたな！　医者を呼ぶんだ！」

「呼ぶなら司祭だな」男は言った。「だが、おまえなら救うことができる。命令に従えば、ピーター・ソロモンは死なない。約束しよう」

「いかれた人間の約束に意味があるものか」

「いかれた人間だと？　今夜このおれが畏敬（いけい）の念をもって古の儀礼にならったことは理解しているはずだ。神秘の手がおまえを門へと導いた――古の英知を明らかにするにちがいないピラミッドへとな。いま、それがおまえの手にあることは承知している」

「これがフリーメイソンのピラミッドだと思ってるのか？　ただの石くれだぞ」

電話の向こうに静寂が訪れた。「ミスター・ラングドン、おまえは無知を装える柄じゃあるまい。今夜自分が何を見つけたのかはよくわかっているはずだ。石のピラミッドだよ……有力なフリーメイソンによってワシントンDCの中心に隠された」

「そんなのはただの神話だ！　ピーターが何を言ったにせよ、恐怖から口にしたにすぎない。フリーメイソンのピラミッドの伝説は空想なんだよ。彼らは秘密の英知を守るピラミッドなど造っていない。造っていたとしても、このピラミッドはそっちで想像しているものに比べて小さすぎる」

男は含み笑いをした。「ソロモンはおまえにたいしたことを伝えなかったようだな。とにかく、いま手もとにあるものを受け入れようが受け入れまいが、おまえには指示どおりに行動してもらう。おまえが運んでいるピラミッドに暗号の刻印があることは先刻承知だ。おれのためにその刻印を解読しろ。それがすみさえすれば、ピーター・ソロモンをおまえに返してやろう」

「この刻印が何を語ると思ってるのか知らないが」ラングドンは言った。「それは古の神秘なんかじゃない」

「当然だ」男は答えた。「神秘は途方もなく大きいものだ。小さな石のピラミッドの一面に書ききれるはずもない」

その答にラングドンは拍子抜けした。「しかし、刻印が古の神秘でないとしたら、このピラミッドもフリーメイソンのピラミッドではありえまい。伝説では、フリーメイソンのピラミッドは古の神秘を守るために築かれたとはっきり述べられてる」

とたんに男の声は蔑（さげす）むような口調に変わった。「ミスター・ラングドン、たしかにフリーメイソンのピラミッドは古の神秘を守り伝えるために築かれたが、そこにもうひとひねりあったことをまだ知

らないようだな。ピーターは言わなかったのか？　フリーメイソンのピラミッドは、それ自体が神秘を明かす力を備えているのではない。神秘の隠された場所を明かすだけだ」

ラングドンは思わず顔をあげた。

「刻印を解読しろ」声の主はつづけた。「そうすれば、人類の至宝の隠し場所がわかる」そこで笑う。「ピーター・ソロモンは至宝そのものをおまえに託したわけじゃないんだよ、教授」

ラングドンはトンネルのなかで急に立ち止まった。「待ってくれ。このピラミッドは……地図だというのか？」

ベラミーも足を止めた——衝撃と恐怖の色が顔に浮かんでいる。どうやら電話の相手が核心を突いたらしい。ピラミッドは地図だ。

「その地図——」男はささやいた。「あるいはピラミッドなり門なり、なんと呼んでもかまわないが、それは古の神秘の隠し場所を忘れさせないために、歴史に埋もれさせないために、はるか昔に作られた」

「格子状に並んだ十六個の記号は、あまり地図らしくは見えないがね」

「見かけがあてになるとはかぎらない。だがなんにせよ、その碑文を読む力があるのはおまえだけだ」

「それはちがう」ラングドンはあの単純な暗号を目に浮かべて言い返した。「こんな刻印はだれでも解読できる。たいして高度なものじゃないんだ」

「そのピラミッドには目に見える以上のものがあるとおれは思っている。いずれにせよ、冠石を持っているのはおまえだけだ」

ラングドンはバッグのなかの小さな冠石を思い浮かべた。混沌から秩序？　もはや何を信じたらいいのかわからないが、バッグに入れたピラミッドが刻一刻と重くなっていくように感じられた。

マラークは携帯電話を耳に押しあてて、ラングドンの不安げな息づかいに聞き入っていた。「いまから片づけるべき仕事がある。教授、おまえもだ。地図の解読がすんだら電話しろ。隠し場所へいっしょに行って、取り引きをする。ピーター・ソロモンの命と……歳月を経たあらゆる英知とのな」

「何もするつもりはない」ラングドンは言い放った。「ピーターが生きている証拠がなければな」

「おれを試さないほうがいいぞ。おまえは巨大な機械のちっぽけな歯車の歯にすぎない。おれに刃向かったり、おれを探し出そうなどとしたら、ソロモンは死ぬ。それはまちがいない」

「ピーターはすでに死んでいるんじゃないのか」

「元気いっぱいだよ、教授。しかし、おまえの助けを切に望んでいる」

「そっちのほんとうの狙いはなんだ？」ラングドンは電話に向けて叫んだ。

マラークはひと呼吸置いてから答えた。「多くの人々が古の神秘を追い求め、その力について意見を戦わせてきた。今宵、その神秘が現実のものであることをおれが証明する」

ラングドンは黙した。

「地図探しはすぐにはじめろ」マラークは言った。「報告はきょうのうちにな」

「きょうだって？　もう九時を過ぎているんだぞ！」

「そのとおり。時は逃げ去るものだ」

44

ニューヨークの編集者ジョナス・フォークマンの電話が鳴ったのは、ちょうどマンハッタンのオフィスの明かりを消そうとしたときだった。こんな時間に電話をとるつもりはない――が、そこで発信者の身元表示が目に留まった。いい話にちがいない、と思って受話器に手を伸ばした。

「きみの本の版元はまだうちなのか？」フォークマンは半ば本気で訊いた。

「ジョナス！」ロバート・ラングドンの声は不安げだった。「いてくれてよかった。助けてもらいたい」

フォークマンは期待に胸を躍らせた。「おれに託したい原稿でもあるのか、ロバート」ついに来たか？

「いや、情報がほしいんだ。去年、キャサリン・ソロモンという科学者を引き合わせたろう？ピーター・ソロモンの妹だ」

フォークマンは顔をしかめた。原稿じゃないのか。

「純粋知性科学の本を出す出版社を探していた。覚えてるか？」

フォークマンは目をくるりとまわした。「ああ。覚えてるさ。紹介してくれて大いに感謝するよ。女史は研究結果をおれにいっさい見せないばかりか、何やらすばらしい日が到来するまで、何も出版する気はないそうだ」

「ジョナス、聞いてくれ。時間がないんだ。キャサリンの電話番号が知りたい。いますぐにだ。調べ

られるか？」

「忠告するけど……ちょっと焦りすぎだぞ。たしかにとびきりの美人だが、そのていたらくじゃ好感を与えようにも――」

「軽口を叩いてる場合じゃないんだよ、ジョナス。彼女の番号がいますぐ必要なんだ」

「わかったよ……ちょっと待て」長く親交のあるフォークマンには、ラングドンが大まじめなのがわかった。検索ウィンドウにキャサリン・ソロモンの名を入力して、会社のメールサーバーに照会をかける。

「いま調べてる」フォークマンは言った。「それはそうと、彼女に電話するなら、ハーヴァードのプールからというのはいただけないな。収容所にでもいるみたいに聞こえるぞ」

「プールじゃない。連邦議会議事堂の地下トンネルにいる」

その声つきから、冗談ではないのが感じとれた。こいつ、何があった？「ロバート、きみはなぜ家にこもって物を書いていられないんだ」コンピューターが電子音を発した。「よし、もう少し……わかったぞ」スレッド表示された過去のEメールにマウスを走らせる。「おれが教わったのは携帯電話の番号だけらしい」

「それでいい」

フォークマンは番号を伝えた。

「ありがとう、ジョナス」ラングドンは安堵したようだ。「恩に着るよ」

「恩を返すなら原稿で頼む。いつごろまでかかるか、見当だけでも――」

電話は切れた。

フォークマンは受話器を見つめ、かぶりを振った。著者さえいなければ、出版業はずっと楽になるだろうに。

45

キャサリン・ソロモンは発信者の身元表示を思わず見なおした。トリッシュがアバドンの案内ですっかり遅れてしまったことを詫びる電話だとばかり思っていたからだ。けれども、トリッシュではなかった。

まったくちがった。

口もとにはにかむような笑みが漂うのがわかった。これほど不思議な夜ってあるかしら？　キャサリンは携帯電話につけてあるフリップカバーを開いた。

「あててみましょうか」キャサリンはおどけて言った。「本の虫の独身男、未婚の純粋知性科学者を求む、ってところ？」

「キャサリン！」深みのある声の主はロバート・ラングドンだった。「無事でよかった」

「ええ、なんの問題もなく過ごしてるわよ」キャサリンは不思議に思いつつ答えた。「夏にピーターの家のパーティーで会って以来、一度も電話をくれなかったことを除けばね」

「今夜は大変なことが起こっているんだ。聞いてくれ」ふだんはなめらかな声がざらついている。「こんなことを伝えなきゃならないのは残念だが……ピーターが大事件に巻きこまれてる」

キャサリンの笑みが消えた。「いったいなんの話？」

「ピーターが……」ラングドンは言いよどみ、ことばを探した。「なんと言うべきか……連れ去られたんだ。だれがどんな手を使ったのかはわからないが――」

「連れ去られた？」キャサリンは声を荒らげた。「ロバート、脅かさないで。連れ去られたって……どこへ？」

「どこかで監禁されてる」気持ちが高ぶったのか、ラングドンの声はかすれた。「きょうの早い時間か、もしかしたら、きのうかもしれない」

「冗談はやめて」キャサリンは憤然と言った。「兄はなんともないわ。十五分前に話したんだから」

「そうなのか？」ラングドンは仰天したらしい。

「そうよ！　研究所へ来るって、ついさっきテキストメッセージをくれたの」

「テキストメッセージをくれた……」ラングドンは鸚鵡(おうむ)返しに言った。「でも、声は聞いてないんだな？」

「ええ、だけど――」

「聞いてくれ。きみが受けとったメッセージはピーターからじゃない。ピーターの携帯電話を奪ったやつがいるんだ。危険な男だよ。正体はわからないが、今晩このわたしをワシントンまでおびき出した」

「おびき出した？　何がなんだかわからない！」

「そうだろうな。すまない」ラングドンは珍しく途方に暮れているようだ。「キャサリン、きみにも危険が迫ってるかもしれない」

ラングドンが戯れにそんなことを言うはずがないが、それでも正気とは思えなかった。「わたしはだいじょうぶ」キャサリンは言った。「警備が万全な建物のなかにいるんだから」

「受信したメッセージを読みあげてくれないか。頼む」

キャサリンは当惑しながらも、メッセージの画面を出してラングドンに読み聞かせた。ドクター・アバドンについて語る最後のあたりで背筋が冷たくなった。「〝できればドクター・アバドンにも同席してもらいたい。心から信頼できる……〟」

「なんてことだ……」ラングドンの声に恐怖が入り混じる。「その男を中へ招いたのか？」

「そうよ！　助手がさっきロビーへ迎えに出たの。いつ帰ってきてもおかしくは――」

「キャサリン、逃げろ！」ラングドンは叫んだ。「いますぐ！」


ＳＭＳＣ内の反対側にある守衛所では、電話が鳴って、レッドスキンズの試合の音声が掻き消された。守衛はやむなく、またイヤフォンを引き抜いた。

「ロビーです」守衛は答えた。「こちらはカイル」

「カイル、キャサリン・ソロモンよ！」その声は不安に満ち、息が乱れていた。

「おや、お兄さまならまだですよ」

「トリッシュはどこ？」キャサリンはきびしい声で尋ねた。「モニターに映ってる？」

守衛は椅子を回転させてモニターを見た。「まだ〈キューブ〉へ着いてないんですか」

「まだよ！」叫ぶ声には怯（おび）えたような響きがある。

まるで走っているかのようにキャサリン・ソロモンが息を切らしていることに、守衛は気づいた。何が起こってるんだ？

すぐさまビデオのコントローラーを動かし、デジタル映像を早送りでざっと確認する。「待ってく

ださいね、映像を確認しますから……トリッシュと訪問客のかたがロビーを出ていきます……〝大通り〟を歩いていって……早送りしますね……ああ、〈ウェット・ポッド〉の前にいる……トリッシュがカードキーでドアをあけた……ふたりとも〈ウェット・ポッド〉にはいった……早送りを……うん、ちょうど一分前に〈ウェット・ポッド〉から出ていますね……それから……」守衛は首をかしげ、再生速度を落とした。「ちょっと待て。これは変だな」

「どうしたの？」

「男性がひとりで〈ウェット・ポッド〉から出てきたんです」

「トリッシュは中に残ったってこと？」

「ええ、そのようです。いま、訪問客が映ってますが……ひとりで廊下にいますね」

「トリッシュはどこ？」キャサリンはますます動転している。

「映像では見あたりません」そう答える守衛の声にも焦燥感が入り混じりはじめた。モニターに目をもどすと、男の上着の袖が濡れているように見えた……肘のあたりまで。〈ウェット・ポッド〉で何をしていた？〈ポッド5〉へ向かって中央通路を力強く進んでいく男の手に握られているのは……カードキーではないだろうか。

守衛はうなじの毛が逆立つのを感じた。「ミズ・ソロモン。大変なことになりました」

キャサリン・ソロモンにとって、今夜ははじめてだらけの夜だった。

三年間、この虚空のなかで携帯電話を使ったことはなかった。ここを全力で駆け抜けたこともない。だが、いまは携帯電話を耳に押しあてて、果てしなくつづくカーペットの上を向こう見ずに突き進ん

だ。カーペットから足がそれたと感じるたびに進路を正し、まったき闇のなかをひたすら走る。

「彼はいまどこ？」キャサリンは息を切らして訊いた。

「確認中です」守衛が答える。「早送りして……ああ、廊下を歩いてますね……〈ポッド５〉へ向かってる……」

キャサリンはさらに疾走した。ここに閉じこめられる前に、出口へたどり着きたい。「彼が〈ポッド５〉の入口に着くまで、あとどれくらい？」

守衛はひと呼吸置いて言った。「いえ、ちがうんです。いまもまだ早送りで見てるんですよ、録画映像を。だから、すでに起こったことです」ことばを切る。「ちょっと待ってください。入退室管理モニターを確認しますね」一瞬ののち、守衛は言った。「ミズ・ダンのカードキーの記録では、〈ポッド５〉への入室は約一分前です」

キャサリンは足を動かすのをやめ、深い闇のただなかで滑りながら止まった。「もう〈ポッド５〉を解錠したってこと？」送話口へささやく。

守衛は大あわてでキーを叩いた。「はい、入室したのは……九十秒前のようです」

キャサリンの体がこわばった。呼吸を止める。自分を取り巻く闇がにわかに息づくのを感じた。

相手はここにいる。

つぎの瞬間、この空間で唯一の光を自分の携帯電話が発していることに気づいた。顔が照らされている。「助けをよこして」キャサリンは小声で守衛に告げた。「それと、〈ウェット・ポッド〉へ行ってトリッシュを助けて」そう言って静かに携帯電話のカバーを閉じ、光を消した。

完全な暗闇に包まれる。

キャサリンは身じろぎもせず、つとめて静かに呼吸をした。数秒後、前方の闇からエタノールの刺激臭が漂ってきた。においが徐々に強まる。ほんの数フィート先のカーペットの上に、相手の存在が感じられた。この静けさのなかでは、心臓の打つ音だけでも自分がいることを知らせてしまいそうだ。キャサリンはそっと靴を脱ぎ、カーペットから少し左へとそれた。足の裏に冷たいコンクリートの感触がある。もう一歩動いて、完全にカーペットから退いた。

一方の爪先(つまさき)がきしむ。

静寂のなかでは、銃声さながらに聞こえた。

ほんの数フィート先で、暗闇からやにわに向かってくる衣擦(きぬず)れの音がした。走りだすのが一瞬遅れたため、闇を探る力強い腕がキャサリンをとらえた。逃がすまいとしてその両手が激しく暴れる。振り切ってもなお万力並みの握力で白衣をつかまれ、キャサリンはリールを巻くように引っ張られた。キャサリン・ソロモンは腕を後ろへ投げ出し、もがいたすえに白衣を脱ぎ捨てた。そして、どちらが出口かなど考えもせず、果てしなく黒い闇のなかへ一気に突進した。

46

「世界一美しい部屋」とも呼ばれる空間を擁しながら、アメリカ議会図書館は、その息を呑(の)むほどの壮麗さよりも収蔵品の数の多さのほうが名高い。書棚の長さの総計は五百マイルを超え、ワシントンDCからボストンまでの距離をはるかに上まわっている。地上最大の図書館の称号にふさわしい規模を持ち、そのうえいまも一日あたり約一万点の速さで膨張しつづけている。

トマス・ジェファーソンの集めた科学書と哲学書が核となったというこの図書館は、知識の普及をめざすアメリカの信念の象徴である。ワシントンで最も早く電灯を備えた建物のひとつであり、新世界の闇をまさに灯台のごとく照らしていた。

その名が示すとおり、議会図書館は議会のために設立された。通りをはさんだ議事堂では、誉れ高き議員たちが働いている。図書館と議事堂との昔からの絆(きずな)は、近年になって物理的なつながりが作られたことによってますます強いものになった。インディペンデンス・アベニューの下を走る長いトンネルが、いまではふたつの建物を結びつけている。

今夜、おぼろな明かりがともるそのトンネルのなかで、ロバート・ラングドンはウォーレン・ベラミーとともに工事中の区域を通り抜けながら、キャサリンの身を案じていや増すばかりの不安を懸命に抑えようとしていた。あの異常者がキャサリンの研究所にいる？　なぜそんなことになったのか、想像すらしたくなかった。キャサリンへの警告の電話では、落ち合う場所をはっきり伝えてから切った。このいまいましいトンネルは、あとどのくらいつづくのか。からみ合った思考が怒濤(どとう)のごとく駆けめぐり、すでに頭痛に襲われている。キャサリン……ピーター……フリーメイソン……ベラミー……ピラミッド……古の預言……そして地図。

ラングドンはすべてを振り払い、前へ突き進んだ。ベラミーはあとで説明すると約束してくれている。

ようやく通路の端に達すると、ベラミーはラングドンを、まだ取りつけ中の両開きのドアの先へと導いた。未完成のドアを施錠する手立てはなく、ベラミーは建築資材のなかからアルミニウムの梯子(はしご)をつかむと、ドアの外側へ危うい角度で立てかけた。それから、金属のバケツをひとつ、ドアの上に注意深く載せた。だれかがあけようとすれば、バケツが盛大な音を立てて床に落ちるだろう。

これが警報装置なのか？　ラングドンは頭上のバケツを見やり、ベラミーがこれ以上の安全策をほかにも練ってあることを祈った。何もかもがあまりにめまぐるしく起こったので、いまになってようやく、ベラミーとともに逃げ出したことの重大さに考えが及ぶようになった。自分はＣＩＡからの逃亡者じゃないか。

ベラミーを先頭にして角を曲がり、そこからオレンジ色のパイロンに囲まれた幅の広い階段をのぼりはじめた。ショルダーバッグの重みが肩にずしりとのしかかる。「石のピラミッドですが」ラングドンは言った。「まだ理解できません」

「ここではよそう」ベラミーはさえぎった。「明るいところでよく見ようじゃないか。安全な場所には心あたりがある」

ついさっきＣＩＡ保安局局長を襲撃した人間にそんな場所があるとは、ラングドンにはとうてい思えなかった。

階段をのぼりきると、ふたりはイタリア産大理石と漆喰と金箔からなる広い通路にはいった。そこには八組の彫像が並んでいた――どれも女神ミネルヴァを表現したものだ。ベラミーはラングドンを率いて東へ進み、アーチ型の通路を抜けて、一段と壮麗な空間に踏みこんだ。

閉館後のほの暗い明かりのなかでさえ、議会図書館の大ホールはヨーロッパの豪華な宮殿を思わせる古典的な威容を誇っていた。頭上七十五フィートの高みにステンドグラスの天窓がきらめき、それらを囲むパネルの枠には、稀少な〝アルミニウムの箔〟――かつては金よりも珍重されていた金属箔――が施されている。その下には、対をなす堂々たる柱の列が二階のバルコニーに立ち並び、螺旋を描く二本の雅やかな階段で下の階と結ばれている。その親柱には啓蒙のかがり火を掲げる女の巨大

な銅像が載っていた。

近代的な啓蒙という主題を描きつつ、ルネッサンス建築の装飾表現の範囲に見合ったものにとどめるという奇妙な試みにより、階段の手すりには近代の科学者たちを表すキューピッド風の幼児たちの像が彫られている。電話を手にする天使のような電気技師？ 智天使(ケルビム)を髣髴(ほうふつ)させるふくよかな昆虫学者と標本箱？ ベルニーニが見たらどう思うだろうかと、ラングドンは案じずにはいられなかった。

「あそこで話そう」ベラミーはラングドンを連れ、この図書館で最も価値の高い二冊をおさめた防弾ガラスの陳列ケースの前を通り過ぎた。そこにあるのは、一四五〇年代の手書き写本であるマインツの大聖書と、世界に数点しかない羊皮紙製完全版グーテンベルク聖書のアメリカ版だ。似つかわしいことに、そのあたりのアーチ型天井は、ジョン・ホワイト・アレグザンダーによる〈本の進化〉と題された六枚組の絵が占めている。

ベラミーは、東回廊の中ほどの奥の壁にある優美な両開きの扉へとまっすぐ歩を進めた。扉の向こうにどんな部屋があるのかを知っていたラングドンは、語り合いの場としては妙な選択だと感じた。〝静粛に願います〟という表示に取り囲まれた空間で話をする皮肉はよいとしても、その部屋が〝安全な場所〟だとはどうにも考えにくい。十字形をした建物の中央に位置するその部屋は、図書館の心臓部に等しかった。そこに隠れるのは、大聖堂に侵入して祭壇の上に隠れるようなものだ。

にもかかわらず、ベラミーは扉の鍵をあけてその先の暗がりへと歩み入り、手探りで明かりをつけようとした。スイッチを入れると、アメリカの建築史上有数の傑作が虚空から姿を現した。

名高い閲覧室は五感をたっぷりと刺激してくれる。中央の高さが百六十フィートもある八角形の広々とした部屋で、八つの壁は、チョコレートブラウンのテネシー産大理石、クリーム色のシエナ産

大理石、アップルレッドのアルジェリア産大理石で仕上げられている。八方から光が差すためにほとんど影ができず、部屋そのものが光り輝いているような効果が生じる。

「ワシントンで最も印象深い部屋だと評する者もいる」ベラミーはラングドンを招き入れながら言った。

全世界で、と言ってもいい。入口から足を踏み入れたラングドンはそう思った。いつものとおり、まずはそのまま上に目が向いて、天井の中央部を観察した。幾重ものアラベスク調の格間が、ドームの曲面に沿って上階のバルコニーへとおりてくる。部屋を取り囲むようにして、十六体の銅像が手すりから見おろしていた。その下では、息を呑むほど美しい拱廊が下階のバルコニーを形作っている。床の高さへ目を移すと、重厚な受付台を中心として、つややかな木の机が三つの同心円を描いて並んでいるのが見える。

ベラミーに視線をもどすと、両開きの扉を大きくあけ放っているところだった。「隠れるつもりだと思っていましたが」ラングドンは困惑して言った。

「だれかがこの建物にはいってきたら、足音を聞きつけたいんだよ」

「でも、ここにいてはすぐに見つかってしまいませんか」

「どこに隠れたって見つかる。しかし、追い詰められたとしても、この部屋を選んだことにきみも感謝するはずだ」

ラングドンには理由がわからなかったが、ベラミーはその点を論じるつもりがないらしい。すでに部屋の中央へと進んでおり、手近な机を選んで二脚の椅子を引き寄せ、読書灯のスイッチを入れた。それからラングドンのショルダーバッグを手で示した。

「では教授、じっくり見るとしよう」

磨き抜かれた机をきめの粗い花崗岩で傷つけたくないので、ラングドンはバッグをそのまま机に載せてファスナーをあけ、両端をいっぱいまでさげて中のピラミッドが見えるようにした。ベラミーは読書灯の向きを調整し、ピラミッドを丹念に調べた。不思議な刻印に指を走らせる。

「きみにはこの言語がわかるんだな」ベラミーは訊いた。

「もちろんです」ラングドンは十六個の象徴を見つめつつ答えた。

〝フリーメイソンの暗号〟として知られるこの記号言語は、初期のフリーメイソンたちのあいだで私信に使われた。この方法は、ある単純な理由により、とうの昔に使われなくなった――あまりにもたやすく解読できるからだ。ラングドンの象徴学のクラスにいる四年生の大半は、この暗号を五分程度で解くことができる。ラングドン自身は、紙と鉛筆があれば六十秒以内に読めるだろう。
何世紀も前のこの暗号体系の解読がたやすいことはよく知られていて、いまはそれゆえにふたつの

矛盾が生じていた。第一に、ラングドンがこれを解ける地上で唯一の人間だという主張はばかげている。第二に、サトウはフリーメイソンの暗号が国家の安全保障にかかわる問題だと断じたが、それはわが国の核兵器の発射コードがスナック菓子のおまけの暗号解読指輪をもとに組まれたと言っているようなものだ。ラングドンにはどちらも受け入れがたかった。このピラミッドが地図だって？　失われた古の英知のありかを示しているって？

「ロバート」ベラミーは重苦しい口調で言った。「サトウ局長はなぜこれにそんなにご執心なのかを説明したのか」

ラングドンはかぶりを振った。「いえ、くわしいことは何も。国家の安全保障にかかわると言っただけです。たぶん、こけおどしでしょう」

「そうかもな」ベラミーは首の後ろをさすりながら言った。なんらかの迷いをかかえているらしい。「しかし、ひどく厄介なことになる可能性もある」顔をあげ、ラングドンの目を見据えて言う。「サトウはこのピラミッドにひそむ真の力をすでに知っているのかもしれない」

47

キャサリン・ソロモンを呑みこんだ闇は頑強だった。

慣れ親しんだカーペットの安らぎを捨てたキャサリンは、見境もなく前方を手探りしていた。伸ばした手にふれるのはうつろな空間ばかりで、荒涼たる虚空へ深く迷いこんでいく。ストッキングを穿いただけの足には、果てしなくひろがる冷たいコンクリートが、凍りついた湖も同然に感じられる。

早くこの苦境から逃れなくてはならない。

　エタノールのにおいがしなくなったので、立ち止まって闇のなかで様子をうかがった。高鳴る心拍を抑えられぬのを憂いつつ、身じろぎもせずに耳をそばだてる。追いかけてくる重い足音は消えたようだ。うまく撒(ま)けたのか？　目をつぶり、自分の居場所の見当をつけようとした。どちらへ走った？　ドアはどこ？　考えても無駄だった。大きく向きを変えたのだから、出口はどこにあってもおかしくない。

　恐怖は刺激剤となって思考力を研ぎ澄ます、という説を聞いたことがある。だが、いまは恐怖ゆえに、キャサリンは混乱の極に陥っていた。仮に出口を見つけたとしても、出ることができない。カードキーは白衣を脱ぎ捨てたときに失っていた。唯一の望みは、いまの自分が干し草の山に埋もれた一本の針――三万平方フィートの格子のひとつの点にすぎないことだった。逃げたいという強烈な衝動はあるものの、キャサリンの分析的な頭脳はただひとつの論理的な行動を指示していた――けっして動くな。じっとしていろ。音を立てるな。守衛がこちらへ向かっているはずだし、襲撃者はなぜかエタノールの強いにおいを漂わせている。至近距離に来たら、かならずわかるはずだ。

　静寂のなかに立ちつくすうち、ラングドンのことばに思いが及んだ。ピーターが……連れ去られた。腕の表面で冷たい汗が玉となり、まだ右手で握っていた携帯電話へと流れ落ちるのがわかった。危険なことをひとつ見過ごしていた。もし電話が鳴ったら、こちらの居場所を悟られる。しかし電源を切るにはフリップカバーを開かねばならず、ディスプレイの光が漏れてしまう。

　電話を床に置いて……離れよう。

　けれども、手遅れだった。エタノールのにおいが右から漂っている。そのうえ、徐々に強くなる。キャサリンは懸命に平静を保ち、駆けだしたい衝動を抑えつけた。ゆっくりと慎重に、左へ一歩踏み

出す。だが、相手にとっては、服がこすれるかすかな音だけでじゅうぶんだったらしい。男の突進する音が聞こえ、エタノールのにおいに圧倒されるとともに、力強い手に肩をつかまれた。生々しい恐怖に包まれ、キャサリンは体をよじって逃れた。数学的な確率など蹴散らして、一目散に走りだす。勢いよく左へそれ、進路を変えながら、虚空へがむしゃらに突き進んだ。

いきなり壁が現れた。

キャサリンは激しくぶつかり、しばし呼吸ができなくなった。肩と腕に痛みがひろがったが、どうにか倒れずにこらえる。斜めに衝突したせいで、衝撃を最大限に食らうことは免れたが、そんなことはほとんど慰めにならない。音が四方に響き渡り、こちらの居場所が知れてしまった！　苦痛に体を折り曲げて振り返り、ポッドの暗黒に目を凝らすと、男が自分をにらみつけているのが感じられた。

位置を変えるのよ。早く！

なおも懸命に息を継ぎながら、キャサリンは壁伝いに動きだし、むき出しになった鋼鉄の鋲にひとつひとつ左手でふれながら進んだ。壁から離れちゃだめ。追い詰められる前にすり抜けよう。右手には、必要とあらば武器として投げるつもりで、まだ携帯電話を握りしめていた。

つぎに聞こえた音にはなんの心構えもしていなかった——自分のすぐ前で、まぎれもない衣擦れの音がする……それも壁沿いに。キャサリンは凍りついて微動だにせず、息も止めた。もう壁まで来たなんて！　エタノールの刺激臭を含んだ空気がかすかに吹きつけた。壁際を近づいてくる！

キャサリンは数歩あとずさった。そこから音も立てずに百八十度向きを変え、急いで逆方向へと壁を伝いはじめた。二十フィートほど進んだとき、考えられないことが起こった。またしても自分の前の壁際で衣擦れの音がしたのだ。そして、同じ微風とエタノールのにおい。キャサリン・ソロモンは

その場に凍りついた。

そんなばかな。どっちへ行ってもあいつがいる！

マラークは上半身裸で暗闇を見透かしていた。

袖についたエタノールのにおいが不利だとわかり、マラークはそれを強みへと変えていた。シャツと上着を脱ぎ、それを利用して獲物を追い詰めたのだ。上着を右の壁へ投げたとき、キャサリンが急に立ち止まって向きを変える音が聞こえた。つづいて左の前方へシャツを投げると、またしても足を止めた。キャサリンが先へ進めない点をふたつ作ることで、巧みに壁際へ囲いこんだわけだ。

静けさのなかで、マラークは耳を澄まして待ち受けた。相手が動ける先は一方だけ——いま自分のいる方向だ。それなのに、何も聞こえなかった。恐怖で体が麻痺(まひ)したのか、じっと耐えて助けが来るのを待つことにしたのか。どちらにせよ、向こうの負けだ。当分だれも〈ポッド5〉にはいれない。ぞんざいながらきわめて有効な手立てによって、外のキーパッドを使用不能にしたからだ。トリッシュのカードキーを使ったあとで、十セント硬貨をカードスロットの奥へ押しこんだので、ほかのカードキーを使うには装置を分解するほかない。

おまえとおれだけだ、キャサリン……あれが直るまでは。

マラークは音もなく小刻みに前進し、何か動きがないかと耳をそばだてた。キャサリン・ソロモンは今夜、兄の博物館の暗闇で死ぬ。詩的な最期だ。キャサリンの死の知らせを兄に伝えるのが待ち遠しかった。あの男が苦悶(くもん)する姿を、長らく待ち焦がれていた。

その闇のなかで突如、遠くに小さく輝くものが見え、マラークは目を疑った。致命的な判断ミスだ。

電話で助けを呼ぶ気か？　ともったばかりのディスプレイの光が、茫洋（ぼうよう）たる黒い海に輝く浮標のごとく、二十ヤードほど前方の腰の高さを漂っている。向こうが動きだすのを待ち構えていたが、いまやその必要はない。

マラークは一気に飛び出し、漂う光めがけて突進した。相手が助けを呼ぶ前に捕らえなくてはならない。数秒でたどり着いたマラークは、光る携帯電話の両側へ腕を伸ばし、キャサリンに組みつこうと跳びかかった。

指が硬い壁にぶつかり、骨が折れそうなほど反り返った。つづいて、頭が鋼鉄の梁に突きあたる。マラークはあまりの痛みに絶叫し、壁際でくずおれた。毒づきながらどうにか起きあがり、腰の高さに張られた横軸につかまって体を引きあげると、巧妙にも、そこにはカバーを開いた携帯電話が載せてあった。

キャサリンはふたたび走っていた。〈ポッド５〉の壁に等間隔で並んだ金属の鋲に手があたるたびによけいな音がしたが、もうそれを気にかける必要はない。ポッドの壁伝いにまわっていけば、いずれは出口のドアに手がふれる。

守衛はいったいどこ？

等間隔の鋲はいつまでも途切れず、キャサリンは左手を壁に這わせ、右手を防御のために前へ伸ばしつつ駆けていった。いつになったら角に達するのか。側壁はかぎりなくつづくかに思えたが、鋲にあたるリズムが不意に崩れた。大股（おおまた）で数歩進むあいだ、左手には何もふれず、そこからまた鋲が現れた。キャサリンは足を止め、なめらかな金属の板を手で探りながらあとずさった。なぜここには鋲がないのだろう。

襲撃者が重い足音を響かせて、壁伝いに追ってくるのが聞こえる。だが、それ以上に恐ろしい別の音がする――守衛が〈ポッド5〉のドアを懐中電灯で叩く、遠く律動的な音だ。

守衛が中へはいれない？

そのことに恐怖を覚えながらも、守衛が叩いている位置――斜め右――がわかったことで、たちまち方向感覚がよみがえった。〈ポッド5〉のどこにいるのか、いまは頭に描ける。映像が浮かぶと同時に、意外なことに思いあたった。この平坦な壁板の正体だ。

どのポッドにも標本用の搬入口が設けられていて、そこにある巨大な可動式の壁は、特大の標本がポッドに出入りする際に引き寄せておくことができる。飛行機の格納庫の扉並みに大きいので、あける必要が生じるなどとは夢にも思わなかった。しかし、いまとなってはこれが一縷の望みだ。

そもそも開くのだろうか。

キャサリンは搬入口の扉を探して暗闇に手を這わせ、ついに大きな金属の取っ手を見つけた。それを握りしめ、体重をかけて扉を引きあけようとした。動かない。もう一度挑んだが、びくともしない。

悪戦苦闘する音を頼りに、襲撃者はいっそう足早に迫っていた。鍵がかかってる！　激しく動揺したキャサリンは、掛け金かレバーのたぐいがないかと扉のそこかしこをなでまわした。突然、鉛直の棒のようなものに手があたった。その場でかがみこんでコンクリートの床までたどると、棒が床の穴に差しこまれているのがわかった。落とし棒ね！　キャサリンは立ちあがって棒をつかむと、下半身に力を入れて持ちあげ、穴から抜き出した。

あいつはすぐそこまで来ている！

キャサリンはあらためて取っ手を探りあて、全力をこめて手前に引いた。巨大な壁板はほとんど動

いていないように思えたが、それでもひと筋の月明かりが〈ポッド5〉の中へ差しこんだ。ふたたび引く。漏れ入る光の筋が徐々に太くなる。もう少しだけ！　すでに敵がほんの数フィート先にいるのを感じながら、最後にもう一度取っ手を引いた。

光の差すほうへ跳びこみ、隙間へ細い体を横向きにねじこむ。闇から手が現れ、キャサリンをつかんで中へ引きもどそうとした。キャサリンは勢いをつけて隙間を通り抜けた。鱗の刺青に覆われたむき出しの力強い腕が、捕らえようとして怒れる蛇のごとく弾んだ。

キャサリンは身をひるがえし、〈ポッド5〉の長い淡色の外壁に沿って逃げていった。SMSCの周囲に敷かれた砂利がストッキングを穿いただけの足を痛めつけたが、キャサリンは正面入口をめざして疾走した。暗い夜ではあるが、〈ポッド5〉の濃厚な闇に精いっぱい目を凝らしていたので、いまは真昼のように完璧に物が見える。後方では搬入口の重厚な扉がきしんだ音を立てて開き、建物の脇を重い足音が勢いを増しつつ追ってくるのがわかる。足の運びが信じられないほど速い。

正面入口まではとても逃げおおせない。愛車のボルボのほうが近いのはたしかだが、それさえも遠すぎる。もうだめなのか。

そのとき、最後の手札が残っていることに気づいた。

闇に包まれて〈ポッド5〉の角へ近づいたとき、男の足音がまもなく追いつきそうなのが感じられた。いましかない。キャサリンは角を曲がるかわりにいきなり左に折れ、建物を離れて芝生へ踏みこんだ。それから、目をきつく閉じて顔を両手で覆い、何も見えぬまま芝生の上を走りだした。

〈ポッド5〉周辺の防犯用センサーライトが点灯し、一瞬にして夜が昼へと変わった。キャサリンの背後で苦痛の叫びがあがった。二千五百万カンデラのまばゆい投光照明が、襲撃者の開ききった瞳孔

を焼けつかせたらしい。砂利の上で相手がつまずく音が耳にはいった。

キャサリンはさえぎるもののない芝生の上で、自分を信じて目を固く閉じていた。建物と光からじゅうぶんに離れたと感じたとき、目をあけて進行方向を正し、暗がりを猛然と走った。

ボルボのキーは、いつも置いておく中央のコンソールボックスにそのままあった。キャサリンは息を弾ませ、震える両手でキーをつかんでイグニッションを探りあてた。エンジンが轟音を立て、ヘッドライトがつくと、恐ろしい光景が照らし出された。

異様な姿のものが疾走してくる。

キャサリンはしばし凍りついた。

ヘッドライトがとらえた生き物は、頭を剃って胸をあらわにした獣だった。皮膚は、鱗と図像と聖句からなる刺青で覆われている。まぶしい光の前に走り出るや、両手を目にかざし、うなり声をあげた。洞穴に棲む野獣がはじめて太陽を見たかのようだ。キャサリンはシフトレバーに手を伸ばしたが、相手は瞬時にしてそこまで来ていた。ドアの窓が肘で叩き割られ、強化ガラスがキャサリンの膝に降り注いだ。

鱗に覆われたがっしりとした腕が窓から突き入り、キャサリンの首を求めてがむしゃらに空を掻いた。キャサリンは車をバックさせたが、襲撃者は喉につかみかかり、想像を絶する力で絞めあげる。その手から逃れようと首をひねった瞬間、襲撃者の顔に目を奪われた。爪で引っ掻いたような四本の黒い縞が顔の化粧を切り裂いて、その下の刺青があらわになっている。その目は冷酷で狂気を宿していた。

「おまえも十年前に殺してやればよかった」男はうなるように言った。「おまえの母親を殺した夜にな」

そのことばが耳に届くや、身の毛もよだつ記憶がよみがえった。この野獣のようなまなざし——たしかに見覚えがあった。あの男だ。万力のような手に首を絞められていなければ、叫び声をあげていただろう。

キャサリンはアクセルに足を叩きつけた。車が大きく揺れて後ろへ動きだし、男を横に張りつけたまま引きずったので、キャサリンの首は折れそうになった。ボルボが傾斜のついた分離帯に乗りあげ、首が男の重みに屈しかかる。突然、木の枝が車体の脇をこすり、窓を激しく叩いた。そして重みから解放された。

車が青い芝生を突っ切り、上段の駐車場へ進入したところで、キャサリンは急ブレーキをかけた。眼下では、半裸の男がよろめきながら立ちあがり、ヘッドライトをにらみつけている。男は不気味なほど冷然と、鱗で覆われた腕を掲げ、キャサリンを威嚇するようにまっすぐ指さした。

生々しい恐怖と憎しみで体じゅうの血をたぎらせながら、キャサリンは荒々しくハンドルを切ってアクセルを踏みしめた。数秒ののち、車は後部を横滑りさせながらシルバー・ヒル・ロードへ突進した。

48

先刻の差し迫った状況で、警備官のヌニェスは議事堂建築監とロバート・ラングドンの逃亡を助けるほかなかった。しかし、地下の議事堂警察本部にもどったいま、どんどん雲行きが怪しくなるのがわかった。

トレント・アンダーソン部長が頭に氷嚢を押しつけ、一方で別の警備官がサトウの打撲傷の手当てをしていた。ふたりとも立ったまま、ビデオ監視班とともにデジタル映像のファイルを検証し、ラングドンとベラミーの居場所を調べている。

「すべての廊下と出口の映像を確認して」サトウが命じた。「かならず行方を突き止めなさい！」

ヌニェスは見ているうちに気分が悪くなってきた。該当する映像が見つかって真実が知れるのは時間の問題だろう。自分が逃走の手助けをしたのが発覚してしまう。さらに頭が痛いのは、四名からなるＣＩＡの捜査班がこの場に集まって、ラングドンとベラミーを追跡する準備をしていることだった。議事堂警察とは似ても似つかない、正真正銘の兵士だ。黒い迷彩服、暗視スコープ、最新式の拳銃……

ヌニェスは吐き気を催した。意を決し、アンダーソン部長に丁重に合図を送った。「部長、お話が」

「どうした」アンダーソンはヌニェスについて廊下へ出た。

「部長、わたしは大変なまちがいを犯しました」ヌニェスは汗をしたたらせながら言った。「申しわけありません。辞職します」どうせ何分かしたら、お払い箱にされるんだ。

「なんだと？」

ヌニェスは唾を呑みこんだ。「先ほどわたしは観光センターで、脱出しようとするラングドンと建築監に出くわしました」

「ほんとうか？」アンダーソンは叫んだ。「なぜだまっていたんだ！」

「建築監が、何も言うなとおっしゃったもので」

「ばか野郎、おまえはおれの部下だぞ！」アンダーソンの声が廊下に響いた。「ベラミーはおれの頭を壁に叩きつけやがった！」

ヌニェスはアンダーソンに、建築監から渡された鍵を差し出した。

「なんだ、これは？」アンダーソンは詰問した。

「インディペンデンス・アベニューの下の新しいトンネルへ出る鍵です。ベラミー建築監がお持ちでした。そこから逃げたのです」

アンダーソンは唖然として鍵を見つめた。

サトウが廊下に顔を出し、探るような目を向けた。「いったい何事？」

ヌニェスは血の気が引くのを感じた。アンダーソンはまだ鍵を手にしていて、サトウがそれを見たのはまちがいない。恐ろしげな顔つきのサトウが近づいてきたとき、ヌニェスは部長を守るためになんとか取り繕おうとした。「地下二階の床で鍵を見つけまして。どこのものかご存じないかと部長にお尋ねしていたんです」

サトウが来て、鍵に目をやった。「で、部長は知っているのかい」

ヌニェスが目をあげて見ると、アンダーソンはあれこれを秤にかけているらしかった。やがて、首を左右に振りながら言った。「思いつきませんね。まずは確認を――」

「その必要はないよ」サトウは言った。「これは観光センターの脇のトンネルをあける鍵だ」

「なんですって？」アンダーソンは言った。「どうしてそれをご存じなんですか」

「いま監視映像が見つかったんだよ。そのヌニェス警備官がラングドンとベラミーの逃亡を助け、そのあとでトンネルの入口に施錠した。ヌニェスにその鍵を渡したのはベラミーだ」

アンダーソンは怒りもあらわにヌニェスに向きなおった。「それは事実なのか？」

ヌニェスは勢いよくうなずいて、懸命に話を合わせようとした。「申しわけありません。建築監が

他言するなとおっしゃったんです」

「建築監が何を言ったかなど、どうでもいい！」アンダーソンは怒鳴った。「なぜわたしに——」

「だまりなさい、トレント」サトウがぴしゃりと言った。「ふたりとも、白々しい嘘はやめなさい。そんなもの、ＣＩＡの尋問のためにとっておくんだね」建築監のトンネルの鍵をアンダーソンから奪いとる。「あなたたちにもう用はないよ」

49

ロバート・ラングドンは不安を募らせつつ電話を切った。キャサリンはなぜ電話に出ない？　研究所を無事に脱出してこちらへ向かいしだい電話する、と約束していたのに、いまだに連絡がない。

ベラミーは閲覧室で隣にすわっている。ベラミーもまた電話を切ったところで、相手は聖域を——安全な隠れ家を——提供してくれる人物だという。あいにくそちらも電話に出なかったので、至急ラングドンの携帯電話に連絡を請う、という緊急のメッセージをベラミーは残した。

「引きつづき連絡は試みるが」ベラミーは言った。「当面はわれわれだけだ。それに、このピラミッドをどうするか話し合わなくてはな」

ピラミッドか。閲覧室の偉観が視界から一気に消え、眼前の光景のみに世界が収斂（しゅうれん）した。石のピラミッド……冠石を擁する封印された包み……そして、闇から突如現れ、ＣＩＡに尋問される絶体絶命の危機から救い出してくれた上品なアフリカ系アメリカ人。

この議事堂建築監は多少とも理非をわきまえていると期待したのだが、ウォーレン・ベラミーは、

ピーターが煉獄(れんごく)にいるとのたまったあの異常者に負けず劣らず、常軌を逸しているように見える。この石のピラミッドが、伝説にあるフリーメイソンのピラミッドにほかならないと言い張っているのだから。古の地図？　それが強力な知恵へと導くって？

「ミスター・ベラミー」ラングドンはつとめて丁重に言った。「人類に大いなる力を与える古の知恵のたぐいが存在するという話ですが……どうも真に受ける気になれません」

ベラミーの目は失望と真摯(しんし)さを同時にたたえており、ラングドンの疑念はいっそう強まった。「教授、きみがそう考えるのは予想していたが、無理もないと思う。しょせん、きみは傍観者だ。正式に入会せず、理解の準備ができていない身には、フリーメイソンの現実の一部は神話としか思えまい」

ラングドンは見くだされた気がした。オデュッセウスの航海に同行した一員でなくても、キュクロプスが神話にすぎないことくらいはわかる。「ミスター・ベラミー、仮に伝説が正しいとしても……このピラミッドがフリーメイソンのピラミッドのはずがありませんよ」

「そうかな」ベラミーは石に刻まれたフリーメイソンの暗号に指を這わせた。「わたしには、言い伝えとぴったり符合するように思えるがね。これは輝かしい金属の冠石を載せた石のピラミッドで、まさしくピーターがきみに託したものだ」四角い包みをつかみあげ、手で重みをたしかめる。

「この石のピラミッドの高さは一フィートもありません」ラングドンは反論した。「これまでに聞いたどの説でも、フリーメイソンのピラミッドは巨大だとされています」

ベラミーは明らかにその指摘を予想していた。「知ってのとおり、伝説によれば、ピラミッドは神がみずから手を伸ばしてふれることができるほど高くそびえているという」

「そうです」

「壁に突きあたるのはわかるよ、教授。しかし、古の神秘もフリーメイソンの思想も、われわれひとりひとりの内に神が宿ると讃えている。象徴的な意味においては、啓蒙された人間の手に届くものなら……神の手にも届くと言えるわけだ」

ラングドンはことば遊びに心を動かされなかった。

「この点は聖書も一致している」ベラミーは言った。「創世記の〝神、その像のごとくに人を造りたまえり〟という記述を信じるなら、その含意もまた信じなくてはならない――すなわち、人は神より劣った存在として造られたのではないということだ。ルカ伝の十七章二十一節にも〝神の国は汝らの内にあるなり〟と記されている」

「神と自分が対等だと思っているキリスト教徒を、わたしはひとりも知りません」

「当然だよ」ベラミーの口調が険しくなった。「たいがいのキリスト教徒はふたつの立場を同時に求めるからだ。聖書を信じていると誇らしげに公言したいくせに、信じがたいところや不都合なところは平然と無視する」

ラングドンは答えなかった。

「いずれにせよ」ベラミーは言った。「フリーメイソンのピラミッドは神もさわれるほど高いという古くからの伝承は、その大きさについて長年の誤解を生んでいる。もっとも、おかげできみのような学者たちがピラミッドは伝説にすぎないと主張し、だれも探さずにいてくれるんだがね」

ラングドンは石のピラミッドへ視線を落とした。「申しわけありませんが、わたしはフリーメイソンのピラミッドを端から作り話と見なしています」

「石工が石を刻んで地図を作ったというのは、みごとに筋が通ると思わないか？　歴史を通じ、われ

われの最も重要な道しるべはつねに石に刻まれてきたんだよ。神はモーセに石板を授け、人々の行動指針となる十戒を与えた」

「それは認めますが、この話は決まって〝フリーメイソンのピラミッドの伝説〟と呼ばれますね。〝伝説〟という言い方は、それが架空の話であることを暗示しています」

「〝伝説〟か」ベラミーは含み笑いをした。「残念ながら、きみもモーセと同じ問題に悩まされているようだな」

「というと？」

ベラミーは楽しげでさえある様子で、すわったまま向きを変え、十六体の青銅の像が見おろす上層のバルコニーを一瞥した。「モーセが見えるか？」

ラングドンも視線をあげ、この図書館の名高いモーセ像を見た。「ええ」

「角を生やしている」

「知っています」

「だが、モーセに角がある理由まで知っているか？」

おおかたの教師と同じで、ラングドンも人から教えられるのは好きではなかった。頭上のモーセに角があるのは、何万ものキリスト教の芸術作品でモーセに角があるのと同じ理由――出エジプト記の誤訳のせいだ。ヘブライ語の原本はモーセを〝カラン・オール・パナヴ〟――〝顔の肌が光を放っている〟――と描写していたが、ローマ・カトリック教会が公式のラテン語訳聖書を作ったとき、翻訳者がモーセの描写を訳しそこない、〝コルヌタ・エセト・ファキエス・スア〟――〝顔に角がある〟――としてしまった。それ以来、聖書に忠実でないと批判されるのを恐れた画家や彫刻家は、こぞっ

てモーセに角をつけるようになった。

「単純なまちがいですよ」ラングドンは答えた。「紀元四〇〇年ごろに聖ヒエロニムスが誤訳したんです」

ベラミーは感心したふうだった。「そう、誤訳だ。そしてその結果、哀れなモーセは歴史を通じて奇怪な姿をさらすことになった」

〝奇怪〟とは言いえて妙だ。ラングドンは幼いころ、ミケランジェロの悪魔めいた〝角の生えたモーセ〟――ローマのサン・ピエトロ・イン・ヴィンコリ教会の主役――を見てこわくなったものだ。

「モーセの角の話をしたのは」ベラミーは言った。「ただの一語であっても、誤解されれば歴史を書き換える力を持つという例を示したかったからだ」

会衆席に向かって説教をするつもりか、とラングドンは思った。その教訓は何年か前にパリで身をもって学んでいた。〝サン・グリアル〟は〝聖杯〟だが、〝サング・リアル〟は〝王家の血〟となる。

「フリーメイソンのピラミッドの場合も」ベラミーはつづけた。「人々は〝伝説（レジェンド）〟に関する噂を耳にした。そして、そこで考えるのをやめた。〝フリーメイソンのピラミッドの伝説〟と聞くと、いかにも作り話めいている。だが〝レジェンド〟という語には別の意味もある。ちがう意味に解釈されたんだよ。護符（タリスマン）の場合とよく似ている」笑みを浮かべる。「言語というものは、ときとして巧みに真実を隠す」

「それはそうですが、何が言いたいのかわかりません」

「ロバート、フリーメイソンのピラミッドは地図だ。そしてすべての地図と同じく、記号表（レジェンド）――つまり、それを読み解く鍵が付されているんだよ」ベラミーは四角い包みを手にとって掲げた。「わからないか？　この冠石はピラミッドの鍵にほかならない。これを使えば、この世で最も強力な地図――

人類の至宝である、失われた古の知恵のありかを示す地図を解読できる」

ラングドンは押しだまった。

「衷心から言うが」ベラミーは言った。「きみのいうそびえ立つフリーメイソンのピラミッドは、まさしくこれなんだよ。さして大きくもない石だが、金の冠石は神の手が届くほどの高みにある。啓蒙された人間なら手が届く高みに」

数秒間の沈黙がふたりのあいだに流れた。

ピラミッドに視線を据えていたラングドンは、新たな光のもとでそれを見て、にわかに興奮を覚えた。ふたたびフリーメイソンの暗号へ目を移す。「でも、この暗号は……あまりにも……」

「簡単だと？」

ラングドンはうなずいた。「だれでも、解けるほどです」

ベラミーは微笑し、鉛筆と紙をラングドンのために持ってきた。「では、われらの蒙を啓いてくれないか」

ラングドンは暗号の解読にためらいを覚えたが、いまの状況を考えれば、それはピーターへの背信行為とは呼べない気がした。おまけに、どんな内容だとしても、何かの秘密の隠し場が明らかになるとは思えないし、史上有数の至宝となればなおさらだ。

ベラミーから鉛筆を受けとり、それで顎を軽く叩きながら暗号を注視した。あまりにも単純で、鉛筆と紙は要らないほどだ。それでも、誤りがないよう念を入れたかったので、しっかりと鉛筆を紙におろし、フリーメイソンの暗号の最もよく知られた解読鍵を書いた。鍵は四つの格子からなり——ふたつは直線のみで、ふたつは点を打ってある——そこにアルファベットを順番に書きこんでいく。ア

ルファベットの各文字は、それぞれが別の形をした〝囲い〟あるいは〝檻（おり）〟のなかにあることになる。囲いの形が、どれもひとつの文字を表すというわけだ。

仕組みは実に簡単で、子供じみていると言ってもよい。

A	B	C
D	E	F
G	H	I

J	K	L
M	N	O
P	Q	R

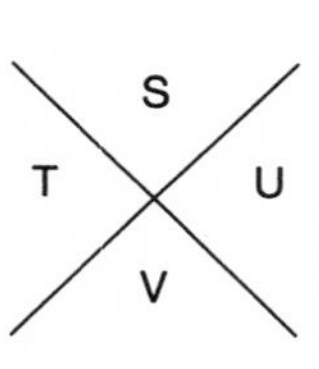

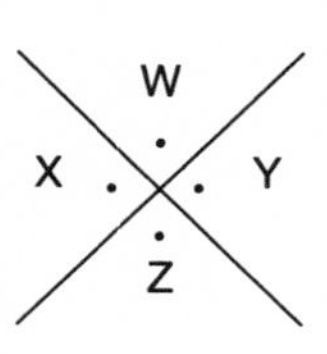

ラングドンは手作業の結果を二度たしかめた。解読鍵が正しく書けていると自信が持てたので、ピラミッドに刻まれた暗号へ注意をもどした。これを解くには、解読鍵で同じ形を探し、それが囲む文字を書き出していけばいい。

ピラミッドの左上にある最初の記号は、下向きの矢印か杯に似ている。解読鍵で杯の形になっているところはすぐに見つかった。三番目の図にあり、Ｓの字を囲んでいる。

ラングドンはＳと書いた。

つぎの記号は右側が欠けた四角で、中に点が打ってある。解読鍵でこの形が囲むのはＯの字だ。

Ｏと書く。

三番目の記号はただの四角で、これはＥの字を囲んでいる。

Ｅと書く。

Ｓ……Ｏ……Ｅ……

速度をあげて作業をつづけ、すべての文字列を完成させた。解読結果を見つめたラングドンは、困惑のため息をついた。〝わかった！（ユリイカ）〟と叫ぶ気にはまったくならない。

ベラミーの顔にはかすかな笑みが漂っている。「教授、知ってのとおり、古の神秘は真に啓蒙された者のみに明かされる」

「ええ」ラングドンは渋い顔で言った。自分には資格がないらしい。

50

ヴァージニア州ラングレーにあるＣＩＡ本部の奥深くに設けられた地下のオフィスで、同じ十六文字のフリーメイソンの暗号が高解像度のコンピューター・モニターで明るく光っていた。上級分析官のノーラ・ケイは、ひとりきりですわって、上司のサトウ局長から十分前にＥメールで送られたその

画像を見つめていた。

　これは何かの冗談？　もちろんそんなはずはない。サトウ局長はユーモアの感覚が皆無だし、今夜の事件は冗談ではすまされない。すべてを見通す保安局において高度な機密情報を扱うノーラは、権力の渦巻く陰の世界を目のあたりにしてきた。けれども、この二十四時間で見たものは、権力者の隠す秘密というものの印象をすっかり変えてしまった。

「はい、局長」ノーラは受話器を首と肩ではさんでサトウと話した。「刻まれているのはたしかにフリーメイソンの暗号です。しかし、平文に直しても意味をなしません。文字をでたらめに並べたように見えます」解読結果を見おろす。

S	O	E	U
A	T	U	N
C	S	A	S
V	U	N	J

「かならず意味があるはずだよ」サトウは断じた。

「わたしが気づかないだけで、二重の暗号化が施されているのかもしれません」

「何か考えは？」

「格子型の行列になっていますから、通常の解読法——ヴィジュネルやカルダングリルなどの解読法

でしょう」

「手を尽くしなさい。それも迅速にね。X線画像は？」

ノーラは第二のシステムのほうへ椅子を向け、バッグを手荷物検査で写した通常のX線画像を見た。サトウが要求したのは、四角い箱のなかにある小さなピラミッド形のものの情報だ。濃縮プルトニウムでもないかぎり、高さがわずか二インチの物体が国家の安全保障にかかわることはまずあるまい。この物体はプルトニウムではない。とはいえ、それに匹敵するほどの驚愕すべき物質でできている。

「画像から密度を分析し、確実な結果を得ています」ノーラは言った。「一立方センチメートルあたり十九・三グラム。純金です。恐ろしく高価ですよ」

「ほかに何か？」

「あります。密度を分析した際、金のピラミッドの表面がやや変則的なデータを示しました。金に文字が刻まれているためだと判明しています」

「文字が？」サトウは意気ごんだ。「内容は？」

「まだ不明です。文字が非常に薄いので。フィルターをかけて読みとりやすくしてみますが、X線画像の解像度はあまり高くありません」

「わかった、つづけなさい。何か判明したら連絡するように」

「了解しました」

「それから、ノーラ」サトウの口調が不穏な響きを帯びた。「この二十四時間で知ったことについてだけれど、石のピラミッドと金の冠石の画像は最高機密に属する。だれにも話してはいけない。わた

しに直接報告すること。その点ははっきり言っておくよ」

「わかりました」

「よろしい。連絡を欠かさないように」

ノーラは目をこすり、かすむ目でコンピューターの画面をふたたび見た。もう三十六時間以上眠っていないが、この危機が結末を迎えるまではぜったいに眠れそうもない。

どういう結末であれ。


連邦議会議事堂観光センターでは、黒ずくめのなりをしたCIAの現場専門捜査官四人がトンネルの入口に立ち、狩りを待ちかねる猟犬よろしく勇み立って、ほの暗い地下道をのぞきこんでいた。

電話を終えたサトウがそこへ歩み寄った。「四人とも」議事堂建築監の鍵を持ったまま言う。「任務の要点はわかってるね？」

「はい」指揮を執る捜査官が答えた。「目標はふたつ。ひとつは高さおよそ一フィートの、刻印がある石のピラミッド。もうひとつはそれより小さい、高さおよそ三インチの立方体の包み。最後に目撃されたのは、どちらもロバート・ラングドンのショルダーバッグのなかです」

「よろしい。そのふたつを無傷のまま、すみやかに確保すること。何か質問は？」

「武器の使用条件はありますか」

ベラミーに骨で殴られたサトウの肩はまだうずいていた。「いま言ったとおり、この品を確保することに全力を尽くしなさい」

「了解しました」四人は向きを変え、トンネルの暗がりへ進んでいった。

サトウは煙草に火をつけ、男たちの姿が消えていくのを見守った。

51

日ごろのキャサリン・ソロモンは安全運転を心がけていたが、いまはボルボを時速九十マイル以上で飛ばし、スートランド・パークウェイをやみくもに突き進んでいた。パニックがおさまりはじめたのは、震える足でゆうに一マイルはアクセルを踏みつづけてからだった。やがて、震えが止まらないのは恐怖のせいだけではないことに気づいた。

寒くて凍えそう。

ガラスの砕けた窓から冬の夜気が流れこみ、極北の風さながらに体に吹きつけている。ストッキングを穿いただけの足には感覚がなく、キャサリンは助手席の下に置いてある予備の靴を手で探った。その動作で、すさまじい力でつかまれたときにできた喉のあざが鋭くうずいた。

窓を破って襲いかかった男は、ドクター・クリストファー・アバドンとして自分が知る金髪の紳士とは似ても似つかなかった。豊かな髪やなめらかな褐色の肌は跡形もなかった。剃りあげた頭と、裸の胸と、化粧がまだらに残った顔には、刺青が複雑にからみ合った恐ろしい模様が浮き出ていた。

割れた窓の外で風のうなる音に交じったささやき声が、いまになってよみがえった。おまえも十年前に殺してやればよかった……おまえの母親を殺した夜にな。

キャサリンは戦慄（せんりつ）とともに確信した。あの男だ。あの目に宿っていた悪魔のごとく猛々（たけだけ）しい光は忘れたことがない。兄がただ一度放った銃弾の発射音も忘れていない。男はその銃弾で絶命して、高い

岩棚から凍結した川へ落ち、氷を突き破って永遠に浮かびあがらないはずだった。捜索は何週間もつづいたが、遺体は発見されず、チェサピーク湾へと流されたものと断定された。

それはまちがっていた。あの男はまだ生きている。

そして、もどってきた。

恐怖に駆られながらも、記憶の奔流が押し寄せた。あれは十年ほど前になる。クリスマスの日だった。自分とピーターと母――一家の全員がポトマックにある広大な石造りの家に集まった。二百エーカーに及ぶ敷地には木々が立ち並び、ポトマック川もそこを突っ切っていた。

伝統に則り、母はキッチンでまめまめしく働き、子供たちふたりのために料理を作るという休暇のしきたりを楽しんだ。七十五歳になるというのに、イザベル・ソロモンが料理をするさまには活力がみなぎり、その夜も鹿肉のローストや、パースニップ入りのグレイビーソースや、ニンニクを利かせたマッシュポテトの心地よいにおいが家じゅうに漂っていた。母が食事の準備をするあいだ、キャサリンは兄と温室でくつろぎながら、最近夢中になっているもの――純粋知性科学と呼ばれる新たな分野――について語り合った。素粒子物理学と古代の神秘主義の融合というほぼ不可能なことを実現した純粋知性科学は、キャサリンの想像力をとらえて放さなかった。

物理学と哲学が出会う。

自分が夢に描く実験のいくつかを話すと、興味を掻き立てられたのがピーターの目から読みとれた。この年のクリスマスは前向きに考えられるものを兄に提供できて、キャサリンは特にうれしかった。クリスマスは一家の痛ましい悲劇を呼び覚ますつらい休暇になっていたからだ。

ピーターの息子、ザカリー。

キャサリンの甥にとっては、二十一度目の誕生日が最後になった。一家は悪夢を経験し、兄がようやく笑いを取りもどしたのはつい最近のことだった。

ザカリーはいつまで経っても子供で、意志が弱くて扱いにくい、反抗的な怒れるティーンエージャーだった。深い愛情を注がれ、この上なく恵まれた環境で育ったにもかかわらず、ソロモン家の伝統とは手を切ると決めたらしかった。寄宿制学校から追い出されると、〝セレブ〟たちとのパーティーで浮かれ騒ぐばかりで、きびしく愛情をもって導こうとする両親の懸命の試みにはいっさい耳を貸さなかった。

ザカリーはピーターを失望させた。

十八歳の誕生日を迎える直前、本人がもっと分別を持つまで相続財産の引き渡しを見合わせるべきかどうかで母と兄が言い争う場に、キャサリンも居合わせた。ソロモン家の相続財産は、何世紀も前からの伝統にならって、子供が十八歳の誕生日を迎えたら渡されることになっており、一家の富から莫大な額が与えられる。相続財産は人生の終わりよりもはじまりに渡されたほうが役に立つ、とソロモン家の人間は考えているからだ。それに、情熱あふれる若い後継者に一家の財産の多くを委ねることこそが、この名家の繁栄の秘訣でもあった。

だがこんどばかりは、ピーターの放蕩息子にそんな大金を与えるのは危険だと母は主張した。ピーターは反論した。「ソロモン家の財産相続は、破ってはならない家訓です。金を渡されれば、ザカリーももっと責任感を持つでしょう」

不幸にも、ピーターはまちがっていた。

金を受けとったとたん、ザカリーは家族と決別し、持ち物をすべて置いたまま家から姿を消した。

数か月後、タブロイド紙にその名が現れた――〝道楽息子、ヨーロッパで贅沢三昧〟。タブロイド紙はザカリーの乱れきった自堕落な暮らしぶりを楽しげに書き立てた。ヨットで乱痴気パーティーに興じたり、ディスコで酔いつぶれたりの写真はソロモン家の人間にとって受け入れがたいものだったが、わがままなティーンエージャーが悲しみよりも恐怖を引き起こす存在になったのは、ザカリーが東ヨーロッパの国境でコカイン所持のために逮捕され、〝ソロモン家の百万長者、トルコで収監〟と新聞に報じられたときだった。

その監獄はソアンルックという名で、イスタンブール郊外のカルタルにある情け容赦のない最重警備施設だった。息子の身の危険を案じたピーター・ソロモンは、ザカリーを連れ帰るべくトルコへ飛んだが、息子との面会すら禁じられ、傷心をいだいてむなしく帰国した。唯一期待できそうな知らせは、国務省の有力な知人がすみやかな引き渡しを要請してくれていることだけだった。

だが二日後、ピーターは恐ろしい電話を受けた。翌朝、〝ソロモン家の嗣子、監獄で殺害される〟という見出しが新聞に躍った。

監獄の写真はおぞましいものだったが、マスメディアは平然と何もかもを放映し、ソロモン家が内々に葬儀をすませたあとも流しつづけた。ピーターの妻はザカリーの釈放に失敗した夫をけっして許さず、半年後に夫婦生活は破局を迎えた。それ以来、ピーターはひとりきりでいる。

その事件から何年か経ち、キャサリン、ピーター、母のイザベルはクリスマスに密やかに集まった。痛みは家族のなかにまだ残っていたが、さいわい年が過ぎるごとに薄れていた。鍋や調理用具がぶつかり合う陽気な音をキッチンから響かせながら、母は昔ながらのクリスマス料理を準備した。ピーターとキャサリンは温室にいて、焼いたブリーチーズを味わいながら休暇らしい会話をしてくつろいでいた。

そのとき、予想もしなかった声が響いた。

「よう、ソロモン兄妹」気どった声が背後から呼びかけた。

キャサリンと兄が驚いて振り向くと、大柄の筋骨隆々たる人影が温室の戸口から踏みこむところだった。黒いスキーマスクをかぶり、唯一それに覆われていない目は野蛮で残忍な光を放っている。

ピーターはとっさに立ちあがった。「だれだ！　どうやってはいった？」

「監獄でおまえの息子のザカリーと知り合ったんだよ。この鍵の隠し場所を教わった」侵入者は古い鍵を掲げて獣のように笑った。「あいつを殴り殺す前にな」

ピーターの顎ががくりと落ちた。

拳銃が現れ、ピーターの胸にまっすぐ向けられた。「すわれ」

ピーターは椅子に沈みこんだ。

男が温室に歩み入っても、キャサリンはその場ですくんでいた。覆面の奥の目が、凶暴な獣のごとくぎらついている。

「おい！」キッチンの母に警告するかのように、ピーターは大声をあげた。「何者か知らないが、ほしいものを持って出ていけ！」

男はピーターの胸に銃を突きつけた。「何がほしいと思う？」

「金額を言え。この家には置いていないが、あとで――」

獣は笑った。「ばかにするな。ここに来た目的は金じゃない。ザカリーのもうひとつの相続財産だ」

薄気味悪く笑う。「ピラミッドの話を聞いたんだよ」

ピラミッド？　キャサリンは怯えながらも困惑した。なんのピラミッドよ？

ピーターは屈しなかった。「なんの話かわからない」

「白を切るのはやめろ！　おまえが書斎の金庫に何を隠したかをザカリーから聞いた。それをよこせ。いますぐだ」

「ザカリーがどう言ったにせよ、それは思いちがいだ。なんの話かわからないと言っているだろう！」

「わからないだと？」侵入者は向きを変え、キャサリンの顔に銃の狙いを定めた。「これでもか？」

ピーターの目が恐怖で満たされる。「信じてくれ！　そんなものは知らない！」

「もう一度嘘をついたら」男はキャサリンを狙ったまま言った。「妹をおまえから奪う」笑みを浮かべる。「ザカリーの話では、妹はおまえにとって何より大切な――」

「何事なの？」ピーターのブローニング・シトリのショットガンを手にした母が、叫びながら温室にはいってきた。男の胸をまっすぐ狙っている。侵入者はすばやく振り向いたが、七十五歳の血気盛んな老女は躊躇（ちゅうちょ）しなかった。散弾が轟音とともに放たれる。侵入者は後ろによろめきながら、拳銃を乱射して窓を砕いたが、ガラス戸を突き破って倒れ、拳銃を取り落とした。

ピーターはためらうことなく、転がった拳銃に飛びついた。倒れているキャサリンのもとへイザベルが駆け寄って、かたわらに膝を突いた。「なんてこと、怪我をしたの？」

キャサリンはショックで口をきけぬまま、かぶりを振った。粉々になったガラス戸の向こうで、覆面の男がどうにか立ちあがり、脇腹を押さえて森へ走りこむ。ピーター・ソロモンは母と妹を振り返り、ふたりが無事らしいのを見てとると、拳銃を握りしめて戸口から飛び出し、侵入者を追っていった。

イザベルは震えながらキャサリンの手を握った。「無事でほんとうによかった」そこで唐突に体を引く。「キャサリン？　血が出ているわよ！　血だわ！　怪我をしたのよ！」

キャサリンは血に目を向けた。大量の血。体じゅうを覆っている。でも痛みはない。

イザベルが半狂乱のていで、キャサリンの体にあるはずの傷口を探す。「どこを怪我したの！」

「わからないのよ、お母さん。何も感じない！」

そのとき、キャサリンは血の出どころを見てとり、凍りついた。「お母さん、わたしじゃなくて……」母の白いサテンのブラウスの脇腹あたりを指さした。血が勢いよく流れ出て、ふちの乱れた小さな穴があいている。困り果てた表情で母が視線を下に向ける。そして、たったいま痛みに襲われたかのように、愕然とあとずさった。

「キャサリン？」声は小さかったが、そこにはにわかに七十五年の歳月の重みが加わっていた。「救急車を呼んでちょうだい」

キャサリンは玄関の電話に走り、助けを求めた。温室へもどったときには、母は血だまりのなかで横たわり、動かなくなっていた。キャサリンは駆け寄ってしゃがみ、母の体を腕に掻きいだいた。

森から響くかすかな銃声を聞くまで、どれほどの時が経ったのかはわからない。ようやく温室の戸が勢いよくあけられ、目を血走らせた兄のピーターが銃を手にして駆けこんだ。冷たくなった母をかかえてすすり泣くキャサリンを見て、顔が苦悶にゆがむ。温室に響き渡った絶叫を、キャサリン・ソロモンはけっして忘れることがなかった。

52

マラークは刺青を入れた背中の筋肉が波打つのを感じながら、建物の前に駆けもどり、〈ポッド5〉の開いた搬入口へ向かった。

研究所に侵入しなくては。

キャサリンを取り逃がしたのは想定外だった……そして障害になりかねない。自分の住みかだけでなく、いまや正体までも知られた……十年前にあの屋敷に押し入った男であることを。

その夜のことはマラークも忘れていなかった。ピラミッドに手が届くところまで行ったのに、運命が邪魔をした。まだ備えができていなかったということだ。しかし、いまはちがう。前より強くなった。前より力をつけた。帰還するために想像を絶する試練に耐え抜いたこの身は、今夜ついに運命を実現させる地固めができている。夜が明けるまでには、キャサリン・ソロモンの目の光が潰えるのをきっと見届けられるだろう。

搬入口に着いたマラークは、キャサリンがまだ逃げおおせたわけではないと自分に言い聞かせた。避けられぬ結末を先延ばしにしたにすぎない。搬入口を抜け、カーペットに突きあたるまで大胆に闇のなかを進んだ。それから右に曲がり、〈キューブ〉へ向かった。〈ポッド5〉の扉を叩く音はやんでいる。守衛は、機能を封じるためにカード・スロットに押しこんだ十セント硬貨を取り除こうとしているのだろう。

〈キューブ〉へ通じるドアの外側でスロットを見つけ、トリッシュのカードキーを差しこんだ。キー

パッドが照らし出される。トリッシュの暗証番号を押して中へはいった。照明が煌々と輝く無菌空間に歩み入り、目を引く機器が並ぶさまを見て、驚きに眉をひそめた。テクノロジーの威力はよく知っている。自宅の地下室で自分なりの科学に取り組んでいるし、昨夜はその科学のひとつが結果をもたらした。

真実を。

ピーター・ソロモンは独自の形で監禁され――はざまに幽閉され――おのれの秘密を残らず明かした。いまではあの男の魂も見える。秘密には予想どおりのものもあったが、意想外のものもあり、その一端がキャサリンの研究所と驚くべき成果だった。科学は身近に迫りつつある。そして、資格のない者のために科学が道を照らすのを許してはならない。

キャサリンの研究は、近代科学を用いて古代の哲学的な疑問に答を出すことからはじまった。人々の祈りは何かに届いているのか？　死後の世界は存在するのか？　人間に魂はあるのか？　信じがたい話だが、キャサリンはそのすべてに答を出し、それ以上の答まで出した。科学的に。決定的に。用いた方法には反駁の余地がない。どれほど疑り深い人間でも、実験結果は認めざるをえまい。この事実が発表されて世に知られれば、人間の意識は根本から変わりはじめる。人類は新たな道を見いだすだろう。それを確実に阻止することが、今宵変身をとげる前に自分が果たすべき最後の仕事だ。

マラークは研究所の奥へ行き、ピーター・ソロモンの話にあったデータ保管室を見つけた。分厚いガラスの壁の向こうに、二台のホログラフィックディスク・ドライブがある。ソロモンが言っていたとおりだ。この小さな箱の中身に人間の進路を変えうる力があるとは想像しにくいが、いつの時代も真実はあらゆる触媒のなかで最も強い力を持つ。

ホログラフィックディスク・ドライブを見据えながら、トリッシュのカードキーを出してドアのスロットに差しこんだ。意外にも、明かりがともらなかった。どうやら、この部屋への入室を許されるほど、トリッシュ・ダンは信頼されていなかったらしい。キャサリンの白衣のポケットにあったカードキーに手を伸ばした。それを差しこむと、こんどはキーパッドが照らし出された。

問題がひとつある。キャサリンの暗証番号は知らない。トリッシュの暗証番号を試したが、反応はなかった。顎をなでながら数歩さがり、厚さ三インチのプレキシガラスのドアを観察した。たとえ斧（おの）があっても、これを打ち破って、中のドライブまで破壊するのは不可能だろう。

だが、こういう場合の対策は考えてあった。

ピーターが明かしたとおり、電源室の棚に、ダイビング用の大きな酸素ボンベに似た金属のタンクがいくつかあった。それぞれの表面に、ＬＨという文字と、数字の２、そして可燃物を示す万国共通の図像が描かれている。タンクのひとつは、研究所の水素燃料電池に接続されている。

接続されたタンクには手をふれず、補充用のタンクのひとつを慎重に持ちあげて棚の横の台車におろした。それから台車を押して電源室を出て、研究所内を進み、データ保管室のプレキシガラスのドアの前へ行った。そこでもじゅうぶんに近いが、重いプレキシガラスのドアに弱点がひとつあるのを見つけていた――ドアの下に細い隙間がある。

ドアの前でタンクを用心深く横に倒し、弾力のあるゴムホースを下の隙間に差し入れた。安全確認用のシールをはずしてバルブを露出させるのに少し時間をとられたが、それがすむと、いっそう注意をこめてバルブをゆるめた。透明な泡立つ液体がゴムホースから保管室の床へ流れ出すのが、プレキシガラス越しに見える。液体が蒸気と泡を発しながらひろがって、床を浸していく。水素が液体の状

態にあるのは低温下のみで、温度があがれば沸騰をはじめる。発生する気体は、好都合なことに、液体のときよりもさらに可燃性が高い。

ヒンデンブルク号の炎上事故を思い出せ。

それから研究所の奥へ急ぎ、バーナーの燃料のはいった容器を持ってきた。これは粘性のある油で、可燃性は高いが揮発しない。それをプレキシガラスのドアまで運んだあと、タンクから液体水素が流れていくのを楽しげに見守った。たぎる液体がデータ保管室の床を覆いつくし、ホログラフィックディスク・ドライブの台を取り囲む。白っぽい煙を立ちのぼらせつつ、液体水素が気体へと変わり、小さな空間を徐々に満たしていった。

マラークは燃料入りの容器を掲げ、液体水素のタンクと、ゴムホースと、ドアの下の隙間に中身をたっぷり注いだ。それから、床に引く油の筋が途切れぬよう細心の注意を払いながら、研究所の外へと後ろ向きで歩きはじめた。


ワシントンDCから九一一への通報を担当している女の通信指令係は、いつになく忙しい夜を過ごしていた。フットボールとビールと満月のせいだ、と思ったとき、また緊急通報が画面に表示された。こんどはアナコスティアのスートランド・パークウェイ沿いにあるガソリンスタンドの公衆電話からだった。たぶん交通事故だろう。

「九一一です」通信指令係は答えた。「どうしましたか」

「いま、スミソニアン博物館支援センターで襲われたの!」混乱しきった女の声が言った。「警官をよこして!　シルバー・ヒル・ロード四二一〇よ!」

「わかりましたから、落ち着いてください。まずは――」

「兄が監禁されているかもしれないから、カロラマ・ハイツの家にも警官を送りこんで！」

通信指令係はため息をついた。これだから満月の夜は困る。

53

「さっきも話したとおり」ベラミーはラングドンに言った。「このピラミッドには見かけ以上のものが秘められている」

どうやらそうらしい。ファスナーをあけたショルダーバッグの上に置かれた石のピラミッドがいまや格段に謎めいてきたのを、ラングドンも認めざるをえなかった。フリーメイソンの暗号の解読結果は、無意味な文字の羅列にすぎないように思える。

混沌だ。

S	O	E	U
A	T	U	N
C	S	A	S
V	U	N	J

ラングドンは長々と文字列を見つめ、なんらかの意味を表すのではないかと、隠された単語やアナグラムなどの手がかりを探したが、まったく見つからなかった。

「フリーメイソンのピラミッドは」ベラミーが説明した。「幾重ものベールの下に秘密を隠していると言われる。帳(とばり)をあけるたびに、新たな帳が現れるわけだ。きみはこの文字をあらわにしたが、つぎの帳をあけなければなんの意味もなさない。もちろん、その術(すべ)は冠石を持つ者のみが知っている。おそらく冠石にも文字が刻まれていて、ピラミッドの解読法を示しているのだと思う」

ラングドンは机に置かれた四角い包みに目をやった。ベラミーの話を聞いて、冠石とピラミッドが〝分割暗号〟になっているのが理解できた。現代の暗号学者はつねに分割暗号を使うが、この安全手順が考案されたのは古代ギリシャの時代だ。秘密の情報を隠したいとき、ギリシャ人はそれをいったん粘土板に刻んだのちに砕き、破片を別の場所に隠した。すべての破片が集まってはじめて、全容がわかる。こういった刻字のある粘土板はシンボロンと呼ばれ、それが〝象徴(シンボル)〟という語の起源になった。

「ロバート」ベラミーは言った。「このピラミッドと冠石は、秘密を確実に守るために、何世代にもわたって別々に保管されていた」そこで声が沈む。「だが今夜、ふたつは危険なほど近づいた。言うまでもないが……合体を避けるべくつとめるのがわれわれの責務だ」

ベラミーの芝居がかった物言いはいささか大げさではないか、とラングドンは思った。冠石とピラミッドではなく、起爆装置と核爆弾の話でもしているのか？　ベラミーの言い分を鵜呑(うの)みにするつもりはないが、それでもかまうまい。「仮にこれがフリーメイソンのピラミッドだとして、仮にこの文字がなんらかの形で古の知恵の宿る場所を明らかにするとしても、伝えられているような力をその知

恵がもたらすなどという話は信じられません」

「ピーターがいつも言っていたよ。きみは説得しづらい人間――推論より証拠を好む学者だとね」

「あなたは本気で信じているとでも？」ラングドンは苛立たしい思いで問いかけた。「敬意をこめて言いますが……あなたは教養ある現代人です。それなのに、なぜそんな話が信じられるんですか」

ベラミーは辛抱強く微笑んだ。「フリーメイソンはわたしに、人知を超えたものへの深い理解を与えてくれたんだよ。わたしが学んだのは、一見現実離れしたような考えに対してもけっして心を閉ざしてはならないということだ」

54

ＳＭＳＣの外周警備を担当している守衛が、建物の外壁沿いの砂利道を必死に走っていた。いましがた建物内の守衛から連絡があり、〈ポッド５〉のキーパッドが作動しなくなったこと、標本用の搬入口の開放を示す警告ライトが点灯したことを知らされたところだった。

いったいどうしたんだ？

搬入口に着くと、たしかに扉が二フィートほど開いていた。おかしい。この扉は内側からしか解錠できないはずだ。ベルトから懐中電灯を抜きとって、ポッドの漆黒の闇を照らした。何も見えない。得体の知れない場所に踏み入る気にはなれなかったので、戸口にとどまり、懐中電灯を扉の下へ突っこんで左に振り、つづいて右に――

屈強な腕に手首をつかまれ、闇へ引きずりこまれた。見えない力に体を振りまわされる。エタノー

ルのにおいがする。懐中電灯が手からこぼれ落ち、事態を呑みこむより早く、岩石さながらのこぶしが胸骨にめりこんだ。守衛はコンクリートの床にくずおれた。苦痛にうめくその体から、大きな黒い影が離れていく。

横ざまに倒れた守衛は、あえぎながら苦しげに息をした。そばに転がった懐中電灯から光の筋が床に伸び、金属の缶らしきものを照らし出している。缶のラベルには、バーナー用燃料と記されている。ライターが閃光を発し、オレンジ色の炎が人間とは思えぬ生き物を明るみに出した。なんだ、あれは！　目にしたものを理解できないうちに、裸の胸をさらした怪物が膝を突き、炎を床にあてた。瞬時にして炎の筋が現れ、虚空の奥へと勢いよく伸びていく。とまどった守衛は視線をもどしたが、すでに怪物は開いた搬入口から夜の闇へ滑り出ようとしていた。

どうにか体を起こした守衛は、痛みにたじろぎつつ、炎の細いリボンを目で追った。なんだ？　炎が小さくてさほど危険を覚えなかったが、その光景にはとてつもなく恐ろしいものを感じた。照らされているのは暗くうつろな空間だけではない。炎ははるか奥の壁にまで達し、巨大なシンダーブロックの構造物を照らし出している。〈ポッド5〉への入室を許可されたことは一度もないが、その構造物の正体には確信があった。

〈キューブ〉だ。

キャサリン・ソロモンの研究所。

炎は研究所の外側のドアへと一直線に進んでいく。守衛はぎこちなく立ちあがり、きっと油のリボンが研究所のドアの下を通っていて、まもなく中で火災が起こると察知した。ところが、助けを呼ぼうと向きを変えたとき、不意にまわりの空気が後ろへ吸いこまれていくのを感じた。

その刹那、〈ポッド5〉のすべてが光に包まれた。
水素の火球が真上へ噴きあがり、〈ポッド5〉の屋根を引き裂いて、数百フィートもの高みへと膨張するさまを、守衛が見届けることはなかった。そして、チタンの網や、電子機器や、ホログラフィックディスク・ドライブの溶けたシリコンが破片となって降り注ぐ空も。

北へ向かうキャサリン・ソロモンの車のバックミラーに、突如閃光が映った。夜気を震わす重々しい轟音に、キャサリンははっとした。

花火？　レッドスキンズの試合でハーフタイムのショーでもやってるのかしら。

道路に注意をもどしたが、無人ガソリンスタンドの公衆電話からの通報のことがまだ頭を占めている。

ＳＭＳＣへ警官を送って刺青の侵入者を探すよう、九一一の通信指令係にどうにか伝えた。助手のトリッシュの救出も祈っている。また、兄が監禁されていると考えられるので、カロラマ・ハイツのドクター・アバドンの住まいを調べてくれとも伝えた。

あいにく、電話帳に載っていないロバート・ラングドンの携帯電話の番号は聞き出せなかった。だからいま、ほかに選ぶ道もないので、ラングドンが向かうと言っていた議会図書館へと急いでいる。

ドクター・アバドンの恐るべき真の姿が明らかになり、すべてが一変した。何を信じればいいのか、もはやわからない。ただひとつ確実なのは、何年も前に母と甥を殺害した男がいま兄を拉致し、自分を殺しにきたことだけだ。あの男は何者なの？　目的は何？　思いつく唯一の答は、まったく意味をなさないものだ。ピラミッド。今夜あの男が研究所に来た理由も同じくらい筋が通らない。危害を加

えるつもりがあったなら、しばらく前にあの男の家でふたりきりになったときに、どうして手を出さなかったの？　なぜわざわざテキストメッセージを送って、研究所に侵入するような危険を冒すの？

唐突にバックミラーの花火が明るさを増し、閃光のあとに意外な光景が見えた。まばゆいオレンジ色の火球が木々の上へのぼっていく。いったいあれは何？　火球とともに濃い黒煙が立ちのぼるが……あれはレッドスキンズのフェデックス・フィールドの近くではない。困惑したキャサリンは、あの並木の向こうに何かの工場があったかどうかと考えた……スートランド・パークウェイの南東だ。

そのとき、トラックと衝突したかのように、答に思い至った。

55

ウォーレン・ベラミーが苛立たしげに携帯電話のボタンを押し、正体不明の協力者にふたたび連絡をとろうとしている。

ラングドンはそれを見守っていたが、頭にあるのはピーターのことばかりで、友を探し出す最善の手立てを考えつづけていた。ピーターの拉致犯のことばがよみがえる。刻印を解読しろ……そうすれば、人類の至宝の隠し場所がわかる……隠し場所へいっしょに行って、取り引きをする……

ベラミーが顔をしかめて電話を切った。またしても相手が出ない。

「どうもわからない」ラングドンは言った。「隠された知恵が実在していて、このピラミッドが秘密のありかを示しているという話を信じるにしても、いったい何を探せというんですか。地下室なのか、隠し部屋なのか」

ベラミーは黙したまま、じっと腰かけていた。やがて不承不承深く息をつき、ことばを慎重に選んで話しはじめた。「ロバート、わたしが以前から聞いている話によれば、ピラミッドは螺旋階段の入口へ導く」

「階段？」

「そうだ。階段は地下へとつづいている……何百フィートも」

ラングドンは耳を疑い、身を乗り出した。

「古の知恵はその奥底に隠されていると聞いた」

ラングドンは立ちあがり、ゆっくりと歩きだした。地下深くへ数百フィートもくだっていく螺旋階段がワシントンDCにあるというのか。「そして、だれもその階段を見たことがないと？」

「入口は巨大な岩で覆われているらしい」

ラングドンはため息を漏らした。巨大な岩に覆われた墓というのは、イエスの墓についての聖書の記述そのままだ。その原型の融合がすべてのもとになっている。「ウォーレン、地下へ通じるその謎めいた秘密の階段が実在するとあなたは信じているんですか」

「この目で見たわけではないが、年配のフリーメイソンの何人かは実在すると断言している。いま連絡をとろうとしている相手はそのひとりだ」

つぎに言うべきことばが見つからず、ラングドンは行きつもどりつをつづけた。

「ロバート、このピラミッドについてはむずかしい問題が残っている」読書用スタンドの柔らかな光のもとで、ウォーレン・ベラミーの視線が険しくなった。「信じたくないものを信じろと無理強いできないのはわかっている。しかし、ピーター・ソロモンに対するきみの義務は理解してもらいたい」

そう、自分にはピーターを助ける義務がある、とラングドンは思った。

「このピラミッドがもたらしうる力を信じろとまでは言わない。これが導くとされる階段の存在を信じろとも言わない。だが、道義上、秘密を守る義務があるのはなんとしても認めてもらう……それがどんな秘密であれ」ベラミーは小さな四角い包みを手で示した。「ピーターが冠石をきみに託したのは、きみなら秘密を守りつづけてくれると信頼していたからだ。だからきみはいま、その思いに応えなくてはならない。たとえそれがピーターの命を犠牲にすることになっても」

ラングドンは足を止め、振り返った。「なんだって？」

ベラミーはすわったままで、表情は苦渋に満ちつつも決然としている。「ピーターならそう望む。ピーターのことは忘れなくてはならない。彼はおのれの義務を果たし、ピラミッドを守るために最善を尽くした。そして、その努力が無に帰さないようにするのがわれわれの義務だ」

「なんてことを言うんだ！」ラングドンはいきり立って叫んだ。「このピラミッドがあなたの言うとおりのものだったとしても、ピーターはフリーメイソンの兄弟じゃないか。何を差し置いても、たとえ国家を裏切ろうとも、同胞を守るとかつて誓ったはずだ！」

「ちがうんだ、ロバート。フリーメイソンは同胞を何よりも優先して守らなければならないが……ひとつ例外がある。われらが組織が全人類のために守る大いなる秘密だけは別なんだよ。語り継がれてきたような力を失われた知恵が秘めていると信じるかどうかはともかく、それを資格のない者の手にけっして渡さないとわたしは誓った。だから、何があろうと守りつづけるんだよ……たとえピーター・ソロモンの命と引き替えにしても」

「フリーメイソンの知り合いはたくさんいます」ラングドンは憤慨して言った。「最高位階にも何人

かいますが、命を捨ててまで石のピラミッドを守ると誓った人などひとりもいません。地中深くに埋められた宝へと通じる秘密の階段の存在を信じる人もね」

「輪のなかに輪があるんだよ、ロバート。だれもがすべてのことを知っているわけじゃない」

ラングドンは感情を抑えようと息を大きく吐いた。フリーメイソンの内部に選ばれた一団があるという噂はだれしも聞いたことがあるし、自分も知っている。いま置かれた状況では、それが事実かどうかなど些末な問題に思えた。「ウォーレン、このピラミッドと冠石がほんとうにフリーメイソンの究極の秘密を明らかにするのなら、なぜピーターはこのわたしを巻きこんだんですか。わたしは会員ですらないし……ましてや〝輪のなかの輪〟になど属していない」

「そうだな。だからこそピーターはきみを守り手に選んだのではないかと思う。このピラミッドは過去にも狙われたことがあるし、不純な動機を持って組織に潜入した者もいた。ピーターが組織の外に保管する道を選んだのは賢明だよ」

「冠石がわたしのもとにあることを、あなたは知っていたんですか」

「いや。仮にピーターが打ち明けるとしても、相手はひとりだけだ」ベラミーは携帯電話を取り出し、リダイヤルボタンを押した。「まだその人とは連絡がつかない」留守番録音の応答メッセージを聞いて電話を切る。「ロバート、さしあたっては、きみとわたしだけのようだ。そしてわれわれは、ひとつ決断しなくてはならない」

ラングドンはミッキー・マウスの腕時計を見た。午後九時四十二分。「ピーターを拉致した男は、今夜じゅうにわたしがこのピラミッドを解読して内容を教えるのを待っています」

ベラミーはきびしい顔をした。「歴史を通じ、古の神秘を守るために偉大な人々がおのれの身を挺

してきた。きみとわたしもそれにならう義務がある」そう言って立ちあがる。「一か所にとどまらないほうがいい。遅かれ早かれサトウはこちらの居場所を突き止める」

「キャサリンはどうするんですか！」この場を離れる気になれず、ラングドンは声を荒らげた。「連絡がとれないし、向こうからも電話がありません」

「何かあったのはまちがいない」

「でも、見捨てるわけにはいかない！」

「キャサリンのことは忘れろ！」ベラミーは命令口調になっていた。「ピーターも忘れろ！　だれだろうと忘れるんだ！　ロバート、きみはわれわれのだれよりも――ピーターよりも、キャサリンよりも、わたしよりも――重大な任を託された。それがわからないのか？」ラングドンを見据える。「安全な場所を見つけて、このピラミッドと冠石を隠さ――」

大ホールのほうから金属のぶつかる大きな音が響いた。

ベラミーは恐怖に満ちた目で振り返った。「早かったな」

ラングドンもドアへ向きなおった。トンネルのドアの上から金属のバケツが落ちた音らしい。こっちへ来るぞ。

意外にも、衝突音がふたたび響いた。

そしてまた。

そしてまた。

議会図書館前のベンチにいたホームレスの男が目をこすり、眼前で繰りひろげられる奇妙な光景を

見やった。

白のボルボが縁石を乗り越え、人気のない歩道をよろめくように突っ切ると、甲高い音を響かせて図書館の正面入口の前に停まった。黒っぽい髪の魅力的な女が飛び出してきて、焦った様子で周囲をながめ、ホームレスの男を見つけて叫んだ。「携帯電話を持ってる？」

おい、おれは左の靴もないんだぜ。

相手をまちがえたと悟ったらしく、女は正面入口に通じる階段を駆けあがった。階段の上で三つの巨大な扉の取っ手を順々につかみ、必死にあけようと試みる。

おい、とっくに閉館だよ。

だが女は屈しなかった。重たげな円形のノッカーをつかんで後ろに引き、すさまじい音を立てて扉に叩きつける。それから、ふたたび叩きつける。そしてまた。そしてまた。

おやおや、とホームレスの男は思った。よっぽど本が読みたいらしい。

56

目の前で図書館の巨大な青銅の扉が開くのをようやく見届けたキャサリン・ソロモンは、感情を押しとどめていた堰が砕け散ったのを感じた。今夜胸にしまいこんでいた恐怖や不安が一気にあふれ出していく。

図書館の入口に立っていたのは、兄の無二の親友のウォーレン・ベラミーだった。けれども、ベラミーの背後の暗がりにいた人物こそが、会いたくてたまらなかった相手だ。その思いは共通していた

らしい。ロバート・ラングドンの目に安堵(あんど)の色が満ち、キャサリンは入口を駆け抜けて、その腕のなかに飛びこんだ。

旧友のあたたかい抱擁にわれを忘れているうちに、ベラミーが扉を閉めた。キャサリンは施錠の重い音を聞いて、ようやく安心できた。不意に涙がこみあげたが、なんとかこらえる。

ラングドンが抱きしめてくれた。「だいじょうぶだよ」とささやく。「もうだいじょうぶだ」

あなたが助けてくれたのよ、とキャサリンは伝えたかった。あの男は研究所を……自分の研究のすべてを破壊した。何年もかけた成果が灰と化した。何もかも一から話したかったが、息がろくにできなかった。

「ピーターを見つける」ラングドンの深みのある声が胸に響き、キャサリンは不思議な安らぎを覚えた。「約束する」

犯人を知ってるわ！　キャサリンは叫びたかった。母と甥を殺した男よ！　説明する前に、予期せぬ音が図書館の静寂を破った。

大きな衝突音が、大ホールの階段吹き抜けの下から響いてくる――まるで巨大な金属の物体をタイル張りの床に落としたような音だ。キャサリンはラングドンの筋肉が急にこわばるのを感じた。

ベラミーが険しい顔で進み出た。「ここを離れよう。いますぐ」

キャサリンはとまどいながらも議事堂建築監とラングドンのあとを追い、大ホールを抜けて、照明のともる名高い閲覧室に着いた。ベラミーが急いでもどり、外扉と内扉を順々に閉めた。

ラングドンとともに部屋の中央へ行くよう急(せ)き立てられ、キャサリンは困惑のうちに従った。前に閲覧机があり、読書用スタンドの下に革のバッグが置かれている。バッグの隣にあった小さな四角い

包みをベラミーが拾いあげ、バッグにしまう。その横には――

キャサリンは凍りついた。ピラミッド？

刻印のあるそのピラミッドを見たことは一度もないが、確信のあまり全身が震えた。どういうわけか、体が真実を知っている。キャサリン・ソロモンは自分の人生を深く傷つけた物体とついに相対していた。ピラミッド。

ベラミーがバッグのファスナーを閉めて、ラングドンに渡す。「これから目を離すな」

唐突に爆発音がとどろき、外扉を揺さぶった。ガラスの散乱する音がつづく。

「こちらへ！」ベラミーが怯(おび)えた様子で向きを変え、中央の受付台にふたりを急がせた――大きな八角形の棚のまわりがカウンターになっている。ベラミーはカウンターの向こうへふたりを導くと、棚の開口部を指さした。「ここにはいれ！」

「こんなところに？」ラングドンは強い口調で言った。「見つかるに決まってる！」

「わたしを信じろ」ベラミーは言った。「きみは勘ちがいしている」

57

マラークはリムジンを飛ばして、北のカロラマ・ハイツへ向かっていた。キャサリンの研究所の爆発は予想以上に激しかったが、運よく無傷で逃れられた。さらに好都合なことに、その後の混乱に乗じて、とがめられずに脱出できた。門番の守衛はリムジンが通過してもそれどころではない様子で、電話に向かって盛んに何かを叫んでいた。

主要道路からはずれたほうがいい、とマラークは思った。キャサリンがまだ通報していないとしても、爆発は確実に警察の注意を引く。上半身裸の男がリムジンを運転していたら、見逃すはずがない。準備に長年を費やしたせいで、いまその夜を迎えたことがなかなか信じられなかった。ここに至る道程は長く、苦難に満ちていた。何年も前の惨苦からはじまったものが……今夜栄光のうちに終わる。すべての発端となった夜、自分の名前はマラークではなかった。それどころか、名前そのものがなかった。囚人番号三十七。イスタンブール郊外のソアンルック監獄にいた者の大半と同じく、囚人番号三十七も麻薬のせいで収監されていた。

あのとき、囚人番号三十七はコンクリートの監房の寝台に横たわり、闇のなかで空腹と寒さに苛(さいな)まれながら、いつまで拘禁されるのかと思いをめぐらしていた。二十四時間前に会ったばかりの新しい同房者は、上の寝台で寝ている。監獄の所長は、仕事をきらって囚人に八つあたりをする肥満体の酒浸りの男で、夜が来たので少し前にすべての照明を消したところだった。

十時近くになったころ、換気ダクトから会話が漏れ聞こえてきた。第一の声がだれのものかは聞きちがえようがない――所長の甲高い居丈高な声で、深夜の面会者に起こされて明らかに迷惑そうだった。

「ええ、遠くからお見えなのはわかってますよ。でも、最初のひと月は面会できないんです。国の決まりでね。例外は認められなくて」

応じた声は穏やかで品があり、苦渋に満ちていた。「息子は無事なんだろうね」

「麻薬依存症です」

「まともな扱いを受けているのか」

「いいかげんにしてください。ここはホテルじゃない」

悲しげな沈黙が流れた。「アメリカの国務省が引き渡しを求めてくるはずだ」

「はい、わかってますよ、いつもそうですから。承認されるでしょうけど、書類仕事に二、三週間はかかるかもしれません……あるいはひと月か……状況しだいですね」

「状況しだいというのは？」

「つまり」所長は言った。「人手不足なんですよ」いったんことばを切る。「もちろん、あんたのような関係者が職員に寄付をすれば、事を早く運びやすくなることはありえますがね」

面会者は答えなかった。

「ミスター・ソロモン」所長は声を低めてつづけた。「金銭に不自由しないあんたのような人にとっては、いつだって別の手があるんですよ。わたしは政府の人間と知り合いです。あんたとわたしが手を組めば、息子さんをここから出せます……あすにでも、すべての起訴を取りさげてね。そうすれば、母国で訴追される恐れもなくなる」

返事に躊躇はなかった。「きみの提案がはらむ法的な問題は別にしても、わたしは息子に対し、とりわけこういった深刻な問題で、金ですべての片がつくだの、人生に責任を負わなくてもよいだのと教えるつもりはない」

「息子さんを置き去りにすると？」

「息子と話がしたい。ただちに」

「いま言ったとおり、規則があるんですよ。息子さんには会えません……即時釈放に向けて話し合うなら別ですが」

冷えきった沈黙がしばし漂った。「近々国務省から連絡があるだろう。ザカリーの安全を確保してくれ。一週間以内に祖国へ帰る飛行機に乗っているものと期待している。おやすみ」

扉が勢いよく閉められた。

囚人番号三十七は耳を疑った。教訓を与えるために息子をこんな地獄に置き去りにする父親がどこにいる？　ピーター・ソロモンは、ザカリーの犯歴を抹消するという申し出すらもことわった。

その夜遅く、眠らずに寝台に横たわっていた囚人番号三十七は、自由になる方法を思いついた。囚人を自由から隔てるものが金だけだとしたら、自分には自由を勝ちとる術（すべ）がある。ピーター・ソロモンが金を払いたがらなくても、タブロイド紙を読んだ者ならだれもが知るとおり、息子のザカリーも大金を持っている。翌日、囚人番号三十七は所長と密談し、計画を提案した――互いに望みをかなえうる大胆で巧妙な策を。

「これを成功させるためには、ザカリー・ソロモンに死んでもらわなくてはならない」囚人番号三十七は説明した。「でも、おれたちはどちらもすぐに姿を消せる。あんたはギリシャの島で隠退生活を送れる。二度とこの場を目にすることはない」

いくつか話し合ったのち、ふたりは握手を交わした。

まもなくザカリー・ソロモンは死ぬ。たやすいことだと思い、囚人番号三十七は笑みを浮かべた。

その二日後、国務省がソロモン家に連絡し、長男が殺されたという恐ろしい知らせを伝えた。監獄で撮られた写真には、無惨に殴られ、監房の床に身を曲げて横たわる死体が写っていた。頭部は鉄の棒で砕かれ、首から下も想像を絶するほど繰り返し強打され、ねじ曲げられていた。拷問を受けたすえに殺されたらしかった。第一容疑者は行方をくらました所長その人で、ザカリーの金を残らず奪っ

て逃げたと考えられた。ザカリーは莫大な財産を秘密口座へ移す書類に署名をしていて、死の直後にその口座から金が全額引き出されていたからだ。その金がどうなったのかは不明だった。ピーター・ソロモンは自家用ジェット機でトルコに飛び、棺を乗せて帰って、ソロモン家の墓地に埋葬した。所長は発見されないままだった。永遠に発見されることはない、と囚人番号三十七は知っていた。あのトルコ人の肥満体はマルマラ海の底に沈み、ボスポラス海峡を抜けてきたワタリガニの餌となっている。ザカリー・ソロモンのものだった莫大な財産は、追跡不能の番号口座にすべて移してある。囚人番号三十七はふたたび自由の身になった――巨額の財産を持つ自由の身に。

ギリシャの島々はさながら天国だった。光。水。女。

金で買えないものはなかった――新しい身分も、新しいパスポートも、新しい希望も。そこではアンドロス・ダレイオスというギリシャ風の名前を選んだ――アンドロスは〝戦士〟、ダレイオスは〝富める〟を意味する。監獄の暗い夜には恐ろしい思いをしたので、あんな場所へ二度ともどらないと心に誓った。乱れた髪を剃り落とし、麻薬の世界とは完全に手を切った。人生をやりなおし、以前は想像もしなかった快楽に身をまかせた。紺碧のエーゲ海でひとりヨットを進める安らぎが新たなヘロインとなり、汁気たっぷりの羊の串焼きにかぶりつく快感が新たなエクスタシーとなり、ミコノス島の泡立つ渓谷に崖から飛びこむ昂揚感が新たなコカインとなった。

自分は生まれ変わった。

アンドロスはシロス島に広大な屋敷を買い、ポシドニアの高級住宅街で〝美しき人々〟に交じって暮らしはじめた。この新世界は富豪の群れというだけでなく、教養と完璧な肉体を備えた人々の集まりでもあった。隣人たちはみずからの心身に大いなる誇りを持ち、それには周囲を感化する力があっ

た。新参者のアンドロスもいつの間にか浜辺を走っていて、青白い肌を焼きつつ読書にいそしんだ。ホメーロスの『オデュッセイア』を読み、この島々で戦いを繰りひろげた褐色の屈強な男たちの姿に心を奪われた。翌日にはウェイトリフティングをはじめ、胸や腕がみるみる厚く太くなるのに驚嘆した。やがて女の視線が集まるのを感じるようになり、賛美に有頂天になった。もっとたくましくなりたかった。そして、それを実現した。ブラックマーケットで手に入れた成長ホルモンをステロイドに混ぜて服用し、ウェイトリフティングを果てしなくつづけるという繰り返しを果敢に実行したおかげで、アンドロスはかつての自分には思いも寄らなかった存在——完璧な男性の見本へと変貌(へんぼう)した。身長が伸びて筋肉がつき、非の打ちどころのない隆々たる胸筋と太くしなやかな脚には、完璧な日焼けが保たれた。

だれもが自分を見つめるようになった。

警告されていたとおり、ステロイドとホルモンの大量服用は体だけでなく声帯にも変化を及ぼし、独特のかすれたささやき声がいっそう謎めいた雰囲気を添えた。新しい肉体、富、いわくありげな過去を語ろうとしない態度に柔らかく神秘的な声が加わり、出会った女の心をつぎつぎと奪った。女たちは進んでみずからを差し出し、アンドロスはすべてを堪能(たんのう)した。写真撮影で島に来たファッションモデル、休暇で訪れたアメリカの魅力的な女子大生、近隣の孤独な妻たち、そしてときには若い男も。だれもがアンドロスの虜(とりこ)になった。

自分は至高の作品だ。

しかし、年月が経つにつれ、アンドロスの性的冒険は興奮をもたらさなくなった。それだけではない。島の高級料理は味わいを失い、書物にも興味が湧かなくなり、屋敷から見えるみごとな夕景もた

だただ退屈に思えた。どうしてこうなる？　まだ二十代の半ばなのに、老いを感じた。人生はこれだけなのか？　自分は肉体を至高の作品に仕上げ、知識を積んで教養を深め、楽園に家を築き、望む相手の愛情を独り占めしている。それでも、信じられないことに、トルコの監獄にいたころに劣らぬむなしさを感じていた。

何が欠けているんだ？

答は数か月後に見つかった。ほかにだれもいない真夜中の屋敷で、テレビのチャンネルをあてもなく切り替えていたとき、フリーメイソンの秘密を採りあげた番組にたまたま目が留まった。番組のできは悪く、答よりも疑問を出すほうが多かったが、その結社をめぐる数々の陰謀理論には引きつけられた。ナレーターは伝説をつぎつぎに述べた。

――フリーメイソンと新世界秩序は……

――合衆国国璽（こくじ）にもフリーメイソンの……

――Ｐ２と呼ばれるフリーメイソンのロッジがあり……

――フリーメイソンの失われた秘密とは……

――フリーメイソンのピラミッドが……

アンドロスは驚いて身を乗り出した。ピラミッド。ナレーターが語りはじめたのは謎めいた石のピラミッドの話で、そこに刻まれた暗号は失われた知恵と計り知れぬ力をもたらすという。受け入れがたい話だったが、遠い日の記憶が――暗黒の時期に耳にしたあの話が――脳裏にかすかに呼び覚まされた。ザカリー・ソロモンが父親から教わった謎のピラミッドの話だ。

あれのことなのか？　アンドロスは懸命に細部を思い出そうとした。

番組が終わると、バルコニーに出て、涼気で頭をすっきりさせた。記憶がよみがえるにつれ、伝説にはやはり真実が含まれているという気がしてきた。だとしたら、ザカリー・ソロモンは――とうに死んでいるが――まだ多くを与えてくれる。

試みて損はあるまい？

慎重に時を選んだアンドロスは、三週間後、ソロモン家のポトマックの邸宅にある温室の外で、凍てつく寒さにさらされて立っていた。ピーター・ソロモンが妹のキャサリンと笑顔で語らう姿が、ガラス越しに見える。ザカリーのことは苦もなく忘れてしまったらしい、とアンドロスは思った。

スキーマスクで顔を覆う前に、何年ぶりかでコカインを使った。自分は無敵だというなじみの昂揚感が湧く。拳銃を取り出し、ザカリーの隠していた古い鍵で戸をあけて、中に歩み入った。「よう、ソロモン兄妹」

不幸にも、その夜は計画どおりに事が運ばなかった。目当てのピラミッドを入手するどころか、鳥撃ちの散弾を浴びる羽目になり、雪で覆われた芝生を突っ切って鬱蒼たる森へと逃げた。驚いたことに、ピーター・ソロモンが銃をひらめかせて背後から追ってきた。アンドロスは森に駆けこみ、深い峡谷の崖に沿った小道を走った。はるか下から、滝の音が冬の冷気を貫いて響く。ナラの木立を抜けて角を左に曲がった。数秒後、凍った道で滑る足をかろうじて止め、なんとか死を免れた。

まずい！

道はわずか数フィート先で途切れ、ずっと下の凍結した川へとまっすぐ落ちていく。道の脇の大きな岩に、子供の拙い文字が刻まれていた。

Zach's bRiDge
ザックの橋

渓谷の向こうには道がつづいている。じゃあ、橋はどこにある？　コカインの作用はすでに消えていた。行き止まりだ！　パニックに襲われ、来た道を引き返そうとしたが、そこには拳銃を手にして荒い息をつくピーター・ソロモンが立っていた。

アンドロスは銃を見て一歩あとずさった。背後の崖から下の凍結した川まで、少なくとも五十フィートはあるだろう。上流の滝のしぶきが立ちこめて、骨まで凍えさせた。

「ザックの橋はずいぶん前に朽ちて落ちた」ソロモンがあえぎながら言った。「こんな遠くまで来るのは息子だけだった」銃を構える手つきは、意外なほど乱れがない。「なぜ息子を殺した」

「人間の屑(くず)だった」アンドロスは答えた。「薬浸りのな。情けをかけてやったんだよ」

ソロモンは近づき、アンドロスの胸に銃をまっすぐ向けた。「きさまにも情けをかけてやるべきだろうな」異様なほど険しい声で言う。「きさまは息子を叩き殺した。人間ならどうしてそんなことができる？」

「追い詰められた人間は考えられないことをするものだ」

「きさまは息子を殺した！」

「ちがう」アンドロスも激して答えた。「息子を殺したのはおまえだ。その気になれば出してやれるのに、息子を監獄に置き去りにする親がどこにいる？　殺したのはおまえだよ。おれじゃない」

「何も知らないくせに！」苦痛に満ちた声でソロモンは叫んだ。

ちがうな、とアンドロスは思った。自分は何もかも知っている。

ピーター・ソロモンが銃を掲げ、わずか五ヤードのところまで迫る。アンドロスの胸はうずき、ひどく出血しているのがわかった。生あたたかいものが腹まで流れ落ちている。首をねじって崖を見た。無理だ。ソロモンに向きなおった。「こっちはお見通しなんだよ」ささやきかける。「おまえは人間を冷酷に殺せる男じゃない」

ソロモンは歩み寄って銃を突きつけた。

「言っておくぞ」アンドロスは言った。「引き金を引いたら、おまえを永遠に呪ってやる」

「好きにしろ」そのことばとともに、ソロモンは発砲した。


カロラマ・ハイツへ走る黒のリムジンのなかで、いまはマラークと名乗る男は、凍結した渓谷の上での確実な死から生還した奇跡を振り返った。自分は永遠に変わった。銃声が響いたのは一瞬だったが、その残響は十年以上も鳴りつづけている。完璧だった褐色の肉体はあの夜の傷で汚され、おのれの新たな証(あかし)となった刺青(いれずみ)の模様が傷を隠している。

自分は〝天使(マラーク)〟だ。

はじめからこうなる運命だった。

炎のなかを歩き、灰と化し、ふたたび現れ……再度の変身をとげた。今夜は長く壮大な旅の最後の

一歩となる。

58

キー4という控えめな愛称を持つ爆薬は、周囲への被害を最小限に抑えて施錠扉をあけるという目的のためだけに、特殊部隊が開発した。シクロトリメチレントリニトロアミンを主成分とし、可塑剤としてセバシン酸ジエチルへキシルを加えたこの爆薬は、要はドアの隙間に差しこめるよう紙の薄さに延ばしたC4爆薬のことだ。図書館の閲覧室で用いられた爆薬は、完璧にその役目を果たした。

作戦指揮官のターナー・シムキンズ捜査官は、ドアの残骸(ざんがい)をまたぎ越し、広大な八角形の部屋に動く物体がないかと目で探った。何もない。

「照明を消せ」シムキンズは言った。

別の捜査官が壁のパネルを見つけてスイッチを切ると、部屋は闇に包まれた。四人の男はいっせいに頭へ手を伸ばして暗視装置を引きおろし、ゴーグルを目の位置に合わせた。立ち止まったまま、ゴーグルのなかで蛍光色の緑が陰影を作る閲覧室を見まわす。

様子に変化はない。

闇のなかで視界に駆けこむ人影もない。

逃亡者たちは丸腰だと思われたが、現場チームは武器を構えて入室した。暗闇へ向けて、威嚇のレーザー光線を四本放つ。床から奥の壁へ、バルコニーへと四方に光線を向け、何者かがいないかと探っていく。暗い部屋でレーザーサイトつきの武器をちらつかせるだけで、相手が即座に降伏してくる

例は多い。

今夜はちがうようだ。

なおも動きはない。

シムキンズ捜査官は手をあげ、部下に踏みこむよう合図した。男たちが音もなく散開する。シムキンズは中央の通路を慎重に進みながら、手を上にやってゴーグルのスイッチを入れ、ＣＩＡの武器庫に加わったばかりの最新装置を作動させた。熱画像技術は何年も前から実用化されているが、近ごろでは小型化や感度の調節や二種のセンサーの併用などの技術が進歩したおかげで、新世代の可視化装備として、現場の捜査官に超人並みの視力を与えている。

闇を見透かせる。壁も見透かせる。そして、いまや……過去も見える。

熱画像装置は温度差に対する感度が非常に高いため、人物の現在の位置だけでなく……過去の位置も感知できる。過去を見透かす力が何より役立ったことはしばしばある。今夜もまた、その有効性が証明された。シムキンズは閲覧席に熱の痕跡があるのを見つけた。ゴーグルのなかで二脚の木の椅子が赤紫に光り、室内のほかの椅子よりも温度が高いことを教えている。デスクスタンドの電灯もオレンジ色に光っている。ふたりの人間が机の前に腰かけていたのはまちがいないが、問題はそのふたりがどこへ行ったかだ。

部屋の中央にある大きな木製の棚を囲むカウンターで、答が見つかった。おぼろな手形が深紅に輝いている。

シムキンズは武器を構えて八角形の棚に向かい、照準のレーザーをその表面に走らせた。円を描いて歩くうち、棚の側面に開口部があるのを見つけた。逃げ場もないのに棚に隠れたのか？　開口部の

へりを調べると、輝く手形がもうひとつあった。枠をつかんで棚のなかへしのびこんだにちがいない。

沈黙の時間は終わった。

「熱画像に感あり！」シムキンズは叫んで開口部を指さした。「側面から掩護(えんご)せよ！」

側面にまわったふたりが左右から近づき、八角形の棚を効果的に包囲した。

シムキンズは開口部に近づいた。まだ十フィートあるが、内部に光源が見える。「棚の内部に光だ！」大声で言い、それを聞いたベラミーとラングドンが両手をあげて棚から出てくるのを待った。

何も起こらない。

いいだろう、別の手を使うまでだ。

開口部に近づくにつれ、正体不明の低い音が中から聞こえてきた。機械の作動音に似ている。立ち止まり、こんなせまい空間で何がこんな音を立てているのかと考えた。さらに近寄ると、機械の作動音に交じって声が聞こえる。そして開口部のすぐ前に来たとき、中の光が消えた。

ありがたい、とシムキンズは思い、暗視装置を調整した。こっちの一点リードだよ。

シムキンズは内部をのぞきこんだ。予想外のものが奥に見えた。棚はただの物入れではなく、半地下の空間の天井を形作っていて、急な階段が下の空間へと通じている。シムキンズは下へ銃を向けて階段をおりはじめた。低い作動音が一歩ごとに大きくなっていく。

なんだ、この場所は？

閲覧室の地下にあったのは工場を思わせるせまい空間だった。低い音はたしかに機械からだが、ベラミーとラングドンが作動させたのか、常時稼動しているのかはわからない。むろん、どちらでもかまわなかった。逃亡者たちは手がかりとなる熱の痕跡を唯一の出口に残していた――重たげな鋼鉄の

ドアにキーパッドがあり、数字の上で四つの鮮明な指紋が光っている。ドアの下の隙間から明るいオレンジ色の光が漏れていて、向こう側の照明がついていることを教えている。

「ドアを爆破しろ」シムキンズは言った。「ここから脱出したんだ」

紙状のキー4を差しこんで起爆するのに八秒かかった。煙が晴れると、ここでは〝書庫〟と呼ばれる奇妙な地下空間がひろがっていた。

議会図書館にはのべ何百マイルぶんもの書架があり、ほとんどが地下に置かれている。果てしなくつづく書架の列は、合わせ鏡で作る〝無限〟の錯視効果を思わせる。

表示板にこう記されていた。

温度管理中
このドアは常時閉めること

シムキンズはねじ曲がったドアを押しのけて進み、行く手に冷たい空気が漂うのを感じた。思わず笑みがこぼれる。これほど簡単な仕事があるか？　定温環境において、熱の痕跡は太陽フレア並みに目立ち、すでにゴーグルが前方の手すりに赤く光る跡があるのを見つけている。ベラミーかラングドンが走り過ぎるときにつかんだのだろう。

「逃げることはできても」シムキンズはつぶやいた。「隠れはできまい」

部下たちとともに書庫の迷宮にはいると、状況がこちらに圧倒的に有利で、獲物の追跡にゴーグルを使うまでもないことがわかった。通常ならこの書庫の迷宮はそれなりの隠れ場所になるところだろ

うが、議会図書館は省エネルギーのために、モーションセンサーで動きを感知して点灯する照明を使っているので、逃亡者の脱出経路が滑走路のように照らし出される。光の細い列が曲がりくねりながら奥へ伸びているのがわかる。

四人はゴーグルをはずした。鍛え抜かれた脚で前へ突き進み、光の跡を追って、終わりの見えない本の迷宮をジグザグに走っていく。まもなくシムキンズは、前方の暗がりで光が明滅するのを見てとった。もうすぐだ。さらに足を速めて猛追するうち、足音と苦しげな呼吸音が前から聞こえてきた。そして標的が見えた。

「視認した！」シムキンズは叫んだ。

瘦身のウォーレン・ベラミーが最後尾にいるらしい。堅苦しいなりをしたアフリカ系アメリカ人は目に見えて息を切らし、ふらつく足で逃げている。無駄だ、老いぼれ。

「そこで止まれ、ミスター・ベラミー！」シムキンズは声を張りあげた。

ベラミーは足を止めず、何回か急角度で向きを変えながら書架のあいだを縫うように進んでいく。曲がるたびに頭上で明かりがともる。

二十ヤードまで迫ったところで、ふたたび停止を命じたが、ベラミーは足を止めなかった。

「倒せ！」シムキンズは命じた。

非致死性のライフルを携行していた捜査官が、それを構えて撃った。通路を飛翔してベラミーの脚に巻きついた発射体は、〝シリー・ストリング〟の愛称を賜っているが、〝愚か〟なところなどどこにもない。サンディア国立研究所で開発された軍事技術であるこの非致死性の〝無能力化兵器〟は、ポリウレタンの粘つく糸を放ち、それが着弾時に固化して逃亡者の膝の裏に合成樹脂の強固な網を張る。

逃げる標的への効果は、走る自転車のスポークのあいだに棒を突っこんだ場合に等しい。ベラミーも踏み出した足の動きを阻まれ、前のめりに床へ倒れたのち、暗い通路を十フィート滑って止まった。頭上の照明が無遠慮に点灯する。

「ベラミーはまかせろ」シムキンズは叫んだ。「おまえたちはラングドンを追え！　きっとこの先に――」ベラミーより向こうの書庫が真っ暗なのに気づき、指揮官は口をつぐんだ。前を逃げている者はだれもいないことになる。ひとりきりだったのか？

ベラミーは硬い合成樹脂の網を脚全体にからませて、なおもうつ伏せのまま荒い息をついている。シムキンズはそこへ歩み寄り、老いた男の体を蹴って仰向けにした。

「やつはどこだ！」詰問する。

ベラミーの唇は倒れたときの衝撃で切れていた。「やつというのは？」

シムキンズ捜査官は足をあげ、ベラミーの真新しい絹のネクタイをまともにブーツで踏みつけた。それから体を前に倒し、体重をかけた。「いいか、ミスター・ベラミー。おれとそういう駆け引きをするのはやめるんだな」

59

ロバート・ラングドンは死体になった気分だった。

暗黒の闇のなか、これ以上ないほど窮屈な空間に押しこまれ、仰向けに寝て手を胸の上で組んでいる。頭の向こうでキャサリンも似た体勢で横たわっているはずだが、姿は見えなかった。ラングドン

は目をつぶり、自分の置かれた悲惨な状況を一瞬たりとも見まいとしていた。

せまい。

ひどくせまい。

六十秒前、閲覧室の二重扉が崩れ落ちたとき、ラングドンとキャサリンはベラミーに従って八角形の棚のなかにはいり、急な階段をおりて、地下の意外な場所へ出た。

ラングドンはただちにそれがどこかを悟った。図書館の運搬システムの中心部だ。運搬室は空港の手荷物引き渡し場に似ていて、多数のコンベヤーベルトが曲がりながら四方へ伸びている。議会図書館は離れた三つの建物からなるため、閲覧室で希望のあった本をはるばる運ばなくてはならない場合が多く、そのときに、地下に張りめぐらされたトンネルを通るこのコンベヤーベルトのシステムが使われる。

ベラミーはすぐさま部屋を横切って鋼鉄のドアの前に行くと、カードキーを差しこんでボタンを順々に打ち、ドアを押しあけた。その向こうは暗かったが、ドアが開くとモーションセンサーつきの照明がいくつも点灯した。

ラングドンは前方に視線を向け、めったに見られないものをいまの自分が見ているのを悟った。議会図書館の書庫。ベラミーの計画に勇気づけられた。この巨大な迷宮より隠れやすい場所があるか？

ところが、ベラミーは書庫へは導かず、一冊の本をドアに嚙(か)ませて、ふたりへ向きなおった。「もっとあれこれ説明したかったが、時間がない」ラングドンに自分のカードキーを渡す。「これが要るはずだ」

「いっしょに来るのでは？」ラングドンは尋ねた。

ベラミーはかぶりを振った。「ふた手に分かれなければ脱出は無理だよ。何より大切なのは、そのピラミッドと冠石を信頼できる手に委ねることだ」

ラングドンが見るかぎり、ほかの脱出路と言えば、閲覧室へもどる階段以外になかった。「あなたはどこへ行くんですか」

「連中を書庫におびき寄せて、きみたちから引き離す」ベラミーは言った。「きみたちの脱出を助ける方法はそれしかない」

自分とキャサリンはどこへ行けばいいのかとラングドンが尋ねる間もなく、ベラミーがコンベヤーベルトから本のはいった大きな箱を引きずりおろした。「ベルトの上に寝るんだ。手は引っこめておけ」

ラングドンはベラミーを凝視した。本気なのか！　コンベヤーベルトは少し先で壁に突きあたり、そこで暗い穴のなかへ消えている。穴は本を入れた箱が通る大きさだが、余裕はあまりない。ラングドンは恨めしげに書庫のほうをふたたび見やった。

「あきらめろ」ベラミーは言った。「照明にはモーションセンサーがついているから、隠れるのは不可能だ」

「熱画像に感あり！」上から叫び声が響いた。「側面から掩護せよ！」

その声でキャサリンは覚悟を決めたらしい。自分からコンベヤーベルトの上にのぼり、壁の穴からわずか数フィートのところに頭を据えて横たわった。石棺のなかのミイラよろしく手を胸の上で組む。

ラングドンは立ちつくしていた。

「ロバート」ベラミーは促した。「わたしのためにできなくても、ピーターのためにやってくれ」

頭上の声が近づいてくる。

ラングドンは悪夢を見ている思いでコンベヤーベルトに近づいた。ベルトの上にショルダーバッグを投げあげてからよじのぼり、キャサリンの足もとに頭を置く。硬いゴムのコンベヤーベルトが背中にふれて冷たい。天井を見つめ、ＭＲＩの装置に頭から通されるのを待つ患者の心地を味わった。

「電話の電源を切るなよ」ベラミーは言った。「じきに連絡があるはずだ……協力者から。その人は信頼できる」

協力者？ ベラミーは先刻からだれかに連絡をとろうとしていたが、相手がつかまらず、メッセージを残していた。そしてほんの少し前、螺旋階段を駆けおりているときにもう一度電話をかけ、回線がつながると小声でごく短く何かを言って、すぐに電話を切ったのだ。

「コンベヤーベルトで突きあたりまで行ったら、折り返す前にすぐに飛びおりろ。わたしのカードキーで出られる」

「どこへ出るんだ？」ラングドンは叫んだ。

だがベラミーはすでにレバーを引いていた。室内のいくつものコンベヤーベルトがいっせいに低い音を立てて動きだす。ラングドンは体が揺れて移動をはじめたのを感じた。視線の先で天井も動いていく。

神よ、救いたまえ。

壁の穴へ運ばれる途中で室内にもう一度目を向けると、ウォーレン・ベラミーがドアを抜けて書庫へ駆け入り、ドアを閉めるところが見えた。一瞬ののち、ラングドンが闇に滑りこみ、図書館に呑みこまれたちょうどそのとき……レーザーの赤い光点が踊るように階段をおりてきた。

60

〈プリファード・セキュリティ〉に勤める薄給の女性警備員が、業務指示書でカロラマ・ハイツの住所を再確認した。ほんとうにここなの？　前に見える門つきの私道の奥にはこの界隈(かいわい)で最も大きく閑静な邸宅があるが、この家に関する緊急通報があったというのは不思議に感じられた。

未確認の通報を受けたときの慣例に従い、九一一は警察の手を煩わせる前に地元の警備会社に連絡した。〈プリファード・セキュリティ〉のモットー――〝あなたを守る最前線〟――を、〝誤警報、いたずら、迷子のペット、近所の変人からの苦情にいつでも対処します〟にさっさと変えてしまえばよい、と警備員はよく思っていた。

その夜も、例によって警備員は事態の詳細を知らされないまま到着した。給与等級が低いからだ。仕事と言えば、黄色い回転灯をつけて現場へ向かい、その場所をひとまわりして、異状があれば報告するだけだった。たいがいは何か無害なものが警報を作動させているので、解除コードを使って装置をリセットする。だが、この家は静まり返っている。警報は鳴っていない。路上からは、何事もなく闇に包まれているように見える。

警備員は門のインターコムを鳴らしたが、返事はなかった。解除コードを入力して門をあけ、私道にはいった。エンジンと回転灯を切らずに正面の扉まで行き、呼び鈴を鳴らす。返事はない。明かりや動きも見えない。

やむなく、手順どおり懐中電灯をつけて家の周囲を歩きはじめ、ドアや窓に不法侵入の形跡がない

かを調べた。角を曲がったとき、黒のストレッチ・リムジンが家の前を通りかかり、しばし減速してから走り去った。穿鑿(せんさく)好きの隣人だろう。

少しずつ家のまわりをめぐったが、不審なところはなかった。邸宅は想像以上に大きく、裏庭にたどり着いたころには寒さで震えていた。どう見てもだれもいない。

「指令室？」警備員は無線で連絡した。「カロラマ・ハイツの通報の件よ。家の主はいないわ。トラブルの兆候はなし。外周の確認を完了。侵入者の形跡もなし。警報装置の誤作動ね」

「了解」指令係は答えた。「お疲れさま」

警備員は無線機をベルトにもどし、あたたかい車内に早くもどろうと、いま来た道を引き返しはじめた。そのとき、さっき見落としたものに気づいた——家の裏手に青みがかった小さな光の点が見える。

とまどって歩み寄ると、光源がわかった——地下室に面しているらしい明かり窓が足もとの近くにある。窓ガラスは黒く塗られ、内側が不透明の塗料で覆われている。暗室か何か？　黒い塗料の剝(は)げかけたところがあり、そこから先刻の青みがかった光が漏れている。

警備員はしゃがんで中をのぞこうとしたが、小さな穴越しではよく見えなかった。だれかが地下室で作業でもしているのかと思い、ガラスを叩いた。

「だれかいます？」大声で呼びかける。

返事はなかったが、窓を叩いたときに塗料の薄片がいきなり剝がれ落ち、もっとまともな視界を提供した。警備員は体を寄せ、顔を窓に押しつけるようにして地下室に目を注いだ。その瞬間、自分の行為を後悔した。

何よ、あれ！

しばらくのあいだ、身をかがめたまま凍りつき、眼前の異様に恐ろしい光景に見入っていた。ようやく、震えながらベルトの無線機を探った。

しかし、それをつかむことはなかった。

放電音を放つスタンガンの電極がうなじに叩きつけられ、激痛が全身を駆け抜けた。警備員は筋肉を硬直させて前に突っ伏し、目を閉じることもできずに、顔を冷たい地面に打ちつけた。

61

ウォーレン・ベラミーが目隠しをされたのはその夜がはじめてではなかった。同胞がみな経験するように、フリーメイソンの上位の位階へ昇格する際に儀式用の〝頭巾(ずきん)〟をかぶったことはある。だが、そのときまわりにいたのは信頼できる友だった。今夜はちがう。男たちは手荒で、ベラミーを拘束して頭に袋をかぶせると、追い立てるように図書館の書庫を歩かせた。

先刻、捜査官たちはベラミーの体を痛めつけて脅し、ロバート・ラングドンの居場所を明かせと迫った。老いつつある体では長く耐えられないと自覚していたベラミーは、すぐさま嘘を教えた。

「ラングドンはここへいっしょに来ていない！」あえぎながら言った。「バルコニーにのぼってモーセ像の後ろに隠れろとは伝えたが、いまどこにいるかは知らないんだ！」そのことばには真実味があったらしく、捜査官ふたりが走って追跡に向かった。そしていま、残ったふたりに無言で小突かれ、書庫を歩かされている。

ベラミーにとって唯一の慰めは、ラングドンとキャサリンがピラミッドを安全な場所へ運んでいることだった。ほどなくラングドンのもとに、聖域を提供してくれる人物から接触があるはずだ。信頼できる人物。連絡を試みた相手はフリーメイソンのピラミッドとその秘密について熟知している。はるか昔に地下に封じられた古(いにしえ)の知恵と、その隠し場所へ通じる秘められた螺旋階段についても知っている。閲覧室から脱出するときにようやく電話がつながったのだが、その人なら自分の短いメッセージを完全に理解してくれるという確信があった。

真っ暗ななかを進みながら、ラングドンのバッグにおさめられた石のピラミッドと金の冠石をまぶたに描いた。あのふたつが同じ部屋にあったのは、もう何年も前になる。

その痛ましい夜を自分はけっして忘れまい。ピーターにとっては、それが悲劇のはじまりとなった。ベラミーはザカリー・ソロモンの十八歳の誕生日に、ポトマックにあるソロモン家の邸宅へ招かれた。ザカリーは反抗的な子だったが、ソロモン家の一員であることに変わりはなく、一族の伝統に則(のっと)ってその夜に相続財産を受けとることになっていた。ベラミーはピーターの最も親しい友で、信じ合うフリーメイソンの兄弟でもあったため、立会人として同席するよう請われていた。しかし、立ち会いを求められたのは金を渡す折だけではなかった。その夜の要(かなめ)は金よりはるかに重大なものだった。

ベラミーは早めに到着し、頼まれたとおりにピーターの書斎で待った。古式ゆかしい一室には、本革と燃える薪(まき)とルーズリーフティーの香りが漂っていた。そこに腰かけていると、ピーターが息子のザカリーを部屋に連れてきた。骨張った十八歳の少年はベラミーを見て渋面を作った。「ここで何してんの?」

「立ち会いだ」ベラミーはためらいがちに言った。「誕生日おめでとう、ザカリー」

少年は何やらつぶやいて目をそむけた。

「すわりなさい、ザック」ピーターが言った。

ザカリーは父親の大きな木製の机と向かい合うひとり掛けの椅子に腰かけた。ピーターが書斎のドアに鍵をかける。ベラミーは少し離れたところに腰をおろした。

ピーターは重々しい口調でザカリーに話しかけた。「なぜここにいるかわかるか」

「まあね」

ピーターは深く息をついた。「ずいぶん前からおまえとわたしの考え方が合わなくなっているのはたしかだ、ザック。わたしはよき父親となって、おまえがこのときをしかるべき心構えで迎えられるように、最善を尽くしてきたつもりだったのだが」

ザカリーは何も言わなかった。

「知ってのとおり、ソロモン家の子供はみな、成人するにあたって、相続財産を――ソロモン家の資産の一部を――与えられる。それは種（たね）として与えられるのであり、涵養（かんよう）して、人々を豊かにするために役立てなくてはならない」

ピーターは壁の金庫に歩み寄り、それをあけて黒い大きな書類入れを出した。「ここには、渡された財産を法に則って自分の名義に書き換えるのに必要な一式がはいっている」書類入れを机に置く。

「これを与えるのは、その金を使って豊かで慈愛に満ちた実りある人生を築いてもらいたいからだ」

ザカリーは書類入れをとろうとした。「それはどうも」

「待て」ピーターは言い、それを手で押さえた。「説明すべきことがほかにもある」

ザカリーは蔑（さげす）むような目で父親を見ると、荒々しく腰を落とした。

「ソロモン家の相続財産にはおまえの知らない部分がある」ピーターは息子の目をまっすぐ見据えた。「おまえは長子だ、ザカリー。だから選ぶ権利がある」

ザカリーは興味を掻(か)き立てられた様子で体を起こした。

「どちらを選ぶかでおまえの将来の方向が決まるだろうから、慎重に考えるよう忠告しておく」

「何を選ぶんだ」

ピーターは大きく息を吸った。「それは……富か知恵かの選択だ」

ザカリーは当惑して見返した。「富か知恵か？　よくわからないな」

ピーターは立ちあがってふたたび金庫の前へ行き、フリーメイソンの象徴が刻まれた重い石のピラミッドを中から出した。そして、その石を机の書類入れの隣に置く。「このピラミッドははるか昔に造られ、わが一族に何世代も前から託されている」

「ピラミッドだって？」ザカリーはあまり関心がなさそうだった。

「このピラミッドは地図であり、人類の失われた至宝のひとつが眠る場所を明らかにする。宝をいつの日かふたたび見いだすために造られたものだ」ピーターの声は誇りに満ちていた。「そして今夜、伝統に従って、わたしはこれをおまえに託す……ある条件のもとで」

ザカリーは疑わしげにピラミッドを見つめた。「宝ってなんだ？」

その低俗な質問がピーターの望んだものではないことはベラミーにも察せられた。それでも、ピーターは泰然としたままだった。

「ザカリー、背景をあまり教えずに説明するのはむずかしい。だが、その宝とは……つまるところ……われわれが古の神秘と呼ぶものだ」

冗談を言っていると思ったらしく、ザカリーは笑った。

ピーターの目の憂いの色が濃くなるのがベラミーにもわかった。

「とても説明しづらいんだよ、ザック。伝統どおりなら、ソロモン家の子供が十八歳になるころには、数年にわたる高度な教育を受けはじめるところで――」

「言ったろう！」ザカリーは言い返した。「大学に興味はないって！」

「大学の話ではない」ピーターはなおも静穏な声を保った。「フリーメイソンのことを言っているのだよ。人間のあり方にまつわる神秘についての教育の話だ。わたしとともに加わっていたなら、いまごろは今夜の決断の重みを理解するのに必要な教育を受けていただろうに」

ザカリーは目をくるりとまわした。「フリーメイソンの講義はもうたくさんだよ。ソロモン家の人間で加わりたがらないのは、おれがはじめてだっていうのは知ってる。けど、それがどうした？　わからないのか？　老いぼれたちと仮装ごっこなんてごめんなんだよ！」

ピーターは長々と黙している。いまなお若々しい目のまわりに細かい皺ができはじめているのに、ベラミーは気づいた。

「そうか、わかった」ピーターはついに言った。「時代は変わったな。きっとおまえにとって、フリーメイソンは不可解で退屈にすら思えるのだろう。それでも伝えておくが、もしおまえがその気になったら、扉はいつでも開かれる」

「期待されても困るな」ザカリーは不満げに言った。

「いいかげんにしろ！」ピーターは怒鳴って立ちあがった。「人生を楽しめずにいるのはわかるよ、ザカリー。だが、おまえの道しるべはわたしだけではない。すばらしい人々が待ち受けているのだよ。

おまえをフリーメイソンとして受け入れ、真の能力を引き出してくれる人々が」

ザカリーは含み笑いをしてベラミーを一瞥した。「あんたがここにいるのもそれが理由なのかい、ミスター・ベラミー。おれをよってたかって責めるためなんだろう？」

ベラミーは何も言わず、敬意のこもった視線をピーター・ソロモンに向けた——この場の主人がだれなのかをザカリーに教えるために。

ザカリーは父親にふたたび顔を向けた。

「ザック」ピーターは言った。「何を言っても無駄らしい……だから、これを伝えるだけにする。今夜明らかにする責任をおまえが理解できるかどうかはともかく、説明するのはわたしの義務だ」ピラミッドを手ぶりで示す。「このピラミッドを守ることはすばらしい特権だ。決断をくだす前に、何日かかけてこの幸運について考えるよう勧める」

「幸運？」ザカリーは言った。「石のお守りが？」

「この世には大いなる謎があるのだよ、ザック」ピーターはため息とともに言った。「いかなる想像もとうてい及ばぬような秘密が。このピラミッドはそういう秘密を守っている。もっと重要なことを言えば、おそらくおまえが生きているうちに、このピラミッドの謎が解かれ、秘密が明るみに出る日が訪れる。それは人類が大いなる変身をとげる瞬間となり、おまえはその際になんらかの形で貢献できる。くれぐれもよく考えなさい。富はありふれているが、知恵は稀少だ」書類入れとピラミッドを順々に示す。「知恵なき富はしばしば悲惨な結末に終わることをどうか忘れないでくれ」

ザカリーは正気を疑う目で父親を見た。ピラミッドを指さして言う。「あんたがどう言おうと、こんなもののために金をあきらめるなんて無理な話だ」

ピーターは体の前で手を組んだ。「責任を引き受ける道を選ぶなら、フリーメイソンで無事に教育を受け終えるまで、おまえの金とピラミッドはわたしが預かる。何年もかかるだろうが、成熟した人間となった暁に、おまえは金とこのピラミッドの両方を受けとれる。富と知恵。強大な力を持つ組み合わせだ」

ザカリーは勢いよく立ちあがった。「よせよ！ まだあきらめないのか？ フリーメイソンも石のピラミッドも古の神秘もくそ食らえだってのが、まだわからないのか？」手を伸ばして黒い書類入れをひったくり、父親の顔の前で振る。「おれにはこれを受けとる資格がある！ これまでのソロモン一族の面々と同じようにな！ 古い宝の地図がどうのこうのと退屈な作り話をして、金を手放すよう仕向けるなんて卑怯だぞ！」書類入れを小脇にはさみ、ベラミーの前を通り過ぎて、書斎の中庭に面したドアへ突進していく。

「ザカリー、待て！」夜の闇へ出ていこうとする息子を、ピーターは急ぎ足で追った。「何があろうと、いま見たピラミッドの話をしてはいけない！」その声はうわずっていた。「だれにも、だれにもだ！ けっして！」

だが、ザカリーは聞く耳を持たずに闇に消えた。

机にもどり、革張りの椅子に力なくすわったピーター・ソロモンの灰色の目は苦悩に満ちていた。長い沈黙のあと、ベラミーを見て悲しげに笑みをつくろった。「うまくいったよ」

ベラミーはため息を漏らし、ピーターの痛みを分かち合った。「ピーター、無神経なことを言いたくはないが……しかし……ザカリーを信用できるのか？」

ピーターはうつろな目で宙を見つめている。

「つまり……」ベラミーはたたみかけた。「ピラミッドについて沈黙を守れるだろうか」

ピーターはなんの表情も浮かべなかった。「何を言うべきか、ほんとうにわからないんだよ、ウォーレン。息子を理解しているのかどうかさえ、もう自信がない」

ベラミーは立ちあがり、大きな机の前を行きつもどりつした。「ピーター、きみは一族の習わしに従ったが、いまのいきさつを考えたら、用心を重ねる必要があると思う。冠石は返すから、新しい保管先を探したほうがいい。ほかの人間が見守るべきだ」

「なぜ？」

「もしザカリーがだれかにピラミッドの話を教えて……わたしが今夜ここにいたことまで口に出したら……」

「ザカリーは冠石のことを何も知らないし、未熟すぎてピラミッドの価値もわかるまい。新しい保管先を探す必要はないよ。ピラミッドはわたしの金庫にしまっておく。きみは冠石をどこかで預かってくれ。これまでどおりに」

監獄でザカリーを殺したという男がソロモン家に侵入したのは、それから六年後のクリスマスで、一家がまだザカリーの死から完全には立ちなおれずにいたときだった。侵入者の狙いはピラミッドだったが、奪ったのはイザベル・ソロモンの命だけだった。

その数日後、ピーターはベラミーを書斎に呼んだ。ドアに鍵をかけたあと、金庫からピラミッドを出し、互いのあいだの机に置いた。「きみの言うことに耳を貸すべきだった」

ピーターが罪悪感に押しつぶされそうなのをベラミーは知っていた。「そうしたところで何も変わらなかったろう」

ピーターは大儀そうに息を吸った。「冠石を持ってきてくれたか」

ベラミーはポケットから小さな四角い包みを出した。色あせた茶色い紙は麻ひもで縛られ、ピーターの指輪で封蠟がしてある。フリーメイソンのピラミッドのふたつの部分が危険なほど近づいているのを感じつつ、包みを机に置いた。「見守る人間をほかに探してくれ。だれにするかはわたしにも言わないほうがいい」

ピーターはうなずいた。

「それから、ピラミッドを隠せるところを知っている」ベラミーは連邦議会議事堂の地下二階についてソロモンに教えた。「ワシントンで最も安全な場所だ」

ピーターがすぐにその考えを気に入ったのは覚えている。この国の心臓部にピラミッドを隠すのが、象徴的な意味でもふさわしいと判断したからだ。ピーターらしい、と思ったものだ。危機のさなかでも理想を貫く。

十年後のいま、目隠しをされて議会図書館を乱暴に歩かされているベラミーは、今夜の危機が終わったとはとうてい言えないことを知っていた。ピーターが冠石の守り手としてだれを選んだのかも、いまでは知っている。そして、ロバート・ラングドンがその任に堪えることを神に祈った。

62

ここは二番ストリートの真下だ。

低いうなりを立てて暗黒のなかをアダムズ館へ向かうコンベヤーベルトの上で、ラングドンは目を

固く閉じつづけていた。膨大な量の土に圧されつつ、細長いトンネルを通って自分が運ばれていることは、つとめて想像しまいとした。頭の数ヤード先からキャサリンの息づかいが聞こえるが、ことばはずっとひとことも発せられなかった。

ショックに陥っているはずだ。ピーターの切断された手の話をする気にはなれなかった。話さないわけにはいかないぞ、ロバート。キャサリンには知る資格がある。

「キャサリン？」ラングドンは目をあけずに重い口を開いた。「だいじょうぶかい」

頭の先から、震える声だけが浮遊してきた。「ロバート、あなたの持ってるピラミッドだけど、ピーターのものよね？」

「そうだ」ラングドンは答えた。

長い沈黙がつづいた。「たぶん……母が殺されたのはそのピラミッドのせいだと思う」

イザベル・ソロモンが十年前に殺害されたことはラングドンももちろん聞いていたが、詳細までは知らなかったし、ピーターはピラミッドについて何も言っていなかった。「どういうことなんだ」

その夜の恐ろしい事件を振り返り、刺青の男が邸宅に侵入したいきさつを物語るうち、キャサリンの声に感情があふれた。「ずいぶん前のことだけど、あの男がピラミッドを要求したのは忘れない。ピラミッドの話は監獄で甥のザカリーから聞き出したらしいわ……ザカリーを殺す直前に」

ラングドンは驚きのうちに耳を傾けた。ソロモン家の悲劇は想像をはるかに超えていた。

キャサリンは話をつづけた。その夜に侵入者が死んだものとばかり思っていたこと……それがまちがいで、同じ男がきょうふたたび現れ、ピーターの精神科医を装って自分を家へおびき寄せたこと。

「兄のことも、母の死のことも、わたしの研究のことさえも、内輪の話を知っていたの」不安げに言

う。「兄から聞いたとしか思えなかった。だから信用して……あの男をＳＭＳＣに入れてしまった」

キャサリンは深く息を吸い、今夜男がほぼまちがいなく研究所を破壊したことを伝えた。

ラングドンは呆然と話を聞いていた。しばらくのあいだ、動くコンベヤーベルトの上でふたりとも黙しつづけた。今夜の悲惨な知らせがそれだけではないことを、キャサリンに教えなくてはならない。ラングドンはゆっくり話を切り出し、ピーターから数年前に小さな包みを託されたこと、今夜だまされてその包みをワシントンに持参したこと、そして最後に、ピーターの手首が連邦議会議事堂の〈ロタンダ〉で発見されたことを、つとめて柔らかいことばで伝えた。

キャサリンは耳を覆いたくなるような沈黙で応えた。

動揺しているにちがいなく、手を伸ばしてなぐさめたかったが、窮屈な暗がりでひとつなぎに寝ていてはそれもかなわなかった。「ピーターはだいじょうぶだ」ラングドンは小声で言った。「生きているし、かならず取りもどせる」希望を与えようとつとめる。「あの男はピーターを生きたまま返すと約束したんだ……わたしがピラミッドを解読してやりさえすれば」

キャサリンはなおも無言だった。

ラングドンは話しつづけた。石のピラミッド、それに刻まれたフリーメイソンの暗号、封じられた冠石。そしてもちろん、ベラミーによる説明も。そのピラミッドは伝説のフリーメイソンのピラミッドにほかならず……地下深くへつづく長い螺旋階段の隠し場所を教える地図であり……その階段を数百フィートもくだると、はるか昔にワシントンに埋められた古の秘宝があるという。

キャサリンがついに口を開いたが、その声は平板でなんの感情も帯びていなかった。「ロバート、目をあけて」

目をあける？　ラングドンは、ここが実際にどれほどせまいかを一瞬たりとも確認したいと思わなかった。

「ロバート！」キャサリンが強い口調で急き立てた。「目をあけて！　着いたのよ！」

ラングドンが急いで目を開くと、はいったときと同じような穴から体が出たところだった。キャサリンはもうコンベヤーベルトからおりようとしている。キャサリンがショルダーバッグをおろすとともに、ラングドンは脚を横へ投げ出し、コンベヤーベルトが角を曲がって折り返す前のきわどいところでタイル張りの床へ跳びおりた。そこはもとの建物にあった部屋とよく似た運搬室だった。小さな表示板があり、〝アダムズ館第三運搬室〟と記されている。

ラングドンは地下の産道から出てきた気分だった。生まれ変わったわけだ。すぐにキャサリンに顔を向けた。「だいじょうぶかい」

目が赤く、泣いていたのは明らかだったが、キャサリンは思いを嚙みしめて決然とうなずいた。ラングドンのショルダーバッグを手にとって、無言で部屋の奥へ行き、散らかった机に置く。それから机に付属したハロゲンランプのスイッチを入れ、ファスナーをあけてバッグをひろげると、中をのぞきこんだ。

ハロゲンランプでまばゆく照らされた花崗岩のピラミッドは、荘厳にすら見える。刻まれたフリーメイソンの暗号に指を這わせるキャサリンの胸のなかで、重い感情が去来しているらしい。キャサリンはゆっくりとショルダーバッグに手を差し入れ、四角い包みを取り出した。ランプの下にそれを持ってきて、仔細に観察する。

「見てのとおり」ラングドンは静かに言った。「封蠟にはピーターがはめているフリーメイソンの指

輪の模様が浮き出ている。一世紀ほど前にその指輪が封印に用いられたとピーターは言っていた」

キャサリンは何も言わなかった。

「ピーターからこの包みを託されたとき」ラングドンは教えた。「これには混沌から秩序を生み出す力があると聞いたんだ。その意味はいまでもよくわからないが、悪の手に渡してはいけないとピーターは念を押していたから、冠石が何か重要なものをさらけ出すと考えるべきだろう。ミスター・ベラミーも同じことを言い、ピラミッドを隠してだれにも包みをあけさせるなと釘を刺していた」

それを聞いたキャサリンは憤慨した様子で振り返った。「包みをあけるなとベラミーは言ったの？」

「ああ。強い調子でね」

キャサリンは信じられないという顔をした。「でもあなたの話だと、この冠石がピラミッドを解読する唯一の手段なんでしょう？」

「たぶんそうだ」

キャサリンの声が一段と大きくなる。「そしてあなたはピラミッドを解読しろと命じられた。ピーターを取りもどすにはそれしかないのよね？」

ラングドンはうなずいた。

「だったらロバート、なぜさっさと包みをあけて、これを解読しようとしないの？」

ラングドンはどう答えればよいかわからなかった。「キャサリン、わたしもまったく同じように抗議したんだが、このピラミッドの秘密を守ることを何よりも優先しろとベラミーは言ったんだよ……ピーターの命よりも」

キャサリンは美しい顔をこわばらせ、髪のひと房を耳の後ろに掻きあげた。口を開いたとき、その

声は決意に満ちていた。「この石のピラミッドのせいで、わたしの家族全員が犠牲になった。最初は甥のザカリー、つぎは母、いまは兄。それから、これも忘れないで、ロバート。もし今夜、あなたが電話で警告してくれなかったら、わたしも……」

ラングドンは、キャサリンの道理とベラミーの一徹さの板ばさみになるのを感じた。

「わたしは科学者だけど、世に知られたフリーメイソンの一族の人間でもある。だから、フリーメイソンのピラミッドの話も、それが人類を啓蒙する大いなる宝をもたらすという話も、残らず聞いてるわ。正直言って、そんなものがあるとは想像しにくいけどね。でも、もしほんとうに存在するなら……そろそろベールが剝がされてもいいはずよ」キャサリンは包みにかかった古い麻ひもの下に指を滑りこませた。

ラングドンは一驚した。「キャサリン、だめだ！　待て！」

キャサリンは手を止めたが、指はひもの下にくぐらせたままだった。「ロバート、こんなもののために兄を死なせるわけにはいかない。この冠石に何が記されていようと……この刻印がどんな失われた宝を明らかにしようと……秘密は今夜で終わりよ」

そのことばとともにキャサリンは敢然とひもを引き、もろい封蠟をはじき飛ばした。

63

ワシントンＤＣの大使館通りにほど近い閑静な一画に、壁をめぐらせた中世風の庭園があり、十二世紀から命をつないでいると言われる薔薇が並んでいる。ジョージ・ワシントン所有の採石場から切

り出した石が曲がりくねった小道を作り、その中ほどに、カーデロック岩でできた阿舎（あずまや）——通称〈シャドウ・ハウス〉——が雅（みやび）やかな姿を見せている。

　木の門を抜けて走ってきた若者が、庭園の静寂を破った。

「すみません」若者は声を張りあげ、月明かりのなかで目を凝らした。「こちらにいらっしゃいますか」

　答えた声はか細く、ほとんど聞きとれなかった。「阿舎だ……外の空気を吸っている」

　若者は、老いて衰えた師が毛布を掛けて石の長椅子に坐（ざ）しているのを見つけた。背中の曲がった老人はかなり小柄で、妖精（ようせい）を思わせる目鼻立ちをしている。歳月がその背骨を折り曲げ、視力も奪ったが、魂はいまも侮りがたい力を秘めている。

　若者は息を整えながら言った。「たったいま……電話がありました……ご友人の……ウォーレン・ベラミーから」

「ほう」老人は体を起こした。「用件は？」

「おっしゃいませんでしたが、とてもお急ぎのようでした。留守番電話にメッセージを残したので、すぐに聞いていただきたいとのことです」

「それだけか？」

「まだあります」若者はことばを切った。「ひとつ質問をするよう頼まれました」なんとも奇妙な質問を。「すみやかに返事をいただきたいとおっしゃっていました」

　老人は身を乗り出した。「どんな質問なのかね」

　ベラミーの質問をそのまま伝えると、老人の顔に憂いが差すのが月明かりの下でも見えた。老人は

即座に毛布を剝ぎ、立ちあがろうとした。

「中へ行くから手伝いなさい。急いで」

64

秘密にはもううんざり、とキャサリン・ソロモンは思った。

机の上に、何代ものあいだ損なわれることのなかった封蠟が破れて散らばっている。キャサリンは兄の貴重な包みから色あせた茶色い紙を剝がし終えた。横にいるラングドンは目に見えて不安そうな顔をしている。

紙のなかから、灰色の石でできた小箱を取り出した。磨かれた花崗岩の立方体で、蝶番(ちょうつがい)や掛け金はなく、あける方法がわからない。キャサリンは寄せ木細工の秘密箱を連想した。

「ただの石の塊みたいだわ」へりを指でなでながら言った。「X線画像では中空になっていたというのはほんとう？　そこに冠石があったの？」

「中空だった」ラングドンは言い、キャサリンの隣へ行って謎めいた箱をていねいに調べた。キャサリンとは別の角度からながめ、あける手立てを探そうと試みる。

「あっ、これよ」箱の上側のへりの一方に目立たない切れこみがあるのを、キャサリンが爪で探りあてた。箱を机に置いてから、注意深く蓋(ふた)を持ちあげると、それは上等の宝石箱さながらになめらかに開いた。

蓋が後ろに倒れたとき、ラングドンとキャサリンはともに音を立てて息を呑んだ。箱の内側が光っ

ているように見える。異世界を思わせるほどの燦然たる輝きだ。キャサリンはこれほどまで大きな金塊を目にするのははじめてだったが、デスクスタンドの光が反射してそう見えるだけだとすぐに気づいた。

「みごとね」キャサリンはつぶやいた。約一世紀も石に封じこめられていたにもかかわらず、冠石には変色も曇りもまったくない。金はエントロピーの衰退の法則に抗する。古代の人々が金に魔力があると考えた理由のひとつはそれだ。身を乗り出して小さな黄金の四角錐に目を凝らしていると、鼓動が速まった。「文字が刻まれてるわ」

肩がふれ合うところまでラングドンが体を寄せた。その青い目が好奇心で輝く。古代ギリシャにはシンボロン――分割された暗号――を作る習慣があり、本体から長らく分かたれていたこの冠石がピラミッド解読の鍵となることは、先刻キャサリンも聞かされていた。なんと記されているにせよ、この刻字が混沌から秩序をもたらすことになる。

キャサリンは小箱を明かりに近づけ、真上から冠石を見つめた。

刻字は小さいが完全に見てとれる――側面のひとつに短い文が優美に彫られている。キャサリンはその単純な一文を読んだ。

そして、もう一度読み返した。

「嘘よ！」キャサリンは言いきった。「ぜったいに、そんなはずがない！」

通りの反対側では、サトウ局長が議事堂の外にある長い歩道を急ぎ、一番ストリートの集合地点へ向かっていた。現場チームからの最新報告は受け入れがたいものだった。ラングドンを確保できず。

ピラミッドを確保できず、冠石を確保できず。ベラミーは拘束できたが、真実を話していない。いまのところは。

自分が吐かせてやる。

首を後ろにひねり、ワシントンの最新の風景をながめた。議事堂のドームが新しい観光センターの上にそびえている。照らし出されたドームを見ても、今夜の真の問題がどれほど重大かが際立つばかりだった。危険な時代だ。

携帯電話の着信音を聞いたサトウは、部下の分析官の名前が画面に現れたのを見て安堵した。

「ノーラ」サトウは電話に出た。「何かわかった？」

ノーラ・ケイは悪い知らせを伝えた。冠石の刻字のX線画像はあまりにも薄くて読みとれず、フィルターで読みとりやすくしても無駄だった。

くそっ。サトウは唇を嚙んだ。「十六字の文字列のほうは？」

「まだ解読中です」ノーラは言った。「有効な第二の解読鍵を発見できません。文字列をコンピューターで並べ替え、何か意味を見いだせないかと試みていますが、千五百億通り近くの順列がありますから」

「つづけて。結果を知らせるように」サトウは顔をしかめて電話を切った。写真とX線画像だけでピラミッドを解読できる見こみはほとんどなさそうだ。あのピラミッドと冠石が要る……おまけに時間がない。

サトウが一番ストリートに着くと同時に、窓ガラスを暗くしたエスカレードの黒のSUV車が轟音(ごうおん)を立てて進入禁止の黄色い線を突っ切り、目の前の集合地点にブレーキをきしませて停止した。車内

から捜査官がひとり出てくる。

「ラングドンについての報告はまだ？」サトウは問いただした。

「まもなく報告できます」捜査官は淡々と言った。「増援が到着しました。すべての出口を包囲しています。空からの支援も来ます。これから催涙ガスを流しこみますが、ラングドンに逃げ場はありません」

「ベラミーは？」

「拘束して後部座席にほうりこんであります」

よし。サトウの肩はまだうずいていた。

捜査官は、携帯電話と鍵束と札入れがはいった密封式のビニール袋をサトウに渡した。「ベラミーの所持品です」

「ほかには？」

「これだけです。ピラミッドと箱の包みはまだラングドンが持っているはずです」

「わかった。ベラミーはまだまだ多くを打ち明けていないと思うね。わたしがじきじきに尋問したい」

「了解しました。ではラングレーに？」

サトウは深く息を吸い、ＳＵＶの前を少し歩いた。アメリカ国民の尋問には厳格な手順が定められている。ベラミーを合法的に尋問したければ、ラングレーまで連れていって、ビデオカメラの前で立会人やら弁護士やらをつけたうえで……「ラングレーへは行かない」もっと近い場所を考えた。そして、もっと密(ひそ)やかな場所を。

捜査官は何も言わず、アイドリング中のＳＵＶの横で直立不動の姿勢を保った。

サトウは煙草に火をつけて深々と吸い、ベラミーの所持品がはいった袋を見た。鍵束に電子キーがあり、四つの文字で装飾されている。ＵＳＢＧ。むろん、これがどの政府施設の鍵なのかは知っている。あそこならごく近いし、この時刻だと秘密も守りやすい。

笑みを浮かべ、電子キーをポケットに入れた。申し分ない。

驚いた顔をするかと思いつつベラミーの連行先を伝えたが、捜査官は冷たいまなざしになんの感情も表さずに無言でうなずき、サトウのために助手席のドアをあけた。

サトウはプロフェッショナルが大好きだった。


アダムズ館の地下で、ラングドンは金の冠石の表面に美しく彫られた六つの語を不信の目で見つめていた。

これだけか？

隣でキャサリンが冠石を明かりに近づけ、首を左右に振った。「もっと何かあるはずよ」だまされたとでも言いたげだ。「こんなものを兄は長年守ってきたというの？」

ラングドンも煙に巻かれた気がしてならなかった。ピーターやベラミーの言うとおりなら、この冠石は石のピラミッドの解読に利用できるはずだ。ふたりのことばから、光明を与えてくれそうな役立つものを期待していた。これではあたりまえすぎて、なんの役にも立たない。冠石の表面に細やかに彫られた六つの語をあらためて見た。

The
secret hides
within The Order

〝その秘密が内に忍び宿るのは秩序〟だって？

最初に見たときは、ごく当然のことが述べられていると思った。ピラミッドの十六文字は無秩序に並んでいるから、秘密は正しい並び順を見つけることで明かされる、という意味だ。しかし、それでは自明すぎるばかりか、別の理由からも変に思えた。「the と order に大文字が使われてる」ラングドンは言った。

キャサリンがぼんやりとうなずく。「わたしも気づいたわ」

The secret hides within **The Order**

ラングドンは筋が通る唯一の解釈を思いついた。「これは特定の〝結社(オーダー)〟――つまり、フリーメイソン結社を指しているにちがいない」

「たしかにそうね。それでも役に立たないわ。やっぱり、あたりまえよ」

ラングドンも同意するほかなかった。フリーメイソンのピラミッドにまつわるすべての話は、フリーメイソン結社のなかに隠された秘密が軸になっている。

「ロバート、兄の話だと、この冠石はほかの者の目には混沌としか映らないときに、秩序を見る力を与えるのよね？」

ラングドンは落胆してうなずいた。自分に資格がないと感じたのは、この夜二度目だった。

65

予期せぬ訪問者――〈プリファード・セキュリティ〉の女性警備員――の始末を終えたマラークは、警備員が聖なる作業場をのぞきこんだ窓の塗装を直した。

そのあと、柔らかな青い靄に満たされた地下室からあがり、隠し扉を抜けて居間に出た。そこで足を止め、美の三女神を描いたすばらしい絵を愛でながら、慣れ親しんだわが家の香りと音を味わった。

まもなくお別れだ。夜が明けたら、もうここへはもどれない。マラークは笑みを浮かべつつ思った。夜が明けたら、その必要がなくなる。

ロバート・ラングドンはピラミッドの真の力をもう理解したのだろうか。運命によって授けられた使命の重みを理解したのだろうか。ラングドンからはまだ連絡がない。使い捨ての携帯電話にメッセージが残っていないのを二度たしかめてから思った。いまは午後十時二分。猶予はあと二時間もない。

イタリア産の大理石でできた二階の浴室へ行き、スチームシャワーを出してあたたまるのを待った。

ていねいに服を脱ぎながらも、早く浄化の儀式をはじめたくてたまらなかった。

水を二杯飲み、飢えた胃をなだめる。それから全身が映る姿見の前へ行き、みずからの裸体を観察した。二日の絶食で筋肉が引き立てられている。自分が作りあげた体に思わず見とれた。夜明けには、これ以上に美しい体になっているだろう。

66

「ここから出なきゃいけない」ラングドンはキャサリンに言った。「居場所を突き止められるのは時間の問題だよ」ベラミーもどうにか脱出できていることを願った。

キャサリンはなおも金の冠石に執着していて、刻字がなんの役にも立たなかったのが信じられない様子だった。冠石を箱から出し、すべての面を念入りに調べていたが、いまは箱のなかに慎重にもどしている。

その
秘密が内に
忍び宿るのは結社

たいしたヒントだよ、とラングドンは思った。

もしかしたら、ピーター自身も、箱の中身について誤ったことを教わっていたのかもしれない。ピラミッドと冠石はピーターの生まれるはるか前に作られたものだ。先祖の指示にただ従っただけで、自分やキャサリンと同じく内容をよく知らないまま、秘密を守っていたのかもしれない。

自分は何を期待していたのか、とラングドンは思った。今夜、フリーメイソンのピラミッドの伝説を知れば知るほど、真実味が失せていく気がしてならない。巨大な岩で覆われた秘密の螺旋階段を本気で探すつもりなのか？　影を追う(う)ようなものだ、と内なる声がした。とはいえ、ピーターを救出できる可能性がいちばん高いのは、このピラミッドを解読することではないだろうか。

「ロバート、一五一四年と聞いて何か思いつく？」

一五一四年？　藪(やぶ)から棒の質問だ。ラングドンは肩をすくめた。「いや。どうして？」

キャサリンが石の箱を手渡した。「ほら。箱に年代が記されてるの。明かりの下で見て」

ラングドンは机の前の椅子にすわり、四角い箱を明かりの下で観察した。その肩にキャサリンが柔らかな手を置いて身を乗り出し、箱の外側に刻まれた小さな文字を指し示す。場所は側面の下側の隅だ。

「紀元一五一四年とあるわ」キャサリンが箱を指さして言った。

そこにはたしかに１５１４の数字と、そのあとに珍しい字体のＡとＤの文字が刻まれている。

1514 [symbol]

「この年代が」急に希望が湧いてきたような口調でキャサリンは言った。「探していた手がかりじゃないかしら。この石はフリーメイソンの礎と言ってもいいわけだから、本物の礎石を指し示しているんじゃない？　たとえば、紀元一五一四年にできた建造物の礎石を」

ラングドンはほとんどそれを聞いていなかった。

１５１４ＡＤ――これは年代ではない。

[symbol]の記号は、中世美術の研究者ならだれもが知るとおり、名高い書判（かきはん）――図案化された署名だ。かつて哲学者や芸術家や著述家の多くは、名前ではなく独特の記号や組字で作品に署名をした。それによって作品に神秘的な味わいが加わるし、仮に反体制的な作品と見なされても、みずからの身を守れたからだ。

この書判の場合、ＡＤの文字は紀元（アノ・ドミニ）を表すのではなく……まったく別のものを指すドイツ語だ。

ラングドンはたちまちすべてのピースがおさまるのを感じた。数秒後には、ピラミッドの正しい解読法がわかったと確信した。「キャサリン、お手柄だよ」そう言って荷物をまとめる。「それだけわかればじゅうぶんだ。行こう。途中で説明する」

キャサリンは驚いた様子だった。「紀元一五一四年と聞いて、何か思いついたのね？」

ラングドンはウィンクをしてドアへ向かった。「ＡＤは年代じゃないんだよ、キャサリン。ある人物だ」

（下巻につづく）

ロスト・シンボル　上
Limited Edition

2010年3月3日　初版発行

著者／ダン・ブラウン
訳者／越前敏弥（えちぜんとしや）
装丁／片岡忠彦
発行者／井上伸一郎
発行所／株式会社角川書店
東京都千代田区富士見2-13-3　〒102-8078
電話／編集 03-3238-8555
発売元／株式会社角川グループパブリッシング
東京都千代田区富士見2-13-3　〒102-8177
電話／営業 03-3238-8521
http://www.kadokawa.co.jp/
印刷所／旭印刷株式会社
製本所／本間製本株式会社

落丁・乱丁本は角川グループ受注センター読者係宛にお送りください。
送料は小社負担でお取り替えいたします。

Printed in Japan
ISBN 978-4-04-791623-4　C0097

S0-CFO-446